10 minut od centrum

IZABELA SOWA

10 minut od centrum

Rock and roll umarł, rock jest martwy; stary,
po co kończysz to piwo,
masz karabin zamiast gitary
ja – kieszenie pełne czereśni...
Pidżama Porno

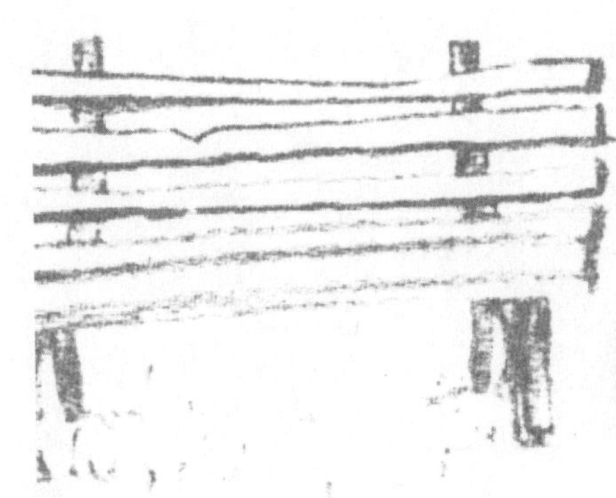

Piątek

Dziesięć minut od centrum kulturalnego, jakim jest „Kraków, dawna stolica Polaków”, to czasem bardzo daleko. Dobrze wie o tym Brusli, czyli Bogdan Prol, karateka i serwisant, zamieszkały na osiedlu Wandy. Bogdan posiada własny pokój z widokiem na stację benzynową, dwieście płyt metalowych, całą serię „Pana Samochodzika” i czarny pas karate. Na razie dotarł do drugiego dan, ale marzy mu się dziesiąty, według Światowej Organizacji Kyokushin Honbu Tokyo przyznawany zwykle pośmiertnie. Od czego jednak wizualizacja? Dzięki niej Bogdan ma nadzieję zdobyć upragnioną „dziesiątkę” za życia. Ma też nadzieję, że randka z Wytworną Joanną zaowocuje czymś pięknym i niekoniecznie ulotnym. Bogdan oczywiście pamięta o odległości dzielącej wytworny świat Joanny od jego zapuszczonego osiedla, ale postanowił podjąć wyzwanie. Ryzyk-fizyk, jak mawiają Czesi. By zwiększyć swoje, marne na razie, szanse Bogdan już od wczoraj poddaje się licznym zabiegom pielęgnacyjnym. Zaczął od wyrwania niesfornych włosków na uszach, w nosie i pod lewym okiem. Przez trzy kwadranse chłodził zbolałą twarz, a następnie zajął się szyją. Udało mu się doprowadzić depilację do końca tylko dzięki silnej woli słowiańskiego wojownika. Zdezynfekowawszy zakrwawioną grdykę, uznał jednak, że wystarczy, i resztę prac dekoratorskich przenosi na dzień następny. Dziś rano umył i obficie wyżelował włosy, po prysznicu natarł tors samoopalającym balsamem oraz feromonami zakupionymi okazyjnie w Almie, a przed chwilą zabrał się do pedikiuru. Co prawda Joanna raczej nie będzie mieć okazji do podziwiania Bogdanowych stóp (rozmiar czterdzieści pięć), ale warto zadbać o najdrobniejsze szczegóły. W razie czego. Czego dokładnie, tego Bogdan na razie nie potrafi ani sprecyzować, ani tym bardziej zwizualizować. Niemniej rozumie powagę sytuacji i dlatego zajadle poleruje pięty szlifierką matki.

No, prawie skończone. Teraz wystarczy wskoczyć w odprasowaną na blachę lnianą koszulę i najmodniejsze dżinsy z Tomexu. Kilka prowokacyjnych spojrzeń w lustro, rozciągający to i owo szpagat, parę dodających energii wymachów nogą (dobrze, że matka nie widzi, bo zaraz by zaczęła jojczyć, że sufit tylko co pomalowany, a już depczesz, Bogdan, niszczysz, niczego nie uszanujesz w rodzinnym gnieździe), jeden bardzo głęboki wdech, po nim wydech i prawie gotowe. Jeszcze tylko przykleić kosmyk sterczący nad uchem, rozpiąć guzik koszuli... może dwa? Na dyskotece w Skotnikach rozpiąłby nawet cztery, ale Joanna mogłaby to uznać za niesmaczną, ba, wulgarną nawet, prowokację. Osoby tak wytworne rzadko ekscytuje King-Kong z metrową świnką peruwiańską zawieszoną pazurami na rozbudowanej klacie. Niech będzie jeden guzik. Albo nie. Włoży zielony podkoszulek, niezbyt obcisły; żeby nie było, że się popisuje. Żadnych tanich sztuczek. A imponującą grę mięśni Joanna obejrzy sobie w stosownym miejscu i czasie. Jeszcze jedno zerknięcie w lustro, i jak, Bogdan? Naprawdę cool. Jakby powiedziała ciotka Hela z Rabki, inteligentnie wygląda ten nasz Boguś. Czyli że ubrał się stosownie do okazji i wreszcie ma równy przedziałek.

Zadowolony z efektu Bogdan powiadomił mamę, że wróci na kolację, i w podskokach popędził do tramwaju. Za dziesięć minut znajdzie się w centrum kulturalnym Małopolski. Za godzinkę zaś – niemal w samym centrum kulturalnego centrum, czyli przy Poczcie Głównej. Joanna obiecała, że poczeka w Bastylii, a potem pójdą gdzieś na spacer. Może nad Wisłę? Tam mógłby jej pokazać, że wbrew pozorom troszczy się o przyrodę, i zaproponować karmienie łabędzi. Ale czy będą żarły, rozpuszczone cholery? A jak Joanna uzna, że to niepotrzebne ingerowanie w naturę? Już rzuciła kiedyś tekstem o... jak to było? O inwazyjnej naturze białego człowieka. Czemu akurat białego, Bogdan nie wie; wstydził się zapytać. A jeśli Joanna jego właśnie uzna za inwa... inwa...zora? ...dera? no, za takiego, co się niepotrzebnie wtrąca i zaburza naturalny porządek świata? Nici ze związku. Więc pokazowego karmienia nie będzie. Zresztą głupio tak przybyć na randkę z bochnem czerstwego chleba w torbie. Co innego z wiąchą, znaczy z bukietem kwiatów. Najlepiej polnych, w żadnym razie pretensjonalnej róży na długaśnym trzonku. Tak mu podpowiedziała Paula, koleżanka z pracy Joanny. Róże są nudne, banalne, obnoszone. Po prostu passé. Co jest zatem trendy w centrum? Nie „trendy", Bogdan, tylko „dżezi end freszi". „Trendy" jest już z lekka passé. Dżezi zaś są hortensje, białe łubiny i pachnący groszek, ale najbardziej polne kwiaty, zrywane o zmierzchu z grzbietu galopującego konia. Ponieważ Bogdan w życiu nie jechał nawet na osiołku, bukiet kupi po drodze u dyżurnej baby, tuż przy Plantach. Przynajmniej doniesie kwiaty w całości; wiadomo, jak wygląda podróż zapchanym tramwajem w piątek, w godzinach szczytu. Na plecach drzemie ci utrudzony dwunastogodzinną szychtą magazynier, do brzucha klei się staruszka i jej skajowa torba pełna miękkich sezonowych owoców, w lewe ucho dyszy zziajany wielbiciel „supermocnych", a prawym bawi się blady przedszkolak, co chwila męcząc matkę i podróżnych pytaniem: „Kiedy wysiadamy, no kiedy?". Dobrze, że nie włożyłem lnianej koszuli, cieszy się Bogdan, przybyłbym na spotkanie zmięty jak wczorajsza gazeta. A tak wejdę świeży i gładki, i... co dalej? No... wręczy bukiet, potem zapyta o plany... A jeśli Joanna każe mu zadecydować? To najpierw spacer, potem koktajl w którymś z ogródków. Tylko nie w okolicach Szarej, ostrzegł go Maks, kumpel z treningów karate:

– Przysiadłem na chwilę z taką jedną, powiedzmy że koleżanką. Gorąc jak fiks, to zamówiłem dwa naparstki mineralnej bez gazu. I wiesz, stary, ile nam policzyli? Równo dwie dychy. Byłaby za to cała butla porządnego wina. Wypiłoby się w spokoju nad Wisłą i git, a tak? Najdroższe lanie wody, stary.

Bogdan obiecał, że będzie uważał. Z drugiej strony nie może straszyć dziewczyny wężem ukrytym w kieszeni. Nie po to tyle się przygotowywał, żeby ją zrażać już na pierwszej randce. Jeśli Joanna wybierze okolice Szarej, to pójdą. Przecież jej nie powie, że tam nie, bo za drogo.

Zresztą jest przygotowany na różne ekstra wydatki. Przynajmniej przez pierwszy tydzień. A potem? Potem może być skromniej, bo przy pensji tysiąc trzysta na rękę trudno zasypywać ukochaną kokosami, nawet jeśli się trafią w promocji, po dwa dziewiętnaście za sztukę. Dobrze, że dzięki rodzinnym układom może Bogdan liczyć na rozmaite promocje: w pizzerii wuja ma co trzecią pizzę z salami gratis, Józek zaś, chrzestny z Rabki, gwarantuje Bogdanowi upust na sosnową trumnę. Nie wiadomo, czy Joannę taka zniżka zainteresuje, ale zawsze to coś. Na razie kasa na godowe tańce wypycha mu portfel, a potem to się zobaczy. Może Joanna zapała miłością, ta zaś, jak wszyscy wiemy, bywa ślepa, i wtedy, kto wie, może Bogdanowi sporo się upiecze. Na przykład brak szerszych perspektyw, biegłej znajomości francuskiego i wytwornych manier. Oby, wzdycha Bogdan i próbuje się skupić na tym, co tu i teraz. Tak mu poradził Zygmunt Bancha Mung, sprzedawca majtek, trener karate i osiedlowy mistrz zen. Nie martwi się o jutro, Bogdan, bo ono psi-nosi własne zmartwienia. Martwi się tym, co tu i teraz, powiedział mistrz, i kazał wzmocnić wykop prawą nogą.

Więc się Bogdan skupia na teraźniejszości, zwłaszcza że już przystanek przy Poczcie i pora wysiąść. Strząsa z pleców utrudzonego magazyniera, odkleja brzuch od staruszki i jej torby, a potem przeciska się mozolnie przez zmiksowany tłum. Zdążył w ostatniej chwili, lekko tylko szczypnięty przez drzwi, i już pędzi na przejście, bo akurat miga mu zielone. Planty. Planty są, ale dyżurnej baby nie ma. Może pchnęła towar szybciej lub zwiała przed strażnikami. I co teraz? Do Sukiennic nie ma sensu lecieć, bo właśnie zegar wybił piątą i już powinien być w Bastylii. Chyba że potem kupią, podczas spaceru. Podejdą do kwiaciarek, Joanna wybierze, a Bogdan zapłaci. Mógłby też nakłamać, że mu w tramwaju potargali i wyrzucił. Ale jeśli Joanna każe mu pokazać, do którego kosza? I wyjdzie szydło z worka, a z Bogdana ściemka? To już lepiej przyjść z gołymi rękami, za to prawie na czas. Bo minuta spóźnienia chyba Joanny nie zrazi?

Właśnie miał wrzucić piąty bieg, kiedy na ławce po lewej zauważył staruszka. Drobny, łysawy, w podniszczonej tweedowej marynarce. Siedzi wsparty na zakopiańskiej lasce i drzemie z półprzymkniętymi oczami. Niby wszystko w porządku, a jednak coś Bogdana tknęło. Przez dwa lata spędzone na pogotowiu zrobił się taki podejrzliwy. Nadźwigał się wtedy noszy i napatrzył. Na rozkwaszone sarmackie nochale, na podbite oczy gospodyń domowych, połamane niemowlęce mostki, na spocone twarze zawałowców i sinożółte umierających. Naoglądał się też staruszków zabieranych o świcie w ostatnią podróż. Dziwnie podobnych do tego tam, na bocznej ławce. Nic, podejdzie, sprawdzi, i oby się mylił.

– Proszę pana? – Nachylił się nad staruszkiem, delikatnie dotykając jego ramienia. – Dobrze się pan czuje? Wszystko w porządku?

Właściciel tweedowej marynarki, zakopiańskiej laski i piętnastu moli w butonierce z trudem otworzył zaczerwienione, bezrzęse powieki. Odkaszlnął, próbując coś powiedzieć.

– Może pogotowie wezwać albo chociaż do domu pana podprowadzę... – Staruszek podniósł drżącą dłoń na znak, że nie.

– Już, już – wymamrotał. Więc Bogdan przykucnął obok i cierpliwie czekał. W tym wieku powrót z drzemki trwa nieco dłużej. Człowiek musi odkaszlnąć, odchrząknąć, rozruszać zardzewiałą szczękę, odcedzić zaspane myśli od mglistych snów i kolorowych wspomnień. I dopiero jest gotowy do pogawędki.

– Ja przepraszam, przepraszam – odezwał się wreszcie, poprawiając żylastą dłonią zmierzwione nad uszami kępki włosów. – Ale wyszedłem sobie na spacer, pierwszy raz od miesiąca, usiadłem, bo tak tu ładnie i... przydrzemałem. – Zawstydzony spuścił głowę.

– No i zdrowo – skwitował Bogdan. – Tylko pomyślałem, że może podprowadzić albo...

– Ja, proszę pana, sam wrócę do domu... dam jeszcze radę...

– Pewnie, że pan da, i pogotowia nie wzywamy, tak?

– Bez pogotowia, bez. Tylko nie szpital, nie szpital...

– Żadnego szpitala – zapewnił Bogdan. On sam też by wolał zasnąć na parkowej ławce niż gnić w szpitalnym zaduchu. A już najlepiej, jak by go ścięło podczas treningu. Ale to nie teraz, oczywiście, tylko za jakieś dwieście, trzysta lat.

– Ja, panie, tylko troszkę przydrzemałem, bo taka pora.... ale nie chcę do szpitala. Ja sobie sam wrócę do domu.

– Żona nie będzie się martwić?

– Żona już czeka, czeka – uśmiechnął się do własnych myśli staruszek. – Ale na razie jeszcze posiedzę chwilkę. Jeszcze się napatrzę na drzewa, na te kasztany i na pieski też. Jeszcze z godzinkę, dobrze? – rzucił Bogdanowi zapłakane spojrzenie czterolatka, który prosi o ulubioną zabawkę.

– To nie będę przeszkadzać. – Bogdan podniósł się z kucek. – Udanego powrotu i... w ogóle wszystkiego dobrego! – rzucił, poklepując staruszka po marynarce. Ale delikatnie, żeby nie wypłoszyć staruszkowej duszy, która już wyglądała przez obstrzępioną dziurkę po guziku. Jeszcze raz się uśmiechnął i, cóż było zrobić, poszedł.

Dotarł do Bastylii dziesięć minut po piątej. Od razu pogonił na najwyższe piętro. Tam miała czekać Joanna, już od siedemnastej. Rozejrzał się po stolikach. Ani śladu Joanny. Chyba się nie obraziła o spóźnienie i nie poszła? Przecież to tylko głupie dziesięć minut. I chyba wie, jakie są korki o tej porze. Pewnie zatrzymali ją w pracy albo poprawia makijaż. Przy malowaniu rzęs czas ponoć płynie trzy razy szybciej, wyjaśnił mu kiedyś Maks, doświadczony w tych sprawach, bo co sezon ma nową kobietę. Przetestował chyba każdy model i zauważył jedno:

– Żadnej, ale to żadnej, stary, nie udało się zejść z wieczornym makijażem poniżej kwadransa. A czemu? To pomyśl, skąd się biorą u lasek takie potężne rzęsy? Z samego tuszu? Nie, stary. Ja ci powiem, skąd. W tuszach jest specjalny pochłaniacz czasu. Wyłapuje zabłąkane minuty i zamienia je na formułę wydłużającą rzęsy nawet o sześćdziesiąt procent.

Coś za coś, jak w życiu, westchnął Bogdan. Trudno, zejdzie na sam parter, bo (nie wiedzieć czemu) tylko tam łapie zasięg, i cierpliwie poczeka. Zamówi piwko, ochłonie i spokojnie się zastanowi, o czym tu z Joanną pokonwersować. Bo wcześniej jakoś nie miał do tego głowy. No więc o czym? O pracy nie, bo nawet jego samego ten temat bardzo nuży. Trudno się pasjonować stanowiskiem serwisanta bez żadnych szans na awans. Praca jak praca. Od ósmej do szesnastej, poza piątkami, kiedy ma wolne za niedziele.

A z niedzielami było tak, że wybrali Bogdana jednogłośnie, bo, choć najstarszy, nie ma dzieci (przynajmniej nic mu na ten temat nie wiadomo). Reszta serwistantów nie dość, że dzieciata, to jeszcze każdy po rozwodzie albo w separacji. A to oznacza, że, zgodnie z ustaleniem sądu, kontaktują się z potomstwem w następujących porach: niedziele od dziesiątej do siedemnastej, połowa wakacji, drugi dzień świąt (tylko do dwudziestej drugiej) i ewentualnie tydzień zimowych ferii. Niby mógłby się któryś kumpel kopsnąć do firmy i zastąpić Bogdana choć przez jeden niedzielny wieczór, ale szef uznał, że nie ma sensu. Po emocjonującym spotkaniu z pełną zastałej żółci eks-żoną bardzo spada wydajność, za to drastycznie rosną straty w sprzęcie. Niech już lepiej odsapną chłopaki, odreagują stresy w domowym zaciszu, a w poniedziałek mają się stawić w robocie sprawni jak żołnierze. Niby to uczciwe rozwiązanie, a jednak czasem Bogdanowi żal, zwłaszcza gdy widzi przez firmowe okno pary przechadzające się leniwie po sutym niedzielnym obiedzie. Też by tak kiedyś chciał, na przykład z Joanną. Będzie to musiał ustalić z szefem. Jedna niedziela wolna albo niech mi kierownik zapłaci te trzy dychy więcej. Tak mu powie, jak sytuacja z Joanną nieco się wyklaruje. Za miesiąc, może dwa, rozmarzył się Bogdan, ale zaraz mu się przypomina, że musi wymyślić temat rozmów. Tylko jaki?

Na pewno Joanna zapyta go o karate. I nie może się wygłupić tak jak za pierwszym razem, kiedy przyszedł do jej biura podpiąć drukarkę. Zupełnie się wtedy jeszcze nie znali. Bogdan zapukał, zerknął na Joannę i aż mu mroczki przed oczami zalatały. Drugi raz w życiu.

– Pan do kogo? – zapytało zjawisko w trawiastozielonym żakieciku. Wskazał na drukarkę i bez słowa zajął się robotą.

No a co miał robić? Flirtować? Tak od razu? Na sucho? I jeszcze w pracy? Nie, tego Bogdan zupełnie nie uważa. Wie, gdzie należy utrzymać stosowny dystans, żeby potem nikt mu nie wyrzucił, że się wrzepia. Całe szczęście, że pierwsza zagadnęła go Paula, wtedy jeszcze daleka znajoma ze strony Maksa. Najpierw spytała o sprawy sprzętowe, a potem o sport. Czy Bogdan coś trenuje, bo tak profesjonalnie robi przysiady tuż za jej biurkiem. Karate, aż cztery razy w tygodniu? – nie mogła się nadziwić, więc jej wytłumaczył, że trzeba dbać o ciało, bo dusza, wiadomo, nieśmiertelna. Spojrzał ukradkiem na Joannę i od razu pożałował, że mu przyszyli język po zgrupowaniu w dwa tysiące trzecim.

Dostał wtedy takiego kopa, że dolne trzonowce wymieszały mu się z górnymi siekaczami. A że nie zdążył cofnąć języka, to polała się krew, polała ciurem. Zaraz zanieśli Bogdana do zabiegowego, gdzie zaaferowany lekarz założył mu trzydzieści niezgrabnych szwów. Rekonwalescencja trwała grubo ponad miesiąc, a jak Bogdan wrócił do pracy, to na stoliku w kantorku znalazł wypowiedzenie. Komu potrzebny niesprawny ochroniarz, co nie umie utrzymać języka za zębami? Dobrze, że na Piaskach szukali serwisantów, to się załapał. W samą porę, bo już nie miał nawet na treningi, kasy mieszkaniowej nie chciał ruszać, a prędzej by zaczął striptiz robić w CK Browarze, niż poprosił rodziców o wsparcie. Już i tak wysłuchuje od matki, że życie trwoni na głupoty, że inni się pobudowali, a on nic. Nawet mieszkania nie odmalował, bo akurat zachciało mu się Bieszczad. Musiała ekipę wzywać, fachowców przepłacać. Żadnych zasad młodzi nie mają, żadnego celu, ech.

– Wszystko przez to karatekowanie – wzdycha matka.

A przecież jest dokładnie na odwrót. Dzięki karate Bogdan znosi to wszystko. Brak perspektyw i ogólny zastój, także w kwestii uczuć. Oczywiście tego Joannie nie powie. Może kiedyś, ale nie na pewno nie teraz. Nie chce wyjść na mazgaja. Już i tak sporo błędów popełnił. Na przykład z ekologią. Akurat instalował w biurze Joanny nowy skaner, kiedy rozmowa zeszła na temat środowiska. Trujemy, brudzimy, żadnego respektu, irytowała się Joanna, nerwowo skubiąc swój zielony sweterek. Nikt nic nie robi, tylko patrzy jak cielę. Czeka biernie, aż inni załatwią problem za niego.

– A ty, Bogdan? – zagadnęła go znienacka Paula. – Też czekasz? Nie wierzę.

Bogdan wybałuszył oczy. Mógłby się wprawdzie przyznać, że sprząta worki i butelki z osiedlowych trawników, ale to raczej z nerwów. Szlag go trafia, że tak leżą, a jeszcze większy, jak pomyśli, że jego, Bogdana, dawno już nie będzie, a worki nadal będą straszyć na osiedlu Wandy. Więc zbiera i sam już nie wie, czy to dobrze. Bo może przez tę jego alergię na plastik dozorczyni straci kiedyś pracę?

– Nie wstydź się, Bogdan – naciskała Paula. – Maks mi przecież opowiadał, że dokarmiasz piwniczne koty.

A, o to biega! No, dokarmia, ale bez żadnych tam ideologii. Po prostu szkoda mu tych sykaczy pręgowanych. I chyba nawet je lubi, więc dokarmia, zwłaszcza zimą. Okienko też otwiera piwniczne, żeby nie umarzły, to wszystko. Już miał się z tych kotów wytłumaczyć, kiedy Joanna wyskoczyła z oskarżeniami wobec białego człowieka i jego inwazyjnej natury. Czemu białego, wstydził się zapytać. Więc wcisnął się głębiej pod biurko i skupił na rozplątywaniu kabli. Tymczasem Joanna przeszła do problemu odpadów elektronicznych. Te dopiero mieszają w ekosystemie. Ale oczywiście nikogo to nie obchodzi, nikogo. Na przykład taki skaner, wskazała palcem, ciekawe, co się z nim stanie. Pewnie trafi na śmietnik jak poprzednie. No i co miał Bogdan odrzec? Że obiecał skaner znajomemu, Wieśkowi z Płaszowa? W życiu tego nie powie; od razu by wyszedł na złodzieja i gównojada, czyli cwaniaczka, który wynosi z firmy, co tylko się da. Nawet resztki mydła i jednorazowe długopisy. Nie, bezpieczniej będzie zostać pod biurkiem, tam, gdzie jego miejsce.

– Same widzicie – ciągnęła Joanna. – Skaner trafi do śmieci, podobnie jak drukarka i zepsuty miesiąc temu monitor. Tymczasem Amerykanie mają specjalny program rządowy zapobiegający zanieczyszczaniu...

Tu jednak Bogdan nie wytrzymał i wychylił się zza biurka.

– Mają program, fest. Cały zdezelowany sprzęt na statek i do Afryki. Prezent od białego człowieka! – wypalił i od razu pożałował. Znowu wylazł z niego huciany łor. A przecież Paula tyle mu tłumaczyła, jak ma się zachować i jaką rolę dziś odgrywa odpowiedni imidż. Paula świetnie się zna na komunikacji, bo jest spod Bliźniaków. Z każdym umie zagadać i każdego oswoi. Już po dwóch wizytach Bogdana wyczaiła, na czym polega jego problem. Otóż Bogdan Prol zupełnie nie potrafi się zaprezentować.

– Zupełnie nie umiesz się zaprezentować. Wywalasz kawę na ławę, a tu trzeba subtelnie. Pewne rzeczy wyostrzyć, inne schować w cieniu. Dobry retusz to połowa sukcesu, więc postaraj się trochę, a nie siedź pod biurkiem jak ten pies.

Teraz na pewno się postara, nie ma wyboru. No, naprawdę nie ma. Myślisz, że gdyby Bogdan miał wolną wolę, to by startował do Joanny? W życiu! Po pierwsze wie, gdzie leży jego półka: pięćset pięter niżej od półki Joanny. Po drugie gustuje w całkiem innych kobietach. Takich raczej w typie Andżeli, żony szefa. Może ostatnio przygaszona, trochę nieobecna, i przede wszystkim zajęta, ale ogólnie swój człowiek. Nie stresuje tak Bogdana jak Joanna. Bo przy Joannie to Bogdan od razu się napina i ciągle czegoś wstydzi. Za dużych stóp, niezgrabnych ruchów, głupich min, każdego zdania się wstydzi i analizuje, czy dobrze powiedział. Tak się czuje jak na niewygodnej kanapie u chrzestnego z Rabki. Niby elegancko, bardzo miło i kawa wspaniale pachnie, a cały czas się człowiek wierci i marzy, żeby już było po wszystkim. Żeby już wrócić do siebie, zdjąć przyciasne mokasyny i wreszcie się wyciągnąć na miękkim fotelu. Zupełnie to samo czuje przy Joannie. Dziesięć minut spędzone w jej pokoju i już ma ochotę zwiewać, gdzie pieprz rośnie. Ale nie mija godzina od rozstania i już by Bogdan jechał z powrotem. Kręci się niespokojnie po firmie i kombinuje, co by tu jeszcze Joannie zainstalować. Wymienić kabel albo toner, przeczyścić dysze od drukarki, cokolwiek, byle choć przez chwilę popatrzeć spod biurka na jej wytworne stopy. Bogdan wcześniej sobie nie wyobrażał, że zakochanie to taka udręka. Ale skoro go już dopadło, to nie ma wyboru. Musi podjąć wyzwanie i zrobić wszystko, żeby się udało. Dlatego właśnie tak główkuje nad tematem do rozmów. Żeby nie był zbyt kontrowersyjny i nie obnażał informacyjnych braków. Co prawda Bogdan próbuje to i owo nadrobić, ale, powiedzmy sobie szczerze, materia jego wiedzy przypomina rybacką sieć. Co i rusz spora dziura, na przykład w miejscu, gdzie powinny być wiadomości o rozmnażaniu obleńców. Bogdan złapał wtedy paskudną anginę, a jak wrócił, to już zaczęli omawiać budowę stawonogów. Albo trygonometria. Karlicka poszła wtedy rodzić, dali na zastępstwo polonistkę, która zamiast o funkcjach opowiedziała im o upodobnieniach fonetycznych. Teraz Bogdan wie, kiedy zachodzi perseweracja, a kiedy rozsunięcie artykulacyjne, natomiast nie ma nic do powiedzenia na temat tangensa.

W razie czego zawsze mogą pogawędzić o pogodzie. Albo o karate. Tu już Bogdan może się wykazać pełną wiedzą. Historia, techniki, pasy, stopnie. A jeśli Joanna zechce wiedzieć, skąd taki wybór? Jak zacząłeś, Bogdan? Normalnie, zapisał się jeszcze w technikum. Był najchudszy i najmniejszy w klasie. Przezywali go „Suchy" albo „Gruźlik" i traktowali jak chłopca na posyłki. Te, Gruźlik, skocz nam po fajki, potem ci oddamy. Suchy, poproś Żapczyńską, żeby nie robiła klasówki. Tylko postaraj się, chłopie, bo dostaniesz wycisk. W drugiej klasie miał już dość, ale nie mógł się zdecydować, które wyjście wybrać. Zmienić szkołę, zwiać z domu na Mazury, podciąć se żyły czy skoczyć do rzeki? Na rozmyślaniach zleciał mu cały semestr, a kiedy wreszcie podjął decyzję, w drodze nad

Wisłę zobaczył plakat informujący o naborze do sekcji karate. Pierwsze zajęcia gratis, następne za połowę ceny, warto spróbować. Trochę się Bogdan wstydził, bo wiadomo mikrus i do tego suchy, ale kiedy ujrzał innych zainteresowanych, od razu mu przeszło. W kącie obok kaloryfera stłoczyło się stadko bladych anemików, szkieletorów, cherlaków i dzieci Etiopii. Zdesperowane ofiary klasowej przemocy. Połowa już miała zwiać do domu, kiedy do sali wkroczył sam Zygmunt Bancha Mung, mistrz w białym jak fartuch młynarza kimonie. Obrzucił uważnym wzrokiem przerażone stadko i wypowiedział słowa, które natchnęły Bogdana nadzieją, a może, kto wie, uratowały mu życie:

– Psisli, bo dosić upokozień? To dobzie trafili, ale – przerwał radosne popiskiwania wątlaków z pierwszego rzędu – niech nie lici, zie po roku każdy jest drugi Cheng Ling, co skacie po sośnie jak ruda wiewiórka. Ani po roku, ani po dziesięć. Nie mogę teś obiecać, zie dzięki karate koniec dręcicieli.

– To co nam pan może obiecać? – odezwał się drżącym głosem bladosiny bąbel przyczajony obok spróchniałych drabinek.

– Mogę obiecać, zie – Zygmunt przerwał na chwilę, a w sali zrobiło się cicho, jakby ktoś nagle pozamykał wszystkie okna – pokona najwięksi wróg, jaki ziądził wasie zicie: własny strach.

Tych zaś, którzy woleli efektowną karierę Strongmana żonglującego oponami od TIR-ów, mistrz zaprosił na treningi piętro wyżej, sala numer dziesięć. Bogdan został, bo nie o zemstę mu chodziło, ale właśnie o strach. Strach przed barczystymi kumplami z klasy, przed osiedlowym

Rumcajsem polującym na słabych i kalekich, strach przed treserem z WF-u i strach najważniejszy: przed Mieczysławem Prolem, panem i władcą czteroosobowej rodziny, wliczając kanarka. Bogdan trząsł się, słysząc jego ciężkie kroki na schodach. Drżał podczas wspólnych kolacji, dygotał przed każdą wywiadówką. A kiedy ojciec pytał, jak mu poszedł sprawdzian, chłopak ledwo mógł odpowiedzieć przez kurczowo zaciśnięte zęby. Czy Prol senior katował syna? Otóż nie. Pacnął go może ze dwa razy, niegroźnie, wierzchem dłoni. Nigdy też nie zbił pani Prol. A jednak budził wśród najbliższych paraliżujący lęk. Czemu? Bo lepiej niż sam Hitchcock budował nastrój suspensu? Bo za pomocą kilku słów i paru min potrafił pokazać, kto rządzi w mieszkaniu na osiedlu Wandy? A może wyrobił sobie markę groźnego kata zaraz na początku i potem nie musiał nawet palcem kiwnąć, żeby inni kłaniali mu się w pas. Wystarczyło, że popatrzył albo rzucił rozkaz. Na przykład „sól" i od razu drżąca dłoń podsuwała mu solniczkę pod samiuśkie wąsy. „Gdzie gazeta?" oznaczało, że trzeba skoczyć do kiosku i kupić, ale migiem. Jedno magiczne słowo „pilot" wzbudzało popłoch u wszystkich domowników, nawet kanarek miotał się nerwowo po klatce w poszukiwaniu zguby. Kiedy zadowolony z obiadu Mieczysław burknął: „dobre", żona rozpływała się ze szczęścia niczym zbyt rzadki kisiel. A gdy warknął do syna: „debil jesteś", Bogdanowe poczucie wartości zjeżdżało dwadzieścia pięter w dół. To właśnie jego warknięć i min Bogdan bał się bardziej niż kopniaków hojnie rozdawanych przez kumpli z klasy. I dlatego był jednym z pięciu, którzy zostali na treningu u mistrza Zygmunta.

Czy żałował swojej decyzji? Nigdy, choć to nie dzięki karate pokonał strach przed ojcem. Pokonał go całkiem przypadkowo, w pewien upalny czerwcowy dzień, rok po maturze. Mieli jechać z kumplem do Kryspinowa. A oprócz nich dwie laski, jedna naprawdę ładna.

– Dosłownie i z nazwiska – zachwalał kumpel. – Zresztą zobaczysz: idealnie w twoim typie. Tylko się nie spóźnij. Zbiórka punkt dziesiąta u mnie.

Bogdan zerwał się tuż przed ósmą, tak się nie mógł doczekać. A poza tym musiał wcześniej ogarnąć mieszkanie, jak zwykle w sobotę. Odkurzyć wykładziny, przetrzeć ścierą flizy i wyszorować wannę, żeby czekała gotowa na wieczorną kąpiel. Po drodze do kumpla, skoczył jeszcze pod Halę Targową na Grzegórzkach, kupić parę starych krzyżówek dla matki. Tak go prosiła, już drugi tydzień, że nie mógł odmówić. Tyle matka ma radości z życia, jak se po kolacji zasiądzie i powypełnia. Większość haseł już zna na pamięć, więc jedzie automatycznie, ale zawsze to jakaś rozrywka. A nie tylko telewizor i telewizor. Więc kupił Bogdan cały pakiet „Jolek" z zimy, i już miał pobiec na siódemkę, kiedy przy jednym ze stoisk zobaczył ojca. Przygarbiony, dziwnie posiwiały i w ogóle dużo mniejszy niż w zielonym pokoju. Bo w pokoju to Prol senior wydawał potężniejszy od samego Pana Boga. A może to nie on? Bogdan ostrożnie podszedł bliżej. Jednak ojciec, tyle że jakiś taki, skurczony i zmięty. Stoi nieśmiało z boku i zerka na tandetne świerszczyki. Wreszcie udało mu się dopchać do samego stołu, drżącą dłonią chwycił pierwszego z brzegu „Catsa" i kartkuje. Skończył i sięgnął po drugie pisemko, a potem po następne.

– Bierze pan do domu czy woli ślinić się publicznie? – warknął wyjątkowo niecierpliwy sprzedawca. Zwykle pozwalają miętosić gazetki do woli, a ten pewnie nowy jakiś albo spięty.

– Nie, nie ja tylko... tylko... przepraszam – wymamrotał ojciec nienaturalnie cienkim głosem i odskoczył do tyłu, a jego miejsce natychmiast zajął podekscytowany rencista w grubych rogowych okularach.

Bogdan zamknął zawstydzone oczy. Kiedy je otworzył, ojca już nie było. Znikł też cały nagromadzony przez lata strach, a jednak chłopak wcale nie poczuł ulgi. Nagle zrobiło mu się niedobrze, jakby ktoś go owinął wilgotnym od cudzego potu pledem. Nie, w takim stanie nie może jechać do Kryspinowa. Tylko popsułby zabawę innym. Z automatu na poczcie zadzwonił do kumpla i powiedział, że jednak nie da rady, a potem poszedł się powłóczyć na bulwary.

Wrócił do domu wczesnym wieczorem. Matka właśnie dokonywała rytuału sobotniej kąpieli, ojciec zaś oglądał swój ulubiony teleturniej. Cały napięty, chętnie by zakurzył, jak to zwykle przed decydującym starciem, a tu nigdzie zapałek. „Ogień" – wydał rozkaz synowi. Bogdan nawet nie drgnął. „Ognia, mówiłem" – powtórzył głośniej, aż się matka mało nie zachłysnęła pianą o zapachu sosnowych szyszek. Bogdan powoli podniósł się z fotela i spojrzał ojcu prostu w oczy, wytrzymał minutę, a potem wyszedł do kuchni po zapałki. Rzucił mu pudełko na brzuch i poczłapał do swojego pokoju.

Od tamtej pory nie wchodzili sobie w drogę. A rok później pokąsał ojca ten, co do tyłu chodzi. I to tak dotkliwie, że nie było sensu kombinować z chemią. W trzy miesiące było już po ojcu. Nawet nie zdążyli się z Bogdanem pożegnać. Dobrze, że choć matce się udało. Płakała przez tydzień po pogrzebie, potem zrobiła remont generalny i wreszcie zaczęła żyć jak człowiek. Ale czasem puszczają jej nerwy naderwane za młodu i wtedy umie Bogdanowi dopiec do żywego mięsa. A że trafia celniej niż sam Zygmunt Bancha Mung, to Bogdan myśli o przeprowadzce. Ostatnio coraz częściej, zwłaszcza od kiedy poznał Joannę. Już by chciał być na swoim, a nie ciągły monitoring. Ani szpagatu w łazience zrobić, ani poczytać komiksów w kiblu, bo zaraz zostaje ostrzelany gradem pytań.

– Znowu się zatrułeś? Jak to nie, przecież słyszę. Coś ty jadł? Pewnie zapiekanki? Jak to nie? Zawsze po zapiekankach cię gniecie. A ja tyle mówiłam, żebyś nie jadł na mieście. Pieniądze tylko trwonisz. To po co ja kotlety smażyłam? Żeby kuchnię świeżo odremontowaną tłuścić?

Zresztą już nie chodzi o słowne przepychanki. Trudno marzyć o Joannie, kiedy za ścianą ci chrapie rodzona matka. Dlatego Bogdan od paru lat odkłada do banku po cztery stówy miesięcznie. Ma już na koncie grubo ponad dziesięć tysięcy. Gdyby z Joanną coś wyszło, toby się starał o kredyt. Od razu. Tylko jak ma wyjść, skoro Joanna jeszcze nie przyszła? A już wpół do szóstej. Może by zadzwonić i sprawdzić, czy wszystko w porządku? Niby powinien, ale trochę się boi. Niestety, na ten rodzaj lęku karate nie pomaga. Można pokonać strach przed osiedlowym Rumcajsem, ale na widok Joanny Bogdanowi i tak robi się słabo, zupełnie jak przed ustnym na maturze. Pewnie dlatego, że ma ciągle wrażenie, jakby zdawał przed nią egzamin z życia. Zwykle oblewa, niestety.

Aż dziw, że się Joanna zgodziła na tę randkę. Co prawda, dodała zaraz, że to całkiem niezobowiązujące spotkanie, ale każda tak mówi, coby zmotywować mężczyznę do godowego tańca. Tylko że jak na razie nie ma przed kim Bogdan tańczyć. Może jednak zadzwoni i sprawdzi? Niestety, wyłączone, i co teraz? Musi czekać do oporu. A tymczasem przygotuje się do zestawu standardowych pytań z kwestionariusza randkowego.

Pytanie pierwsze: „O czym marzysz, misiu?". Broń Boże, żeby miś odpowiedział: „O super tuningu". Od razu ma krechę, na samym starcie. Bo marzenia powinny lekko unosić się nad ziemią. Odsłaniać bogate wnętrze i romantyczną naturę ich autora. Na przykład marzeniem Joanny jest wyjechać gdzieś daleko. Tysiące mil stąd, żeby raz na zawsze uciec od tego wszystkiego. Od czego konkretnie? No, od całej tej chorej cywilizacji chciałaby się Joanna uwolnić. Od konformizmu, fałszu, zawiści, bezwzględnego wyścigu szczurów. Zaszyłaby się, na przykład, w Himalajach, lepiłaby garnki, plotła dywany z sierści jaków, medytowała o świcie. Wtedy na pewno odnalazłaby utracony spokój, ach. Spokój na pewno, przyznał Bogdan, bo raz już przerobił ucieczkę od cywilizacji. Nie, nie do Nepalu, tylko nad Solinę.

Wyjechał po śmierci ojca, żeby sobie przemyśleć to i owo. No i najął się w Bieszczadach do wycinki drzew. Pobudka czwarta piętnaście, a potem wszystko jak na przyśpieszonym filmie. Ledwo człowiek ochlapał sklejone snem powieki, wskoczył w drelich i łyknął trochę wczorajszej lury, a już musiał pędzić do lasu. Tam przez cztery godziny kręcenie odcinka telenoweli „Bieszczadza masakra piłą mechaniczną". A po obiedzie dla odmiany prace ręczne. Siekiera i wiśta wio. Trzy miesiące zleciały jak z bicza, Bogdan nawet nie zauważył, kiedy minęło mu lato. Został jeszcze do zimy, żeby spróbować życia blisko natury. Wynajął od majstra stuletnią chałupę z bali i zakosztował. Centralnego brak, woda ze studni, a kibel za stodołą. Do najbliższego spożywczaka trzy kilometry lasem. A wybór w sam raz dla osoby znużonej szeroko pojętą konsumpcją. Bogdanowi chwilami brakowało kefiru z Almy i pasty do zębów. Ale nie to wygoniło go z chałupy, tylko zimowe noce. Mimo że wieczorami rozpalał piec do czerwoności, o świcie budziło go rozpaczliwe szczękanie własnych zębów. Masowanie zgrabiałych kończyn zabierało mu tyle czasu i energii, że nawet nie pomyślał o porannej medytacji. Ledwie rozpalił w piecu, nagrzał dwa litry wody do mycia, zjadł śniadanioobiadokolację, wykopał w śniegu korytarz prowadzący do wychodka, zrobił swoje i poskakał przez chwilę na trzaskającym mrozie, od puszczy już nadciągał ponury zmierzch i trzeba było zwiewać pod pierzynę. Tam Bogdan miał trochę czasu, żeby się zastanowić nad życiem. I doszedł do wniosku, że bieszczadzka krioterapia zupełnie mu nie służy. Podobnie jak pęczak ze smalcem i prytą. Postanowił zatem, że pora wracać do siebie. Zawitał na osiedle Wandy tuż po Nowym Roku. Matka na widok jego brody złapała się za swoją i wybiegła pożalić się do sąsiadki. Bogdan został sam. Napuścił sobie do wanny wrzątku i przez godzinę odmrażał organy wewnętrzne. Przez następną zmywał, ścinał i zeskrobywał ślady kontaktu z nieujarzmioną bieszczadzką naturą. Aż wreszcie wygładzony do różowości wskoczył w piżamę i poszedł przepraszać matkę, która ostentacyjnie chlipała w zielonym pokoju. Zeszło mu na tym dwa tygodnie, ale wreszcie się udało i w domostwie Prolów zapanował względny spokój.

Co mu dała ucieczka w góry? Na pewno radość z powrotu. No i różne przemyślenia dotyczące wolności. Leżąc okutany puchową pierzyną w zimnej izbie, Bogdan uświadomił sobie, że pełna wolność jest fikcją. Zawsze coś nas ogranicza i krępuje. A uciekając, tylko zamieniamy jedną klatkę na inną.

– Krótko mówiąc, jak nie urok, to sraczka – skwitował teorię Bogdana Maks. I zaraz dodał, że jego brak wolności wcale nie frustruje, wręcz przeciwnie. Jak ma za duży wybór, to właśnie wtedy się zawiesza. I po zawodach. – Dlatego nigdy się nie spotykam z trzema laskami na raz.

Natomiast Bogdana obecna sytuacja nieco irytuje i przygnębia. Wierzy jednak, że kiedyś się uwolni z ciasnej hucianej klatki. I przeprowadzi do innej, która nie będzie uwierać. Znaczy, znajdzie swoje miejsce w kosmosie i w Zjednoczonej Europie. Ma też nadzieję, że zamieszka razem z Joanną. Żeby tylko nie zechciała szukać harmonii tak daleko od centrum. I żeby wreszcie przyszła, bo ile można siedzieć przy jednym piwie. Na drugie Bogdan się nie skusił; chce zachować trzeźwość myśli i tak już zmąconą stresem oczekiwania. Kawa tylko pogłębi stres, a herbaty nie ma. Więc zamówi szklankę wody, żeby nie patrzyli na niego jak na Rumuna, i przejdzie do pytania numer dwa z kwestionariusza randkowego: „Co lubisz robić?". Otóż w wolnym czasie Bogdan lubi ćwiczyć karate. Cztery razy w tygodniu po dwie godziny. Lubi też meksykański zespół rockowy Molotov. Ostra muzyka i dosadne słowa. Prawdziwy koktajl. Rozrywki intelektualnej dostarcza mu program Discovery. Dzięki niemu Bogdan dowiedział się niedawno, że ośmiornice mają kilka mózgów i że co roku znika z powierzchni Amazonii jakieś tysiąc gatunków roślin i zwierząt. Nadal jednak nie wie, jak wygląda prokreacja obleńców. Co jeszcze lubi? Piwniczne koty o zielonych oczach, takie same ma Joanna... lubi też... Weszła. Tak nagle, że od razu zapomniał, o czym myślał przez ostatni kwadrans. Zanim dobiegła do jego stolika, Bogdan już stał na baczność, gotowy do egzaminu.

– Strasznie cię przepraszam, że tyle czekałeś! – zaczęła Joanna. Machnął ręką, że nie szkodzi, ale ciągnęła przeprosiny. – Nawet nie wiesz, jak mi głupio i wstyd, i... ale musieliśmy zostać po godzinach w biurze, bo dziś, właśnie dziś miała zapaść decyzja, co z dofinansowaniem do kampanii społecznej. A nawet się nie domyślasz, Bogdan, jakie to ważne i dla nas, i dla regionu, i dla tysięcy ofiar przemocy, które dzięki tej kampanii zaczną normalnie funkcjonować...

Czy to oznacza, że będą też normalnie żyć? Jakby nic złego nigdy im się nie przydarzyło? Czy da się zmazać dawne urazy, zastanawiał się Bogdan, głównie w kontekście własnej matki i jej mocno poszarpanych nerwów. Gdyby dzięki kampanii się udało, to byłoby coś. Naprawdę.

– Poważne przedsięwzięcie – przyznał.

– Co oczywiście nie zmniejsza mojego poczucia winy wobec ciebie. Tak mi wstyd, że cię rozczarowałam, że przeze mnie niepotrzebnie traciłeś swój cenny czas, podczas gdy mogłeś świetnie się bawić gdzie indziej albo... – Zasypała Bogdana kuleczkami słów. Słów miękkich jak chusteczki Velvet, łagodnych jak działanie xenny, słów pełnych słodyczy, a jednak nietuczących. Niby powinien się poczuć dopieszczony, ale... no właśnie. Poczuł się tak, jak po zjedzeniu wafli ze słodzikiem. Brzuch pełen trocin, a w głowie głodne myśli. – Na domiar złego nie mogłam cię uprzedzić telefonicznie, bo rozumiesz: nie wypada dzwonić przy Najwyższym. Nawet on wyłączył komórkę. W takich decydujących chwilach nie możemy się rozpraszać detalami. To znaczy – poprawiła się – wtedy wszystko schodzi na dalszy plan. Nawet rzeczy tak istotne jak spotkanie z...

– Rozumiem. Nie ma sprawy – rzucił Bogdan, starając się, by Joanna nie dostrzegła jego zdenerwowania. Czuł, po prostu czuł, że zaraz powie mu coś niedobrego. Nigdy przecież nie była aż tak miła. – To gdzie idziemy? Może nad Wisłę. Czy wolisz zostać w Rynku, albo może zmienimy knajpę... znaczy pub?

– Możemy podejść... kawałek. – Zakłopotana potarła różowy policzek. – Bo widzisz, Bogdan, za kwadrans mamy ważną kolację ze sponsorem. Specjalnie przyjechał do nas z Warszawy już wczoraj.

– To znaczy kto ma? – Oj, trochę się zagalopował. A nie powinien, nie powinien. Żadna wytworna osoba nie znosi przecież nachalnej kontroli.

– To znaczy zaprosił tylko mnie jako... – Joanna szukała odpowiednich słów – jako Osobę Prowadzącą Ważny Projekt. Ale to kolacja wyłącznie służbowa. Będziemy ustalać szczegóły kampanii, dopracowywać konspekt i...

– Czy on ma żonę, ten sponsor? – Naprawdę nie chciał o to pytać. Wszystko przez cholerne geny po mamusi, specjalistki od przesłuchań domowych.

– To pytanie nie na miejscu – odparła ostrym tonem, nerwowo poprawiając oliwkowozieloną bluzkę. – Teodor jest wprawdzie niezwykle czarującym mężczyzną o wspaniałym guście i nieskazitelnych manierach, nawet jego doberman Cezar...

...chodzi w garniturze, i zapewne ukończył cztery fakultety, w tym szkołę tańca. A w soboty Teodor zaprasza go do opery, gdzie Bogdan nigdy nie był, bo w kimonie to nie wypada. Poza tym po co ma chodzić, jak i tak niczego nie zrozumie, w przeciwieństwie do psa Teodora. Tego, oczywiście nie powie Joannie, bo wie, że od zawiści związek kruszeje jeszcze szybciej niż z nadmiaru kontroli.

– Rozumiem, a do której masz tę kolację? – przerwał, nieco poirytowany.

– To zależy od Teodora, skoro mnie zaprasza...

Oczywiście, jak Bogdan mógł o tym nie wiedzieć. Wściekły na siebie rozejrzał się jakimś murkiem z cegieł, w który mógłby przyładować z całej siły.

– A może przełożylibyśmy nasz spacer na jutro? – zapytał, starając się, by zabrzmiało to jak luźna propozycja, nie prośba desperata.

– Problem w tym, że jutro świętujemy kontrakt z grafikami i... no sam wiesz, jacy oni są.

Wie, głównie od Pauli, beznadziejnie zakochanej w jednym z nich. Studia na ASP ukończone z wyróżnieniem, lekcje angielskiego w Brighton, wakacje na Dominikanie, a narty wyłącznie w Aspen. Zagubieni, sfrustrowani, samotni. Zagłuszają ból istnienia pierwszorzędną fetą lub impulsywnymi zakupami w Berlinie Zachodnim. Rozdarci między przesłaniem Dalajlamy a najnowszą kolekcją Hugo Bossa. Zrozumiałe, że nieskomplikowany

Bogdan P. ze swoimi dżinsami z Tomexu zupełnie do nich nie pasuje. Gdyby jeszcze trenował qi gong, ale karate? Równie dobrze mógłby ćwiczyć kroki do lambady. Albo nosić fryzjerski wąsik. Więc sobota też nie, w niedzielę on pracuje, a w poniedziałek? Joanna musi się skupić na projekcie. Podobnie we wtorek, środę i tak dalej, aż do urlopu. No chyba że w połowie lipca. Tak, wtedy mogłaby wyskoczyć na kilka godzin. To co, Bogdan, może wtedy?

– Powiedz mi, ale tak z ręką na sercu – nie wytrzymał. – Dlaczego w ogóle zgodziłaś się ze mną spotkać? Tylko szczerze, bez ściemniania.

No błagam, Bogdan! Pewnie że szczerze! Przecież Joanna już ci mówiła, jak nienawidzi kłamstw. Po co zmyślać i kręcić, kiedy można powiedzieć prawdę? Ważne tylko, żeby dobrać odpowiednie słowa.

– Z litości się umówiłaś czy jak? – drążył Bogdan, coraz bardziej sfrustrowany brakiem cegieł, które mógłby przeciąć dłonią na pół. Sieknąłby i od razu by mu przeszło nagromadzone przez ostatnie minuty napięcie.

Zaraz z litości! Po co od razu takie słowa, zwłaszcza że Joannie nie chodziło o żadną litość. A o co? O różne rzeczy. O ciekawość, na przykład. Joanna jest bardzo otwarta na świat. Interesują ją przeróżne kultury, egzotyczne plemiona, nawet te najbardziej prymitywne, o mentalności krewetki (wcześnie dojrzeć, szybko się rozmnożyć, umrzeć młodo). Nie, absolutnie nie mówimy o tobie, Bogdan. Strasznie jesteś przewrażliwiony. To chyba przez kompleksy wynikające z miejsca zamieszkania. No więc Joanna chciała cię lepiej poznać i okazać tolerancję wobec różnic wynikających z... jak by to ująć, odmiennego stylu życia? Po prostu chciała pokazać, że można z takim Bogdanem wypić piwo i nikomu korona z głowy nie spadnie. Wręcz przeciwnie; podobne kontakty bardzo wzbogacają osobowość. A Joanna stale pracuje nad własnym wnętrzem. Kiedyś chciałaby pomagać pokrzywdzonym przez los, ale to dopiero, jak odnajdzie utracony spokój. Wtedy może jakiś wolontariat albo zarządzanie fundacją, na większą skalę. A na razie robi choć tyle, że próbuje dowartościowywać tych, którzy, którzy... mieszkają dziesięć minut od centrum. Pokazuje im światełko w tunelu, słucha ich bolesnych zwierzeń, pociesza i przypomina, że wcale nie są gorsi od niej, Wytwornej Joanny. Ty, Bogdan, też nie jesteś gorszy. Jesteś strasznie fajnym człowiekiem. Nie wiedziałeś o tym? Naprawdę? To już wiesz! A dzięki komu? To teraz możesz sobie wyobrazić, jak ważną misję pełni Joanna. Dostrzega ludzi, którzy potrzebują życzliwości tudzież wsparcia. Dostrzega tych, o których zapomnieli inni: zabiegani, obojętni, skupieni na sobie. O, na przykład, tamten staruszek po prawej. Joanna już widzi, że potrzebuje pomocy. Przecież on zasłabł, Bogdan, nie widzisz?

– Proszę pana! Halo!? Czy pan się dobrze czuje? Proszę odpowiedzieć! – dotyka koniuszkami palców tweedowej marynarki. – Proszę się nie denerwować, zaraz wezwiemy pogotowie. Tylko niech pan głęboko oddycha, wdech i wydech, jeszcze raz, ale głęboko, powoli – komenderuje. – Proszę oddychać, a ja zadzwonię po pomoc. – Staruszek z trudem unosi drżące powieki i próbuje zaprotestować. – Proszę nic nie mówić, już dzwonimy. Tylko gdzie ja znowu zostawiłam komórkę? Taka jestem roztargniona ostatnio. Pewnie przez ten projekt, a tu jeszcze ważna kolacja z Teodorem – denerwuje się Joanna, przetrząsając torebkę w poszukiwaniu miniaturowej komóreczki. – Prosiłam, żeby pan nic nie mówił. To tylko pogarsza pański poważny stan. Proszę głęboko oddychać, a ja zaraz wezwę pomoc.

Znalazła wreszcie, w kieszeni spodni. Teraz PIN, tylko jaki? Przez ten stres wszystko jej się pomieszało. 4986? Nie, ten jest od VISY. 1418? Kurczę, który to numer?! A zegar bije właśnie szóstą! Teodor pewnie już czeka, niecierpliwie bębniąc wytwornymi palcami w rustykalny lniany obrus. Że też musiało jej się zwalić na głowę tyle spraw! Projekt, kolacja, staruszek. I jeszcze ten cholerny PIN!

– Słuchaj, idź na tę kolację – nie wytrzymał Bogdan. – Ja tu poczekam.

– Sama nie wiem, wolałabym wszystkiego dopilnować osobiście – waha się Joanna, ale już chowa komórkę do torebki. Już poprawia skrzydła, gotowa do odlotu.

– Zajmę się wszystkim, idź już.

– W takim razie... zadzwonię do ciebie jutro, żeby sprawdzić – obiecuje Joanna, nie precyzując, co sprawdzi. Na odchodnym pyta po raz enty, czy Bogdan da sobie radę. Czy na pewno zadzwonisz, Bogdan, i poczekasz aż do...

– Poczekam – odpowiada Bogdan, ale Joanna już go nie słyszy, bo myślami jest w okolicach Poselskiej. – Poczekamy, we dwóch – mówi do siebie i jakby usłyszał ciche westchnienie ulgi. A może tylko mu się zdawało?

Sobota

Niby mieszkają dziesięć minut od centrum, ale rowerem. Bo na nogach to przynajmniej pół godziny. Chyba że znasz skróty przez tory, na Zabłociu. Ale i tak zejdzie grubo ponad kwadrans, nawet żebyś zasuwał jak młody husky, z jęzorem do samiuśkich kolan. Dlatego Shirley Temple (zwana w domu, w szkole i wśród ziomów Kaśką Kościelniak) zbiera na porządny rower. Srebrzystego górala z M1, bo tylko takie liczą się na Podgórzu i, jak twierdzi Błażej Żwirek z drugiej klatki, mają najlepszy stosunek ceny do jakości. Zupełnie jak mocne sobieskie. We wrześniu Błażej przewiduje spore promocje, więc Kaśka spręża się jak może, żeby przed końcem lata wykombinować całą potrzebną sumę. Na razie idzie jej opornie. Oszczędzać nie bardzo ma z czego; dwie stówy z Komunii już dawno się rozeszły na głupoty. Szachrajstwa z ofiarą na tacę też się skończyły, bo od roku mamusia nie dała na kościół ani grosza. Aż wstyd. Znowu kieszonkowe jakoś się u Kościelniaków nie przyjęło. Może gdyby tatuś podjął dodatkową pracę... ale gdzie, kiedy, za ile i właściwie w jakim charakterze? Odpada. Poza tym najpierw ktoś by musiał tatusia zmobilizować, zachęcić, zapalić w korytarzu zielone światło. Czyli że wcześniej musiałby ten ktoś wyrazić niezadowolenie z obecnej sytuacji. Wytłumaczyć, że renta, przyznana w dziewięćdziesiątym ósmym, to na dzień dzisiejszy, Zygmusiu drogi, troszeczkę za mało. Ale kto się podejmie takiej rozmowy? No kto? I czy w ogóle warto wsadzać kij w mrowisko? Wiadomo przecież, że prawdziwy samiec źle znosi wszelką krytykę, nawet tę konstruktywną, zalecaną przed speców z kolorowych gazet (które mamusia czasem przejrzy w poczekalni u dentysty. Wcześniej jednak wyszoruje wszystkie podłogi. Najpierw obowiązek, potem przyjemność). Żaden podgórski miś nie chce się dowiadywać przy kompocie z gruszek, że zawiódł żonę, matkę swoich pięciorga dzieci. Jeszcze weźmie się zirytuje, i tyle go zobaczą. Pójdzie do tamtej, roztrwoni zasiłek, wróci głodny i zły. Więc, drogie dziatki, musicie se same radzić w kwestii frykasów. Najwytrwalsze na pewno je zdobędzie, tyle wam mamusia gwarantuje. I tylko tyle.

Nawiasem mówiąc, nie ma żadnej innej, to tylko mamusi się tak wydaje. Całkiem przypadkiem znalazła w kieszeni męża stary bilet, a na nim numer telefonu i kobiece imię. „Teresa – wyszeptała zbielałymi ustami. – A to suka jedna, bez litości dla rodziny". Zaraz by do niej zadzwoniła i powiedziała, co myśli o takich, takich... ale nie mogła odczytać trzech ostatnich cyfr. Zamazane, od deszczu pewnie, albo od łez. Nic, trzeba zażyć kropli na serce i czekać, co będzie.

W środę tatuś wyszedł, tak koło południa. Niby po piwo, ale mamusia od razu wyczuła, że coś tu nie gra. Facet, który drepcze do monopolowego za rogiem, nie wkłada śnieżnobiałej koszuli, specjalnie odprasowanej na wielkie okazje: rocznicę ślubu, chrzciny albo pogrzeb. Wciąga zwykłą bluzę z sekondhendu, a jak go przypili, to nawet nie zmienia bamboszy. Tymczasem tatuś, nie dość że wdział odświętną koszulę, to w dodatku włożył stylonowy krawat na gumce, zgolił wąsy, przeczesał baki, wyszorował z błota rude mokasyny, a nawet użył wody kolońskiej, która stała nietknięta od roku. Bąknął coś pod nosem i wyszedł. Wrócił późno w nocy, bez pieniędzy, za to głodny i zły. A może bardziej przygnębiony, oceniła mamusia, przyglądając się, ukradkiem, żeby nie myślał, że szpieguje, albo co. Pewnie z wyrzutów sumienia taki blady. Więc już nic mu nie powiedziała, tylko znowu krople na serce i czekanie. W następną środę powtórzyło się to samo. A po czterech tygodniach tatuś przestał wychodzić nawet po piwo. Zaszył się w pokoju i przeleżał jak klocek cztery doby. Potem wstał, umył się, ogolił i wszystko było jak dawniej. Ale nuż mu chętka na amory wróci, gryzła się mamusia. Złapie wiatr w żagle i poleci, tarzać się z tamtą. Może nawet zostanie u tej całej Teresy na zawsze, i dopiero będzie. Płacz i zgryzota. Niby z Zygmunta wielkiego pożytku nie ma, ale zawsze trochę renty, no i śmiecie wyrzuci raz na tydzień. A latem to nawet ziemniaki skrobie, do maślanki, żeby szybciej było. Poza tym mamusia tak już do widoku męża przywykła, że chyba by umarła na miejscu, jakby nagle znikł na dłużej z mieszkania. Zygmuś nic nie musi mówić, ani żartować jak za młodu, byle se siedział w fotelu i po prostu był. Dlatego nie czepia się już o pieniądze i powtarza dzieciom, żeby same zadbały o frykasy.

Tatuś zaś chętnie by dorzucił Kaśce do roweru, gdyby wiedział o jej marzeniu. No i jakby miał z czego. Ale ni ma. Szukał, pytał, rozglądał się, nie tylko po osiedlu, i nic. Raz go skierowali do specjalnego ośrodka dla zdesperowanych. Zapisał sobie numer i imię pani, która miała go wesprzeć. Znaczy pomóc. „Teresa P.". Kupił kartę na automat (bo domowy wyłączyli im miesiąc wcześniej), tyrknął z budki, umówił się na środę i pojechał. Przywitała go poważna czterdziestolatka w szarej princesce. Podała silną żylastą dłoń i od razu przeszła do konkretów. Że jako ojciec rodziny wielodzietnej musi wziąść się w garść i zakasać rękawy. Że odpowiedzialność, poświęcenie i praca nad sobą. Od podstaw. Na początek musi ruszyć z miejsca. Poodkurza w ośrodku wykładziny, wytrzepie dywany, zetrze parapety i od razu nabierze pary. I jak, nie lepiej? To zapraszam za tydzień, na pewno się poprawi. A w międzyczasie spotkania grupy wsparcia dla bezrobotnych mężczyzn, połączone z nauką pokrzepiających pieśni (znakomite remedium na poranne lęki egzystencjalne). Po czterech tygodniach, jak już Zygmunt wypucował wszystko i dalej mu się nie poprawiło, Teresa P. oznajmiła, że widocznie zabrakło mu wiary. Musi bardziej ufać, co nie znaczy, że ma spuścić nos na kwintę i czekać na mannę z błękitnego nieba. To nie te czasy, drogi Zygmuncie, manny brak. Wtedy Zygmunt odłożył koszulę do pralki i postanowił zasnąć, ale tak, żeby już nikt go więcej nie obudził. Kumpel z wojska tłumaczył mu, że to możliwe. Leżysz i śpisz, dobę, dwie, a im dłużej, tym bardziej jesteś senny. Wreszcie zasypiasz na zawsze i masz święty spokój. Niestety, Zygmuntowi się nie udało. Wstał z barłogu po czterech dobach, i cóż było robić, wrócił do codzienności. Telewizor, spacer po Krzemionkach, czasem partia szachów przy piwie. Raz w tygodniu kąpiel, wcześniej wyrzucić śmieci i obrać ziemniaki. Ot, życie.

Ale nie miało być o problemach tatusia i nieuzasadnionych podejrzeniach mamusi, tylko o Kaśce i jej próbach zebrania funduszy na nowy srebrny rower. Wsparcie rodziców odpada, a babcia Podhorecka... cóż może taka babcia? Plackiem drożdżowym może poczęstować, czasem wyratuje z opresji i zapłaci zaległy z lutego czynsz, ale jedną emeryturką cudów się nie zdziała. Zwłaszcza przy dziewięciu wnukach i jeszcze większej ilości leków, które drożeją z tygodnia na tydzień. Znowu babcia Kościelniakowa już dawno rozdysponowała swoją rentę. To znaczy rodzina zgodnie ustaliła, że skoro babcia zajmuje całe pół pokoju, opiekę porządną po wylewie ma, talerz zupy mlecznej trzy razy dziennie, i cewnik regularnie zmieniany, to te sześćset pięćdziesiąt może oddać do wspólnej kasy. Zresztą, dzisiaj to żaden pieniądz. Ledwo starczy na karmę dla Cziłała, niedzielny wypad do „Dworzanina" i duże lody w wiśniowej polewie.

Skoro rodzina nie może pomóc, trzeba wybrać opcję: „Licz na siebie". Kaśka zbiera puszki po piwie, na razie tylko tatusiowe, bo ze zdobyciem innych są ogromne trudności. W mieście panuje konkurencja, a co za tym idzie – ścisła rejonizacja. Nie ma tak, że se pójdziesz do pierwszego śmietnika z brzegu. To by było za łatwe. Trzeba cierpliwie poczekać, aż kosze przeczeszą starsi, bardziej uprzywilejowani. Dopiero potem, ewentualnie, mogą se pogrzebać smarki. Ale nurkują tylko naiwni; każdy mądry dzieciak wie, że puszki unoszą się na wierzchu, jak plankton. Wiadomo, aluminium. Może czasem jakaś bidula utknie w ciasno związanym worku na dnie, ale większość wypływa do góry. A tam już wszystko wyczesane do ostatniego wióra. Zamiast się babrać w obierkach, lepiej poszukać innych źródeł. Tylko gdzie?

Na barmankę Kaśce brakuje co najmniej ze cztery sezony i dwadzieścia centymetrów w biuście, truskawki w tym roku marne, więc gospodarz sam zbierze, a do sprzątania to taniej wychodzi Ukrainka. Okna wypucuje gazetą na błysk, pierogi ulepi z kaszą gryczaną, jeszcze zastrzyk teściowi machnie, bo studiowała w Kijowie pielęgniarstwo. Co tu zrobić, martwi się Kaśka i żeby nie stracić resztek motywacji, wyobraża sobie po nocach, jak zajeżdża na osiedle nowiuśkim góralem. Jak szpanuje przed Szymkiem Woźniakiem wszystkimi pięcioma przerzutkami. Właściwie to ze szpanowania nici, bo Szymon, wymuskany jedynak, ma w nosie dziewczyny z osiedla. W ogóle wszystkie dziewczyny, woli swój burżujski komputer, który dostał od wujka z Irlandii. A poza tym już w sierpniu Szymek wyjedzie za miasto do dziadków. I dwudziestego, gdzieś koło południa utonie podczas beztroskich wygłupów w gliniance, a jego pulchne ciało wyłowią dopiero późnym wieczorem. Ale tego Kaśka jeszcze nie wie. Ma więc prawo wyobrażać sobie minę Szymka, kiedy ten zobaczy po wakacjach jej srebrzysty rower. Oj, to dopiero będzie sensacja. Tylko skąd wziąć całe dwieście osiemdziesiąt siedem złotych? No skąd?

Kiedyś, jeszcze wiosną, Kaśka widziała program o wielkomiejskich sierocińcach. W niektórych to się naprawdę dzieciakom powodzi. Firmowe adidasy, kurtałki z metką, komputer na każdy pokój. Dla wszystkich nowiuśkie rowery od sponsora, i żadnego bicia. Żadnych sfrustrowanych czarną polską beznadzieją tatusiów, żadnych skwaszonych nadmiarem barszczu mamuś, żadnego grzyba na północnej ścianie tuż koło klozetu, tylko same uśmiechnięte wychowawczynie w czyściutkich nakrochmalonych fartuchach.

– Raj na ziemi – rozmarzył się Błażej Żwirek z drugiej klatki po lewej. Błażeja tato niby nie jest tak bardzo sfrustrowany, bo zarabia w hucie Sendzimira, ale zamachnąć się czasem lubi. Oczywiście nie tak bezinteresownie, jak na przykład rodzice Luizy spod szesnastki. Najpierw trzeba się panu Żwirkowi porządnie narazić, uaktywnić Leopolda Żelazną Rękę. Ale kiedy Leopold zerwie się z łańcucha samokontroli, kichy latają po stołowym. Bo Leopold tłucze jak prawdziwe panisko z powieści Rodziewiczówny, aż chłopy z osiedlowej knajpy chylą w pokorze głowy. W jednej z rodzinnych potyczek mama Błażeja straciła nerkę, a młodszą siostrę czeka na wiosnę złamanie nadgarstka. Błażej, dzięki refleksowi, zdoła się uchylić i uchroni prawe płuco. Latem dwa tysiące jedenastego da wreszcie dyla z domu. Zamieszka u wujków nad morzem, zrobi wieczorowe technikum, potem zaocznie etnografię, i już nigdy nie powróci do rodzinnego gniazda.

– Może by nas przyjęli?

Może, skoro udało się Luizie i odwiedza swoich bezinteresownie agresywnych rodziców tylko na ferie (a i to niechętnie). Ale na myśl o rozstaniu z Cziłałem i babcią Kościelniakową Kaśkę aż piecze w gardle. Jeszcze o babcię to się ktoś w domu zatroszczy, bo sześćset pięćdziesiąt piechotą nie chodzi. Ale Cziłał? Może znowu trafić na ulicę. Nie, tego mu Kaśka nie zrobi, zwłaszcza że wzięła za niego pełną odpowiedzialność. Rok i cztery miesiące temu.

Wybrała się wtedy ósemką do Bronowic. Tatusiowi zamarzyło się małe stadko neonków i wysłał Kaśkę na giełdę z dychą i słoikiem po kiszonych ogórkach. Kiedy Kaśka dotarła na miejsce, zostało tylko paru guzdralskich, z przebranym towarem. Szkoda nawet kupować, zmarnowane pieniądze. Rozczarowana, już się miała wycofać w stronę przystanku, kiedy tuż obok bramy zobaczyła rozdarte kartonowe pudło, a w nim pieska. Maciupeńki jak pięść dziecka, kremowy jak jej polar.

– Proszę pana, to pana piesek? – zaczepiła barczystego bruneta, który przeliczał utarg wieczorową porą.

– Bo co? – odburknął, chowając do kieszeni plik przybrudzonych banknotów.

– A co to za rasa, że taki mały?

– Cziłał, najmniejszy pies świata. Dorosły waży tyle co gołąb z Rynku.

– A czemu on tak leży w pudle?

– Nie sprzedał się, to leży.

– Ojej.

– Możesz go sobie zabrać za dwie dychy.

– Ale ja mam tylko dziesięć złotych – zmartwiła się Kaśka.

– Niech będzie dziesięć – wspaniałomyślnie zgodził się brunet. Co prawda, gdyby Kaśka się nie zjawiła, szczeniak wylądowałby na śmietniku, ale tej informacji jej nie zdradzi. Niech się cieszy z cennego nabytku. Za miesiąc się okaże, że cziłał jest zwykłym kundlem i wtedy mała se może wzywać latarką samego Batmana. Niech przyleci i pomoże.

Tego wieczora Kaśka wróciła z psem zamiast rybek. Sfrustrowany brakiem neonków tato pogderał trochę, ale nie bardziej niż zwykle, po obejrzeniu wieczornych „Wiadomości". Wprawdzie chciał Kaśkę postraszyć, że zmarnotrawioną dychę odejmie jej z kieszonkowego, ale w ostatniej chwili sobie przypomniał, że kieszonkowe jakoś się w rodzinie Kościelniaków nie przyjęło. Z braku innych argumentów zasłonił się gazetą i tyle go widzieli. Za to mama zrezygnowanym tonem oznajmiła, że wystarczy jej trosk i problemów.

– Jak chcesz psa, to musisz sama się nim zająć, inaczej fora ze dwora.

Spoko, da radę z takim maleństwem. I dała, nawet kiedy Cziłał zmienił się w szczekliwego burka o pysku bulteriera i świńskim ogonku. Równie paskudny, co kochany. Niestety z problemem gastrycznym, bo Kaśka zbyt wcześnie podała mu mięso z puszki. Skąd mogła wiedzieć, że kupuje dwutygodniowego oseska? I przez gastrykę musi teraz szykować specjalny pokarm. Gdyby odeszła z domu, Cziłała wykończyłyby biegunki. A jeszcze wcześniej tęsknota. To już woli się obyć bez frykasów i drałować do centrum na nogach. Chyba że znajdzie sposób, jak zarobić te trzy stówy do września.

Już prawie straciła nadzieję, kiedy w środę przybiegł Błażej i powiedział, że ma genialny pomysł, od Oskara Majchrzaka z suteren. Nieco ryzykowny, ale bez ryzyka nie ma radości z wygranej.

– No, co to za patent?

– Widokówki dla turystów. Wycinasz kartki, dziesięć na piętnaście centymetrów, rysujesz na nich co popadnie, a potem cierpliwie łazisz od knajpy do knajpy, oferując pamiątkę z Krakowa. Wyrób lokalny: podgórskie Nikifory.

– Ile trzeba w to włożyć? – zainteresował się Hubert z czwartej klasy. Niestety nadal z czwartej, na co wskazuje otrzymane niedawno świadectwo i dwieście błękitnych sińców. Fakt, Hubert nie uczy się najlepiej, za to głowę do interesów ma od maluśkiego. Już w zerówce handlował czekoladkami podkradanymi ze sklepiku ciotki, przed Komunią rozprowadzał własnoręcznie wykonane z ziaren fasoli różańce, za co konkurencja omal nie pozbawiła go mięsistego ucha. Nie zniechęciło to Huberta do handlu i czeka tylko, żeby założyć własny komis używanych aut albo monopolowy na Starym Podgórzu. Może nawet mu się uda, jeśli go nie złapią w dwa tysiące piętnastym podczas próby sprzedaży kradzionego merca na niemieckich numerach.

– Znaczy zainwestować? Oskar mówił, że wystarczy jeden blok techniczny i pudełko woskowych kredek. Albo plakatówek, jak już chcesz naprawdę zabłysnąć.

Do tego dorzuć ze dwie godziny na rysowanie „artystycznych" bohomazów, a zysk? Niewyobrażalny, zapewnił Błażej. Wystarczy, że wydębisz piątaka co godzinę. Jeśli popracujesz dziennie siedem godzin, to będzie, to będzie, to będzie....

– Trzydzieści pięć! – rzuciła podekscytowana Kaśka. – Dziesięć dni i miałabym na rower! Ja cię!

Oczywiście nie każdy tyle zarobi. Piętnastoletni strądzikowany agrest ma raczej marne szanse wzbudzić zainteresowanie zobojętniałych germańskich globtroterów lub otrzaskanych w kontaktach z natrętną azjatycką biedotą holenderskich turystek. Co innego wątlutka jedenastolatka w błękitnej jak kwiatuszki lnu sukience. Ta nie musi nawet wyjawiać bolesnych rodzinnych sekretów. Wystarczy, jeśli nieśmiało się uśmiechnie, dodając, że zbiera na rower.

– Szczęściara – mruknął Hubert, obrzucając Kaśkę zawistnym wzrokiem.

Szczęściara czy nie, ale też się musi liczyć z niebezpieczeństwami. A w tym fachu nie jest ich tak mało. Po pierwsze ochroniarze. Rzadko bywają wyrozumiali dla natrętów, zwłaszcza słabszych. W okolicy Szerokiej jeden selekcjoner tak skopał gimnazjalistkę z Piasków, że wzywali pogotowie. Tłumaczył się potem, że go ugryzła w goleń, wredna trzynastoletnia suka.

– Dlatego zawsze warto mieć dyskretną ochronę. Taką, co się wstawi, kiedy trzeba, i nie zedrze za dużo – poradził Hubert, rzucając Kaśce znaczące spojrzenie.

Ochroniarze to nie wszystko; zewsząd czyha konkurencja. Na szczęście znacznie osłabiona, bo gimnazjalistka z Piasków nadal leży z nogą na wyciągu, Maritę ojciec zabrał na pierwsze w życiu wakacje do Bułgarii, za to Oskar Majchrzak... Jeszcze w maju tak się chłopak cieszył. Na wagarach przygotował sobie gruby plik efektownych kartek, aż tu w czerwcu, niespodziewanie dopadł go wicher czasu i zamienił w zmutowanego agresta. Teraz Oskar snuje się po Alejach Trzech Wieszczów z brudną szmatą, polując na opieszałych kierowców fiata 126p.

– Ale bardzo narzeka – wyjawił Błażej – że zarobek

marny, bo się kierowcy wycwanili i od razu trąbią albo wrzeszczą.

– Musi przeczekać – odezwał się Hubert. – Za dwa, trzy lata wezmą go do windykacji długów i nareszcie se odbije trudne chwile.

O ile się Oskar odpowiednio rozwinie. A na razie łyka spaliny, rozważając zmianę branży. Może powinien zająć się dilerką albo wystawić Rycha, amstaffa siostry, do walk psów za Hutą? A jak amstaff nie podoła wyzwaniom? To po Szymku, bo siora jest bardzo z Rychem związana, nie tylko grubą smyczą. Znowu dilerka ryzykowna, można trafić do poprawczaka i wstyd na pół miasta. E, już lepiej przeczekać kryzys dojrzewania przy Alejach.

– Konkurencja przetrzebiona, niestety turyści ponoć coraz cwańsi. – Błażej wrócił do wyliczania kosztów i niebezpieczeństw.

– Bo recesja robi swoje – wyjaśnił Hubert, zadowolony, że może zaimponować zagranicznym słownictwem. – A wszystko przez wojnę – dodał, polerując poślinionym palcem zamszowe rzemyki sandałów. Znoszone, fakt, ale przynajmniej noga się mieści. Nie to, co w trampkach. Ledwo trzy sezony pochodził. Wiosną to już nie mógł, tak go cisły. Przez to słabo wypadł w szkolnych rozgrywkach w kosza i całkiem stracił respekt u kumpli. Trudno, od września zdobędzie nowych, młodszych. Łatwiej takimi pokierować, i w ogóle.

Właśnie, recesja. To nie te czasy, kiedy co drugi frajer rzucał ci dychę, nawet nie oglądając kartek. Teraz większość turystów odeśle cię z kwitkiem, albo z obraźliwym „Wont mi stąd".

– Może nawet poczęstuje „fakofem”. Ale i tak przy dobrej pogodzie da się wyciągnąć piątkę na godzinę czyli te, no... aż trzy dychy na dzień.

Dziesięć dni pracy i miałabym na rower, rozmarzyła się Kaśka. A gdyby tak wytrzymała więcej? Na przykład całe dwa miesiące? Aż strach sobie wyobrażać tę górę pieniędzy, usypaną na parkiecie w przedpokoju. Jeny, ile by można za to kupić. Mamie – maszynę do robienia chleba. Marzy o takiej, od kiedy do rodziny Kościelniaków zawitała Europa. Od razu poczuli zmiany. Nic dziwnego; ceny skoczyły w górę, a właściciel piekarni przestał rozdawać czerstwe pieczywo. Musiałby płacić podatek od darowizny, a na takie gesty to go nie stać.

– No nie stać – przyznał, zakłopotany. – Nic, na bułkę tartą przerobię, a reszta do kosza pójdzie, i tyle.

Gdyby mieli Kościelniakowie maszynę do chleba, toby dopiero zaoszczędzili! Zwłaszcza że codziennie schodzi im lekko dwa bochny pytlowego. Wydaliby tyle, co na składniki, bo prąd ciągną na lewo już czwarty rok. Tatusiowi toby Kaśka sprawiła na giełdzie płytkę „Łzów”, bo tam śpiewa taka jedna w typie mamusi. Nawet głos ma podobny. Tyle że mamusię lata niedostatku mocno sfatygowały. Zatarły to i owo, rozciągnęły i pomarszczyły. A przecież nie ma nawet czterdziestki. Gdyby nieco się ogarnęła, przypudrowała zażółconą od nadmiaru „sportów” skórę, zmieniła sprany dres na coś bardziej seksownego, krótko mówiąc, gdyby wzięła się w garść, to może i tatusiowi by się zachciało. A tak, cóż, nie warto. Chociaż... jeśli tatuś płytki posłucha, w okładkę się popatrzy, może odżyją w nim wspomnienia, a wraz z nimi motywacja do czynów? Więc koniecznie musi kupić tę płytkę. A młodszym Kaśka od razu by sprawiła po kinder niespodziance. Bardzo praktyczny prezent, bo i słodkie jajko na teraz, i fikuśna zabaweczka na później. Aha, i jeszcze by dodała porządne kredki. Niech się maluchy zawczasu wprawiają w rysowaniu kartek. Za to najstarszej, Jolce, toby nic nie kupowała. Bo z Jolki jest straszna egoistka. Zarabia od zimy w salonie fryzjerskim i nawet cukierków młodszym nie przyniosła, wszystko wydaje na siebie. Mówi, że musi zainwestować w kosmetykę kolorową i depilator, bo dziś zaniedbanych nikt nie chce.

– Chyba żebym już tyle zarobiła na tych kartkach, żeby mi zbywało. To wtedy może jakieś perfumy. Ale nie takie jak babci – zapewnia staruszkę Kościelniakową, nacierając jej zaczerwienione plecy rozcieńczonym spirytusem. – Bo babci tobym kupiła z samego Paryża. Ale najsampierw to specjalny wózek, co się nim elektrycznie steruje. Byśmy sobie na spacery jeździły. Pokazałabym Babci blazę, Galerię Kazimierz i nowe osiedle za Wisłą, tylko dla bogaczy. Jeny, ale by było fajnie!

Babcia chętnie opowiedziałaby Kaśce, jak bardzo marzy jej się choćby krótki spacer po osiedlu. Zobaczyłaby te dzikie bzy, co kwitną koło działek. Posłuchała plotek na placu zabaw i popatrzyła ukradkiem na młode matki przyklejone wzrokiem do cementowego obramowania piaskownicy. Gdyby mogła się z nimi zamienić choć na jedną przedpołudniową godzinkę, kiedy czas najbardziej się wszystkim dłuży. A może wystarczyłyby babci dwa senne środowe kwadranse, żeby sobie przypomnieć, jak to jest mieć do dyspozycji całe życie. Tyle możliwości, tyle wyborów, tyle czasu. Wszystko to opowiedziałaby Kaśce, niestety, od wylewu potrafi tylko recytować fragmenty rymowanek i pojedyncze słowa. Ale to naprawdę wystarczy, żeby nawiązać satysfakcjonujący kontakt z rodziną. I to wcale nie gorszy niż przed wylewem. Już wcześniej bowiem babcia Kościelniakowa spędzała całe dnie w ciepłym kąciku obok lodówki, a gdy czasem zebrało jej się na wspominki, to synowa zaraz zgłaśniała telewizor. Taki los starych. Może kiedyś, kiedy nie było konkurencji w postaci seriali, teleturniejów i Big Brothera, ktoś dziadków słuchał. Ale dziś? Nawet w mediach jest ich tyle, co na lekarstwo. Wiadomo, kult młodości. A bruzdy kiepsko się prezentują w telewizyjnym studiu. Jeśli już jakiś staruszek mignie w telewizji, zwykle robi za zużyty, niepotrzebny mebel. Irytująco obciachowy jak babka Kiepska albo wytarta amerykanka. Więc czego oczekiwać w normalnym życiu i przy żałośnie niskiej rencinie? Dlatego kilka słów zupełnie wystarczy do nawiązania kontaktu. Jak się babci zachce jeść, to mówi: „mliko, mliko", a gdy jej zimno, powtarza do znudzenia: „naser mater". Natomiast „materdejo" oznacza, że babcia ma już dość. Dość tego pokoju, dość liczenia pajęczyn na suficie, dość przesłodzonej zupy mlecznej, dość czekania na cud. Cud, który zawsze zdarza się na sąsiednim osiedlu albo w telewizji. Na szczęście taki stan dopada babcię niezwykle rzadko. Bo na co dzień to babcia ceni sobie życie. Z wiekiem doszła do wniosku, że liczy się samo trwanie, regularne wypróżnienia i ciepły posiłek trzy razy dziennie, nie jakieś tam cuda na kiju.

– Plecki natarte, to teraz uczeszemy włosy – powiadomiła babcię Kaśka, sięgając po duży rogowy grzebień. Łatwiej takim rozczesać skołtunione od leżenia włosy. – A wie babcia, że ta Celestyna z parteru wychodzi za mąż za Amerykana? Co prawda on ma siedemdziesiąt lat, ale mamusia mówi, że zawsze to lepiej niż jakby miała dalej pijana w krzakach leżeć. A tak przynajmniej wesela zakosztuje, Hawaje zobaczy, w domu nad oceanem pomieszka... a może za trzy, cztery lata zostanie wdową i dopiero zacznie żyć. Bo co to jest czterdziestka na karku, co nie?

– Ty babci lepiej nie męcz, tylko się weź za obieranie ziemniaków na frytki – przerwała jej mamusia, ale jakoś tak łagodniej niż zwykle. Może coś usłyszała o maszynie do pieczenia chleba. Ale więcej to nie, bo resztę Kaśka zdradziła babci na ucho. Nawet kartki rysowała ukradkiem, co nie było łatwe, zważywszy wścibstwo młodszych. Dobrze, że dzieli pokój tylko z babcią, to chociaż nocami mogła dopracować szczegóły. Poprawić kontury, wycieniować kolor, a na koniec wykaligrafować „Best wishes from Kraków". Może inni sprzedają bohomazy, może Hubertowi to wystarczy, bo potrafi tylko rysować kanciaste okręty jak od linijki, ale nie Kaśce. Jak już wystawiać, to porządny towar, żeby nie było obciachu. Właśnie dlatego najpierw skonsultowała projekty kartek z panem Maćkiem z parteru, sąsiadem szczęściary Celestyny. Pan Maciek to prawdziwy talent, uznany nie tylko na osiedlu. Maluje temperami, rysuje wszystkim, nawet węglem, robi cudne sepiowane zdjęcia. A od kiedy żona go rzuciła w cholerę, to się zajął rzeźbiarstwem. Dorabia sobie do emerytury sprzedażą drewnianych świątków, bolesnych Chrystusów, krakowskich szopek i kapliczek z lipy. A każde cacuszko inne od reszty, wypracowane dłutkiem jak trzeba, choć zupełnie nie przesłodzone. Bo pan Maciek najbardziej nie cierpi lukrowanego kiczu i ckliwej tandety.

– Czego nienawidzę, motyla noga, to lukrowanego kiczu. Te złocone, motyla noga, rożki, te mazaki z brokatem, neonowe farbki z jakimś, motyla noga, srebrzystym konfetti, te wszystkie odpustowe nalepki. Rzygać się chce na sam widok. Mówię ci, pierdziel tanie cyrkowe sztuczki i postaw na grubą kreskę – poradził Kaśce, przygryzając koniec własnoręcznie skręconego z gazety megapapierocha. – Co nie znaczy, że masz olewać perspektywę. O, tu wyrównaj.

Więc Kaśka posłusznie wyrównuje. Z pomocą sąsiada wykończyła dwieście kartek w tydzień. Zeszło im całe pudełko pasteli, ale efekt zaskoczył nawet samego pana Maćka

– No, mówiłem, tylko gruba kreska – odezwał się, zapalając dziesiątego megapapierocha. – Żadnej, motyla noga, perfumowanej cekinady. Zobaczysz, że było warto.

I miał rację. Dopiero siedemnasta, a Kaśka już opchnęła cztery kartki, po trzy złote każdą. A jedną, wcale nie najładniejszą, to nawet za siedem. W dodatku samemu Australijczykowi, aż z Sydney. Tak się zachwycił, że chciał jej zafundować naleśniki w Kolanku. Ale Błażej ostrzegał: z obcymi facetami raczej na dystans. Uśmiech tak, ale rączki przy sobie. Zresztą nawet nie musiał ostrzegać, bo Kaśka tyle się nasłuchała o złym dotyku, że sama uważa. Poza tym swój honor ma. Kartki to rękodzielnictwo, natomiast posiłek to już właściwie jałmużna. A tej rodzina Kościelniaków nie potrzebuje. Jeszcze na z chleb z serem, tanie fajki i lody z polewą wiśniową starcza. Nikt brudny po ulicy nie chodzi. A że wystąpiły przejściowe trudności z frykasami, to tak jak wszędzie. Normalka. Więc za obiad „fenkju" i lecimy dalej. Szósta kartka, cztery złote, więc ma już dwadzieścia trzy. Razem z drobniakami w skarbonce zebrałoby się na jedną dziewiątą roweru. Może nawet na kierownicę, a na pewno na cały bagażnik. Super wynik, i pomyśleć, że pracuje dopiero trzy godzinki.

Oczywiście nie obyło się bez przykrych incydentów. Na przykład z Alchemii wygonił ją strażnik miejski, Carlos. Schował się w knajpie razem z kumplami, poirytowany ostrym lipcowym słońcem. Właśnie zamawiali drugie piwo, subtelnie flirtując z barmanką, kiedy do lokalu weszła Kaśka. Weszła i krąży między stolikami, bezczelnie podtykając swoje bazgroły spoconym turystom. Co tu zrobić? Mandatu szkoda wypisywać, niepotrzebnie męczyć rękę w taki upał. Więc co?

– Ty, Carlos, skoczże, zrób porządek – znalazł rozwiązanie najstarszy stażem strażnik.

Carlos skoczył na baczność i jął Kaśkę przeganiać niczym zabłąkaną kurę. „Idź mi stąd, a sio! Już cię tu ni ma, poszłaaa!". Zabolało niczym sieknięcie cienką smyczą, ale szybko się otrząsnęła. Najważniejsze, to nie brać do siebie głupich tekstów.

– Inaczej zwiejesz do domu z podwiniętym ogonem i po zawodach – radził Błażej, dzieląc się wiedzą zdobytą od Oskara. – I zachowaj twarz, to zawsze procentuje.

Zachować twarz i wyjść, jakby nigdy nic. Ale jak będzie dorosła, to za Chiny nie poślubi żadnego strażnika. Choćby miał oczy jak sam Szymek Woźniak. Znowu w Kolorach wszyscy udawali, że Kaśki nie widzą. Nikt nawet nie odwrócił głowy, żeby popatrzeć na kartki. A może wcale nie udawali, może Kaśka jest dla nich równie niedostrzegalna jak podczerwień albo ultrafiolet? Trudno, jakoś to zniesie, choć oczywiście wolałaby wzbudzać reakcję. Choćby uczuleniową, a nie tak całkiem nic. Ktoś wrażliwszy mógłby uwierzyć, że wcale go nie ma. Że nie istnieje i nigdy nie istniał. Na szczęście Błażej Żwirek przygotował Kaśkę na każdą okoliczność. Wyjaśnił, że niektórzy są jak radia: odbierają tylko określone pasmo, z wyższej częstotliwości.

– Więc w zasadzie to ich problem, co nie?

Niby ich, ale zdecydowanie bardziej uwiera Kaśkę. Trudno, trzeba zacisnąć zęby i pruć przed siebie. Singer. Tu to się dopiero zdenerwowała. Weszła do pierwszej salki i tuż przy kominku zobaczyła trzy przybrudzone, topornie wycięte kartki. Jakby czekały na rozpałkę. Od razu wybiegła zawstydzona, zupełnie nie wiadomo czemu. Przecież to nie jej wyroby. Może przypadkiem spadły ze stołu. Może ktoś je zgubił i już nie miał czasu szukać, bo się śpieszył na samolot do Bombaju. Może porzucił je sam autor, tak jak niektórzy porzucają niesprzedane po złotówce koty? A jeśli to nie autor? Jeśli jej kartki też ktoś od razu wywala do śmieci? No i co? Zapłacił, ma prawo. Może je potargać albo pomiąć. Podetrzeć się nie może, bo to blok techniczny, ale poza tym prawie wszystko. A ją to powinno guzik obchodzić. Przecież najważniejsze to zebrać na rower z M1. To się liczy i na razie nic więcej.

Uspokojona podreptała truchtem w stronę Józefińskiej. Z Kurtułazji wygonił Kaśkę sam właściciel sfrustrowany nie tylko brakiem klienteli. Otóż Anatol Obornicki (do 1989 Towarzysz Oborniak) ma słabość do grubych cygar i wiotkich modelek. Niestety ta ostatnia zupełnie nieodwzajemniona. Interes stoi, napięcie rośnie, nic dziwnego, że musiał dziś na kogoś nawrzeszczeć. Trafiło na Kaśkę, a ta zamiast zniknąć mu z oczu, wywaliła długi, granatowy od pierogów z jagodami język. Zanim zdążył zareagować, już znikła w bocznej uliczce. Sfrustrowany potrójnie, przerzucił całą agresję na zasępioną barmankę w sztruksowej miniówie. Właśnie ją obsypuje wymyślnymi obelgami w ostrym sosie przekleństw, a na koniec obetnie dziewczynie pensję z sześciu złotych na cztery pięćdziesiąt (oczywiście płacone na czarno). Nie spotka go żadna kara, ani od Urzędu Skarbowego, ani od pokrzywdzonej, ani od jej krewkiego narzeczonego, bo ten już drugi miesiąc sieka nadzienie do pierożków Momo w północnym Belfaście. Osoby poirytowane brakiem sprawiedliwości na tym świecie możemy pocieszyć, że Anatol dostanie za swoje. Wprawdzie będzie musiał troszeczkę odczekać, ale wiadomo, że oliwa, choć nierychliwa, zawsze na wierzch wypływa. W następnym życiu pana Oborniaka czeka moc wrażeń na farmie, w drucianym boksie metr na dwa. Ale na razie rządzi w Kurtułazji, co oznacza, że dla Kaśki i jej kartek nie ma tam miejsca. Na szczęście jest sześćset innych knajp. Można wybierać do woli. Bez pośpiechu, bo im bliżej nocy, tym więcej turystów, jak to w sobotę. A im więcej piją, tym chętniej kupują krakowskie pamiątki „handmade". Kaśka zebrała już dziewięć dych, a dopiero co zaszło słońce.

Błękitna godzina. Mogłaby zrobić jeszcze rundkę przez Meiselsa, żeby dobić na równo, do stówy. Ale może bezpieczniej wracać do domu, zanim całkiem się ściemni. Aż szkoda, że nie ma przy niej Błażeja. Hubert też by doradził niegłupio, ale zaraz zdarłby opłatę „za usługę ekstra". A z Błażeja to naprawdę fajny kumpel. Podzieli się zapiekanką i nie dusi cennych informacji jak Marita. Ta Marita, to dopiero jest. Ponoć biegała z kartkami już trzecie lato i nikomu nic. Ani słówka. Dobrze, że ją ojciec zabrał do Bułgarii.

Jeny, Bułgaria. Czy Kaśka kiedykolwiek zapuści się tak daleko od centrum? Czy będzie ją stać? No pewnie, zakładając, że utrzyma podobne tempo pracy. Za rok, dwa mogłaby się wybrać do Złotych Piasków razem z mamusią i Cziłałem. Tylko kto zaopiekuje się babcią Kościelniakową? Plecy natarłoby któreś z młodszych, ale całą resztę? Kto zmieni cewnik? Kto podrzuci co wieczór najświeższe plotki zebrane z całego osiedla i kto przygotuje talerz mlecznej zupy? Przecież nie tatuś, zajęty emigracją wewnętrzną, ani Jolka, potworna egoistka. W takim razie zabiorą babcię ze sobą. Wynajmą specjalne auto, co oczywiście kosztuje fortunę. Ale Kaśka się sprężży przez kolejny sezon i pojadą. Tyle planów, tyle marzeń, aż człowiekowi dech zapiera. Aż kręci się w głowie. No, już dosyć, na początek skupmy się na rowerze. A za tydzień pomyślimy, co dalej.

– Czy kupią Państwo pamiątkę z Krakowa? Niepowtarzalna, ręcznie robiona, suche pastele utrwalone lakierem do włosów – wyrecytowała schrypiałym głosem po raz dwieście siedemnasty. Jeszcze tylko ten stolik i spada do chaty. Zje kolację i będzie spała aż do dziesiątej.

– Jaka wygadana mała – zażartował szczupły trzydziestolatek wysmagany tajlandzkim słońcem. Przepełniony pozytywną energią dzięki znakomitej fecie i radosnej informacji, że znalazł się sponsor. Więc mogą ruszyć z kampanią społeczną. A wydawało się, że już znikąd nie ma ratunku. Fundusze przehulane, długi wszędzie, znajomi rozłożyli puste ręce. Oj, posypią się głowy na jesień. Polecą stołki. I nagle taki traf. Jest sponsor! Dołoży, a w zamian chce kilku billboardów. Banalnie prostych. To chyba jest się czym cieszyć! – Wygadana na sto dwa!

– Prawie jak nasza Joasia. – Drugi, równie naergetyzowany, mrugnął do wytwornej szatynki w zielonym topie prosto z Amsterdamu. Szatynka zacisnęła usta, dając do zrozumienia, że żart jest wyjątkowo niskich lotów. – No przepraszam, Dżoł. Wymknęło mi się z tej radości, że mamy sponsora.

– Długo handlujesz? – zapytał Kaśkę radosny trzydziestolatek. Ten od znakomitej fety.

– Siedem godzin.

– Ale ja tak ogólnie pytałem. Jak długo siedzisz w tym... fachu?

– Też siedem. No może sześć i pół...

– Tak, tak – roześmiał się drugi. – Każda zaczęła dziś rano. Nie ma to jak świeżość debiutantki, co chłopaki?

– Ale ja naprawdę...

– Powiedz nam, kochanie – przerwała jej wytworna szatynka, poprawiając zielony top – czemu sprzedajesz kartki? Ale tak szczerze.

– No bo... bo zbieram na rower. Na takiego srebrzystego górala z przerzutkami.

– A rodzice?

– Co rodzice? – nie zrozumiała Kaśka.

– Nie mogą ci pomóc w realizacji marzeń?

– Tato jest od zawsze na rencie, mama dorabia sprzątaniem, ale to za mało, bo jest nas pięcioro i jeszcze sparaliżowana babcia, i...

– Wzruszająca historia – zakończyła za Kaśkę szatynka, wciskając jej do ręki całe dwadzieścia złotych. – Nie, nie musisz nam zostawiać karteczki. Do widzenia.

Zanim Kaśka zdążyła wydukać „dziękuję", szatynka już odwróciła się plecami i zajęła omawaniem kosztorysu kampanii. Widząc zdziwione spojrzenia kolegów, wyjaśniła, że po prostu bardzo lubi dzieci.

– Zwłaszcza takie. Bo co tę małą czeka za trzy, cztery lata? Ulica? Zmywak w fastfoodowni? Żadnych szans. Dlatego pomagam im, jak mogę. To co, zamówimy po drinku?

Kaśka podeszła do stolika i położyła tuż przed szatynką dwie papierowe dychy. A na nich metalową piątkę.

– Napiwek – dodała, nie precyzując za co. Za lekcję życia, imponującą chęć pomocy, a może obiecujące prognozy na przyszłość. A potem odwróciła się na pięcie i wyszła.

Wieczorem, już po zmroku, dowlokła się na swoje osiedle. Zmęczona nawet nie zauważyła pana Maćka, przewieszonego przez poręcz balkonu w poszukiwaniu zgubionego przed tygodniem spinacza.

– I jak tam biznesy? – zagadnął.

– Dobrze, panie Maćku. To za pastele.

– Co ty się wygłupiasz. Po gwarancji były. Mówiłem? Jak opylisz tę porcję, to, motyla noga, wyszykujemy jeszcze lepsze, temperą albo nawet...

– Ale ja już nie będę handlować – mruknęła Kaśka.

– Stało się coś? – zainteresował się pan Maciek.

– Zupełnie nic.

Niedziela

– Ale zleciało, piorónem. Aniśmy się obejrzeli, a tydzień szczelił jak tata z bata.

– Zleciało błyskawicznie, to prawda.

– Ale warto było, szwagier, co nie? Wrarzeń co niemiara.

– O, bez dwóch zdań.

– A czyja to zasuga, no czyja?

– Twoja, Stefan, twoja.

– Pewnie, że moja, niczyja inna. A tak się, chłopie, bałeś tego wyjazdu. Tak żeś trzęs worem, prawie jak Harissa.

Zgadza się, miał pewne opory, ale zupełnie uzasadnione. Otóż, doktor nauk społecznych, Andrzej Poważny brał udział w trzech podobnych eksperymentach i zawsze wracał potwornie wyczerpany. Szczególnie utkwiła mu w pamięci i odcinku lędźwiowym wycieczka do Hiszpanii.

Wycieczka do Hiszpanii

Najpierw zaprawa – dwie doby sauny w klimatyzowanym, podobno, autokarze. Sprawna i czysta toaleta, z której, jednakże, nie wolno korzystać, ponieważ:

– Jeśli zaczną państwo użytkowanie toalety, to się przepełni i już nikt nie skorzysta – huknęła w zaspane uszy pasażerów komendantka autokaru, Aldona Pompon, a następnie wyrecytowała długą listę „przepisów obowiązujących na międzynarodowej trasie". – Więc, szanowni państwo, zakazuje się chrupać, szeleścić, skrzypieć, sapać, zgrzytać zębami i mlaskać, także przez sen. Konsumowanie czegokolwiek jest dozwolone tylko podczas wyznaczonych przeze mnie postojów, tam też mają państwo niepowtarzalną okazję oddania moczu i obmycia twarzy, szyi, rąk aż do łokci, a możliwe że nawet stóp. – Wszystko zależy od szeroko pojętej elastyczności. – Nie wolno spać podczas emisji jednego z czterech wybranych przeze mnie filmów, głośno zachwycać się cudami przyrody, narzekać na duchotę i brak komfortu. Za to należy w ciszy i skupieniu wysłuchać mojego wykładu na temat mijanych miast i miasteczek. O proszę, za półtorej minuty ukaże się przed państwem panorama Wałbrzycha. Wszystkich proszę już skręcić głowy w prawo, i czekamy. Pani z nadwagą, po lewej! Tak, do pani mówię, proszę nie wstawać z fotela, gdyż to dekoncentruje innych. Nie wszystko musi człowiek widzieć dokładnie. Ważniejszy jest sam udział w zbiorowym doświadczeniu.

Tu Aldona przerwała recytację listy zakazów, by zapoznać wycieczkowiczów z historią Wałbrzycha. Po wystrzeleniu pocisku skondensowanej wiedzy, płynnie przeszła do omawiania kolejnych reguł.

– Zabrania się wysyłać SMS-y, żuć gumę oraz wypijać powyżej trzech szklanek płynów dziennie, gdyż zmusza nas to do niezaplanowanych postojów lub korzystania z naszej nieskazitelnej toalety. A podczas przekraczania GRANICY, proszę państwa, obowiązuje stan mobilizacji. Bo GRANICA, proszę państwa, to nie przelewki. Dlatego na ten czas wprowadzam w pojeździe stan wyjątkowy, jednocześnie zakazując wszelkich ruchów, które mogłyby poirytować zmęczonego celnika. Siadamy w pozycji wyprostowanej, kolana razem, stopy nieruchomo, dłonie na podołku, pępek przylega do kręgosłupa, głowa centralnie, nos niezadarty. Twarz upodabniamy do tej z fotografii w paszporcie. Uśmiech, westchnienie ulgi lub krótka drzemka dozwolone dopiero piętnaście kilometrów po przekroczeniu GRANICY. Zakazuje się również choroby lokomocyjnej, zatruć pokarmowych, ataków klaustrofobii i wyrostka robaczkowego, a nade wszystko niepotrzebnych dyskusji z pilotem pojazdu, czyli ze mną – dokończyła Aldona, życząc pasażerom przyjemnej podróży.

Przybyli do Lloret de Mar o szóstej rano. Przeczekali kilka godzin w hallu, drzemiąc na walizkach. W południe dostąpili zaszczytu zameldowania, a potem spędzili sześć szalonych dni na Costa Brava. Andrzej do dziś pamięta usianą niedopałkami plażę miejską, oddaloną od hotelu zaledwie o godzinkę drogi, jadalnię, z której nie wolno było wynieść nawet nadgryzionego jabłka, i dyskoteki, do których zapędzały turystów jego mocno umalowane rodaczki. Wzruszony nieudolnym makijażem i taniusieńką kokieterią Martyny z Bolechowic dał sobie wcisnąć dwie ważne cały tydzień wejściówki. Podobno w cenie jednej, a po sprawdzeniu – trzech. Dzięki pierwszej, Andrzej obejrzał męski striptiz w wykonaniu samego Oliviera Estrady z Belo Horizonte.

Naoliwione pośladki Oliwiera, a jeszcze bardziej ceny drinków zniechęciły go do następnych wizyt w klubie Sexi. Odwiedził zatem drugi lokal, położony na peryferiach miasta. W El Machete zabawił w sumie siedem godzin, czterdzieści minut i trzy sekundy, co było aktem brawury (albo jak kto woli, skąpstwa), zważywszy fakt, że Andrzej był jedynym jasnowłosym i białoskórym tancerzem wyznania rzymskokatolickiego. Nie dostał kosą pod żebro tylko dlatego, że pląsał samotnie, w najciemniejszym rogu sali, za kolumnami.

Dał się też skusić na wieczorną wycieczkę do Barcelony. Mieli zobaczyć pokaz słynnych tańczących fontann, zwiedzić oceanarium i mnóstwo cudów autorstwa Gaudiego. Niestety terroryści z ETA znowu gdzieś podłożyli bombę, może dwie, oznajmiła zblazowanym głosem rosyjska przewodniczka, po rocznym kursie polskiego dla turystów, na którym poznała kilkadziesiąt przydatnych zwrotów, jak: „Moi drodzy", „Kochani, po lewej widzimy...", „A teraz w ramach relaksu...", „Dziś wyjątkowo skrócimy program wycieczki", „Bezpieczeństwo i komfort to nasze dewizy", „Przy odrobinie szczęścia może uda się na światłach", „Dziękuję za uwagę".

– Apjat terroristy. Patamu sjewo... dziś wyjątkowo skrócimy programu pasjeście... wycieczki. Snaciała piatnacat minut wakrug bazyliki Sagrada Familia. Cies start!

Ruszyli zwartą grupą, wyprzedzając potężnych Niemców i ambitne emerytki z Teksasu. Dogonili cztery drużyny z Sapporo, tuż przed metą zaś udało im się pokonać kilku długonogich Kenijczyków. A napstrykali przy tym zdjęć, że ho ho. Andrzej, na przykład, wystrzelał cały magazynek swojego wysłużonego zenitha.

– Znacit Poljak umjejet – pochwaliła zdyszaną grupę przewodniczka. – A tjepier w... ramach relaksu... pajezdka ulicami staroj Barcelony. Budiem smatrit pamjatniki iz awtobusa. Bezpieczeństwo i komfort to nasze dewizy – wyrecytowała z dumą, zamykając usta malkontentom. – Wot, zdjes, po prawej Casa Mila zaprojektowana samim Antonio Gaudim. Przy kusoćku, znacit odrobinie ściastja może staniom na świetłach i tagda u nas, moi drodzy, calutkaja minuta, sztoby prismatritsa detałom.

Autokar stanął na czerwonym, wszyscy rzucili się do okna z aparatami. Andrzej również. Do dziś przechowuje fotkę błysku własnej lampy odbitej w szybie. Trzyma też dwie inne, przedstawiające koniuszek katedry i mnóstwo barcelońskiego nieba. Resztę wglądówek podarł, szczegóły zaś przestudiował w albumie, który sprawił sobie sam, pod choinkę.

W przedostatni dzień wakacji Andrzej wybrał się do pobliskiego Aqua Parku, zachęcony ulotką i entuzjastycznymi opowieściami rezydentki Lucyny. Wymoczył slipki w farbowanej na szmaragdowo, mocno chlorowanej wodzie, poszalał chwilę na sztucznej fali i zjechał kilka razy z kolorowych plastikowych rur. Rozochocony postanowił zakosztować prawdziwych wrażeń i wykonał samobójczy zjazd z megarynny, nazywanej skromnie „kamikadze". Lecąc niemal pionowo w dół, Andrzej trzy razy spojrzał śmierci w bladą twarz i nie zesrał się ze strachu tylko dlatego, że nie zdążył. Za to przez resztę wieczoru wylewał z siebie litry wody zaczerpnięte podczas trwającego trzynaście sekund ślizgu życia.

Następnego ranka uczestników wycieczki spędzono z hotelowych klitek na betonowy dziedziniec, gdzie przesiedzieli w ostrym słońcu kilka godzin, pilnując wypchanych tandetnymi pamiątkami bagaży. W samo południe zakuto wszystkich w kajdanki projektu Aldony Pompon i ruszyli w stronę Ojczyzny. Kiedy dwie doby później, na parkingu w Katowicach, podziękowała pasażerom za wspaniale spędzone chwile, polecając swe usługi na przyszłość, Andrzej jako jedyny odparł:

– Nigdy więcej – (w domyśle: podobnego badziewia).

– Nie podobały się panu wczasy w Hiszpanii? – spytała zdziwiona pilotka.

– Nie bardzo – odparł drżącym szeptem, wyobrażając sobie, jak radzi Aldonie, by zainteresowała się branżą sadomaso.

Ale być może niezadowolenie Andrzeja wynikało z faktu, iż pięć miesięcy wcześniej opuściła go żona. Może i tak.

Wyprowadziła się niemal z dnia na dzień, zostawiając mu prawie wszystko.

– Zabieram wyłącznie rzeczy osobiste. Cała reszta dla ciebie, łącznie z kluczami.

Taki gest, którego Andrzej nie docenił należycie, zszokowany tym, że właśnie traci żonę.

– Ja straciłam cztery lata – przelicytowała go Klaudia i zanim Andrzej zapytał, o jakie lata chodzi, skoro mieszkają ze sobą niecałe dwa, żona oznajmiła, że pozew rozwodowy jest już w sądzie. – Mam nadzieję, że rozstaniemy się jak cywilizowani ludzie – rzuciła na pożegnanie, muskając go rubinowymi ustami w blady policzek.

Po trzech bardzo kulturalnych rozprawach ogłoszono rozwód za porozumieniem stron. Sędzina pogratulowała obojgu elegancji i klasy. Zaraz potem Klaudia wystąpiła do sądu o podział majątku. Przypomniała sobie bowiem, że należy jej się połowa tureckiego dywanu, meblościanka na wysoki połysk i białe kuchenne szafki podarowane im przez rodziców w pierwszą rocznicę ślubu. Andrzej, nadal w szoku, oddał eks-żonie cały dywan, wszystkie trzy meblościanki wraz z zawartością (wśród nich mnóstwo książek na temat sensu życia i rytuałów parzenia herbaty), dwa wytarte porcelanowe talerzyki (resztki słynnego na okolicę serwisu prababci), gomułkowskie biurko (pamiątka po kuzynie dziadka Alojzego), wiklinowy fotel, pralkę z rozregulowanym termostatem, czteroletniego górala i nowiutki malakser. Rodzinny klejnot – szczerbate pianino – Klaudia wywiozła jeszcze przed rozwodem, podobnie cenną szkatułkę z puklem matowych włosów niewiadomego pochodzenia. Oddała za to kilka znanych nut, południowy kurz i brud, niespełniony sen, pustej szklanki brzęk, podzielony świat, parę chudych lat, kilka niezłych płyt, jeden kicz, i już nic...

Patrząc na bus uwożący w siną dal ostatnią porcję rodzinnych wartości, Andrzej uświadomił sobie, że sytuacja wymknęła mu się spod kontroli i jeszcze chwila, a coś sobie zrobi. Wtedy, jeden jedyny raz, postanowił zwrócić się po pomoc do kuzynki Teresy.

Teresa Poważna

Zaprojektowana po to, by służyć innym. Pocieszać, wspierać i nawracać. Po trzech żałosnych próbach zerwania smyczy w VII B, Teresa pogodziła się ze swoim przeznaczeniem. A z czasem zamieniła je w pasję. Ukończywszy odpowiednie studia, podjęła pracę w elitarnym gimnazjum, nasączając esencją prawdy i dobroci młode skorupki. Dzięki zaangażowaniu Teresy dziewczęta opuszczały szkołę w idealnie dopasowanych gorsetach ortopedycznych, które chroniły ich kręgosłupy moralne przed wszelakimi złamaniami. Po pracy Teresa poszerzała wiedzę w podyplomowym studium, na kierunku „Przygotowanie do życia w rodzinie". Zdobytymi informacjami dzieliła się hojnie na przedmałżeńskich kursach, skutecznie zniechęcając narzeczonych do założenia słodkiego dożywotniego jarzma. A wolne od ciężkiej pracy i głębokich rozważań godziny Teresa poświęciła TNP (Tym Najbardziej Potrzebującym). W poniedziałki i środy udzielała się w ośrodku interwencji kryzysowej, wlewając w posiniaczone uszy gospodyń domowych słowa pełne wiary i nadziei. We wtorkowe noce służyła jako latarnia, wskazując zagubionym jedynie słuszną drogę. W czwartki straszyła kotłami z siarką potencjalnych samobójców zrozpaczonych brakiem pracy. W piątki dyżurowała przy wyłowionych z bagna grzechu platynowych blondynkach, pilnując, by nie uciekły tam z powrotem. W soboty zaś odreagowywała niepowodzenia, upalając się mocną trawą przy kojącej muzyce Morcheeby i ostrych japońskich kreskówkach. W niedzielę pokutowała za grzechy, by w poniedziałkowy ranek stanąć do boju. Silna, zwarta i gotowa niczym strażak z filmu propagandowego dla nierozgarniętych nastolatków z Oklahomy.

I pomyśleć, że osoba tak zajęta ratowaniem zgniłego świata wysupłała wiele cennych godzin, by zaopiekować się młodszym kuzynem w tych najtrudniejszych dla niego chwilach. Kiedy Andrzejowi nagle umarli rodzice, Teresa natychmiast ruszyła na ratunek, zdecydowana zrobić wszystko, by kuzyn nie pogrążył się w karygodnej i grzesznej rozpaczy. Uznała, że zastąpi mu matkę, ojca, dziadków, a nawet rodzeństwo, którego Andrzej nigdy nie miał i za którym nie tęsknił. Zagubiony niczym dziecko i pogrążony w żałobie ufnie przyjął silną pomocną dłoń. Nawet nie zauważył, kiedy Teresa z wyrozumiałej opiekunki zmutowała w surową przewodniczkę po świecie pełnym brudnych pokus i robaczywych przyjemności. Nie protestował, kiedy zaczęła go traktować jak średnio rozgarniętego gimnazjalistę, strofując, pouczając i wystawiając stopnie (zwykle trzy na szynach). Co niedzielę rozważali wybrane fragmenty mądrych pism, dotyczące sensu cierpienia i wartości cnoty. Andrzej przygotowywał eseje na zadany przez Teresę temat („Wiara ludowa a cywilizacja śmierci"). Przepełniony wdzięcznością nie śmiał polemizować z kuzynką, nawet jeśli jej poglądy napełniały go rosnącym niepokojem. Nie odważył się też przypomnieć, że właśnie stuknęła mu trzydziestka i mógłby już sam dobierać sobie lektury. Raz nieśmiało zażartował, że nie potrzebuje białej laski.

– Każdy ślepiec tak mówi – odrzekła surowym głosem Teresa, mimochodem przypominając smarkatemu kuzynowi, ile jej zawdzięcza.

Andrzej, płonąc żywym ogniem, postanowił na przyszłość unikać jakichkolwiek tarć i zgrzytów. Znowu polecą iskry i będzie piekło, oj będzie. Więc zamiast ryzykować bolesne poparzenia, postanowił skupić się na doktoracie, który odłożył do szuflady przed rokiem, załamany nagłą śmiercią dwojga najbliższych mu ludzi. Pokornie znosił kolczaste uściski Teresy, aż do pewnej środy popielcowej. Wpadła wtedy, zirytowana kazaniem jednego z jej ulubionych niegdyś księży. Zbyt liberalne, oceniła, i zupełnie nie na temat. Gdyby jeszcze chodziło o Wielkanoc albo inne radosne święto, ale mówić o przebaczeniu i miłości w Popielec? Zupełnie nie uchodzi.

– Jeśli będziemy szafować pobłażliwością na prawo i lewo, zwykły człowiek straci motywację do pracy nad sobą – skomentowała niezadowolona.

Andrzej zapytał wtedy, czy straszenie piekłem jest istotnie aż tak budujące i rzeczywiście motywuje do nawrócenia. W odpowiedzi urażona kuzynka wyliczyła zagrożenia, jakie niesie religijny liberalizm i postmodernizm. A potem zacytowała definicję słowa „postmodernista". Otóż:

– Ów niebezpieczny wywrotowiec – tu zerknęła znacząco na kuzyna – nawołuje do tolerancji, wierzy w astrologię, a zatem i w New Age, stawia wolność ponad wszystkie wartości i uważa Jezusa za dobrego człowieka, podobnie jak Buddę i Mahometa. Zgroza!

Andrzej zdębiał tak, że nie wiedział, co odpowiedzieć. Pierwsze, co mu się nasunęło, to pytanie, jak można pogodzić ze sobą wiarę w astrologię i w szeroko pojętą wolność. Z tego, co czytał, wielbiciele horoskopów uważają, że ich przyszłość została „dokładnie zapisana w gwiazdach". A przecież tam, gdzie istnieje narzucone z góry przeznaczenie, nie ma miejsca na wolność wyboru. Nawiasem mówiąc, Andrzej nie wierzył ani w jedno, ani w drugie. Wierzył natomiast zawsze, że Jezus był

Dobrym Człowiekiem. A tu proszę, okazuje się, że nie. Że to tylko bzdury rozgłaszane przez zwyrodniałych postmodernistów.

– I pomyśleć, że Kościół tak otwarcie to przyznaje? – spytał zdumiony, na co Teresa zapięła pod szyję granatowe palto i bez słowa opuściła mieszkanie na Kozłówce.

Zjawiła się dwa tygodnie później, z kartką pełną zadań domowych, „za karę". Wśród nich szczególnie zaintrygowało Andrzeja ostatnie: „Wymień trzy cechy Maryi, które robią na tobie największe wrażenie". Rozluźniony dzięki dwóm herbatom z czeskim rumem Andrzej ujawnił swawolną stronę swojej osobowości i beztrosko wypalił w przeczyste ucho kuzynki:

– Długie blond włosy, dojrzały wygląd jak na swoje piętnaście lat i błękitny szpanerski płaszcz do samej ziemi. Mam wymieniać dalej?

Teresa odparła, że wobec takich ataków na jej wiarę musi się wycofać. Ale wróci, kiedy tylko zbierze siły, by stawić czoło złu panoszącemu się w duszy i sercu Andrzeja.

– Ja też żyłam na duchowej pustyni – dodała, wspominając z uśmiechem politowania szczeniackie wybryki w siódmej B. – Ale na szczęście odnalazłam Oazę.

„Jesteś pewna, że to nie fatamorgana?" – chciał zapytać Andrzej, ale musiałby najpierw wypić szklankę ruskiego spirytusu. Bo rum to zdecydywanie za mało. I w dodatku błyskawicznie się ulatnia z krwiobiegu; ledwie za Teresą zamknęły się drzwi, a już Andrzej żałował wszystkich rubaszności, którymi ostrzelał kuzynkę. Chciał wybiec za nią na klatkę schodową i błagać o przebaczenie, ale... no po prostu nie mógł zrobić kroku. Jakby stopy wrosły mu w wykładzinę. Stał tak, skamieniały, chyba z kwadrans. Aż wreszcie, umęczony wyrzutami sumienia i nienawiścią do samego siebie, powlókł się do kuchni po szklankę wody. Na kaca.

Przez następny tydzień usiłował się dodzwonić do Teresy, ale kiedy tylko brał do ręki słuchawkę, by wystukać jej numer, ręce zaczynały mu drżeć tak, że nie mógł trafić w odpowiednie cyfry. Raz prawie mu się udało; odebrała znajoma Teresy, dyżurująca w tym samym ośrodku pomocy.

– Czym mogę służyć? – zapytała łagodnym głosem osoby, która kroczy właściwą drogą ku Oazie. Struny głosowe Andrzeja ścisnęła taka trwoga, że nie zdołały nawet wybrzdąkać „Przepraszam, pomyliłem numer". Spocony odłożył słuchawkę i postanowił zaczekać na inicjatywę Teresy. Obiecała przecież, że powróci, by oczyścić jego duszę z narosłych przez lata brudów. Pytanie tylko, kiedy uda jej się zgromadzić odpowiednio silne detergenty.

Po dwóch miesiącach czekania Andrzej zrozumiał, że Teresa nie przyjdzie. Pewnie uznała jego przypadek za beznadziejny i skupiła się na ratowaniu bardziej skruszonych obiektów. Skłonnych okazać entuzjastyczną i, co ważne, dozgonną wdzięczność, nie tak jak Andrzej, który z rzadka bąknął kilka słów podzięki i na tym koniec. A może chodzi o coś jeszcze, rozmyślał, przewracając się z boku na bok w bezsenne noce. Może był niewystarczająco refleksyjny? Może pisał zbyt powierzchowne eseje? Analizował poprzednie tygodnie, godzina po godzinie, nerwowo miętosząc róg pościeli. Jeszcze miesiąc, dwa, a zamęczyłby siebie, nie mówiąc o poszwach z kory, kiedy w jego smutne życie wkroczyła Klaudia.

Wejście Klaudii

Wpadła znienacka na dyżur Andrzeja, po zaległy wpis do indeksu. W czerwcu ma obronę i nagle przypomniała sobie, że brakuje jej zaliczenia, jeszcze z zimowej sesji. Ojej, tak się jakoś zagapiłam, wyznała z rozbrajającym uśmiechem, odrzucając do tyłu bujne kasztanowe loki.

– Dostałam wtedy czwórkę. To znaczy z minusem... – dodała, widząc, jak doktor Poważny skrupulatnie przeszukuje notatki w poszukiwaniu jej oceny.

– Z dwoma – sprostował Andrzej, biorąc od dziewczyny indeks. Znalazł pustą rubryczkę i wpisał „db". A obok styczniową datę.

– Tak po prostu? – zdziwiła się Klaudia.

– Powiedzmy, że mam wyjątkowo dobry dzień – wyjaśnił, próbując uformować na swej twarzy tajemniczy uśmiech Giocondy.

– A mnie się wydaje, że wręcz przeciwnie. I że trwa to znacznie, znacznie dłużej.

– Do widzenia – odparł sucho, odwracając się w stronę okna.

Klaudia wyszła, ale przypadkowo wpadła na niego dwa tygodnie później. Cała w skowronkach i innych ptaszkach, bo:

– Dziś, właśnie dziś, dokładnie o trzynastej zdałam egzamin końcowy! Na czwórkę, panie doktorze, bez żadnych minusów. Ale na dyplomie wpiszą mi piątkę, za znakomicie przygotowaną pracę, no i za średnią w indeksie też – szczebiotała, rozradowana jak przedszkolak po swoim pierwszym udanym występie z okazji Dnia Babci.

Andrzej pogratulował i już miał ruszyć przed siebie, do naukowej, kiedy Klaudia nagle zapytała, czy nie dałby się zaprosić na mrożoną herbatę. Tak by chciała się podzielić swoją radością, a zupełnie, ale to zupełnie, nie ma z kim. Nie wypadało odmówić. Posłusznie podreptał za dziewczyną do Gołębnika. Zamówili jaśminową z lodem i usiedli w najchłodniejszym rogu sali.

– Też nie ma pani rodziców? – zagaił Andrzej.

– Ależ mam! – wyjaśniła Klaudia, nieco zdziwiona tym „też" – Już nawet do nich dzwoniłam, zaraz po obronie. Bardzo się cieszą i szykujemy z tej okazji przyjęcie. Oczywiście skromne – dodała szybko, obrzucając uważnym wzrokiem sprane Andrzejowe sztruksy. – Bez zbędnej pompy, ale jednak z zachowaniem pewnych reguł.

– Aha – przyjął do wiadomości Andrzej, przypominając sobie nieliczne przyjęcia w domu rodziców. Ostatnie tuż przed wylewem matki. Zorganizowane z okazji jego imienin, urodzin i otwarcia przewodu doktorskiego. Pakiet „trzy w jednym", ulubiona forma rozrywki państwa Poważnych. Matka upiekła mazurek. Fatalny jak zawsze, co nikogo poza nią nie zaskoczyło, bo reszta rodziny i wszyscy sąsiedzi wiedzieli, że Poważna ma dwie lewe ręce. Liczą się dobre intencje, pocieszył ją Andrzej, poza tym, co domowe, to domowe. No i taniej wychodzi. Ojciec kupił w Tesco butlę wytrawnego wina, na odwagę. Wypili po kieliszku i już zaczęli dzielnie szarżować w stronę placka, kiedy matka oświaczyła, że musi się położyć. Tak ją głowa łupie, że jeszcze chwila, a pęknie na pół. Nie, nie trzeba wzywać pogotowia, to tylko stres z nadmiaru wrażeń, a może halny. Kto wie. Kwadrans później straciła przytomność. Kiedy dowieziono ją do szpitala, już nie żyła.

Zaraz po pogrzebie Andrzej musiał wyjechać na konferencję, by zastąpić profesora zajętego ubijaniem złotodajnej piany w Chicago. Ojciec Andrzeja musiał samotnie stawić czoło nowej rzeczywistości. Patrząc na stos brudnych naczyń w tłustym zlewie, grudy błota na korytarzu, przywiędłe bluszcze, zakurzone meble, przepełnioną pralkę, pustą lodówkę, zdeptany dywan i nietknięty mazurek, zatęsknił do obu lewych rąk swojej żony. Rąk, z których tak często szydził i których starań nigdy nie docenił. A potem zareagował tak, jak większość emerytów na myśl o tym, że muszą nagle ująć ster w swoje dwie prawe dłonie: siadł w fotelu i umarł. W dzień świętego Mikołaja i zarazem swoje imieniny. Może dlatego Andrzej nie przepada za „pakietami świątecznymi". Nie lubi też rodzinnych przyjęć, ale zawsze z ciekawością słucha o cudzych rozrywkach. Dzięki temu uświadamia sobie, że życie toczy się dalej. Tylko troszkę obok.

– Bo w mojej rodzinie – ciągnęła Klaudia – bardzo dbamy o to, by ważnym wydarzeniom nadać odpowiednią oprawę. By odróżnić to, co wyjątkowe, od szarej codzienności.

– Bardzo miły zwyczaj.

– To taka nasza rodzinna tradycja – pochwaliła się Klaudia, unosząc z wdziękiem kremowy podbródek. – Bardzo cenimy pewne rytuały. Dzięki nim nasza rodzina trzyma się razem. I wszystko przebiega jak należy. Bez zakłóceń.

– Ład i porządek?

– Wiem, że niektórych takie rzeczy drażnią, może nawet śmieszą... – Umilkła, czekając na reakcję Andrzeja.

– Może i drażnią – zastanowił się Andrzej – ale dzięki nim łatwiej przetrwać trudne chwile.

Bo zamiast rozpaczać, człowiek bierze się w garść i robi, co do niego należy. Punkt po punkcie. Najpierw:

1) Wysprzątać każdy pokój, pozbywając się bezwartościowych rupieci, starych ubrań i kiczowatych ozdób.

2) Uregulować formalności i zamienić mieszkanie rodziców na inne; w nowym miejscu łatwiej schować się przed bólem i tęsknotą. Zwłaszcza jeśli mądrze wypełnimy grafik, zdając się na doświadczenie kuzynki Teresy.

Kiedy już podgoją się najgłębsze rany, można:

3) Zacząć budowę rodzinnego pomnika. Wpłacić zaliczkę na różowy marmur, zamówić złote litery prosto z Włoch, podrzeć kompromitujące dokumenty (świadectwo warunkowego przejścia do szóstej klasy) i spalić miłosne listy pełne płomiennych wyznań i błędów ortograficznych.

Wreszcie pora:

4) Przejrzeć albumy, oddzielając wartościowe fotografie od plew bezlitośnie obnażających obfite kalafiory na udach matki lub plebejskie rozrywki ojca. Dzięki temu szybciej da się zatrzeć przykre wspomnienia.

5) Kilka szczególnie zgrabnych ujęć przeszłości warto wyeksponować na biurku, tworząc przyjemny nastrój i rodzinną atmosferę (nawet jeśli się mieszka wyłącznie z włochatym pająkiem).

A kiedy już człowiek wykona wszystkie zadania, w jego sercu zagości spokój i radość, obowiązek każdego parafianina. Żałoba zakończona.

Klaudia zerknęła na Andrzeja i dopiero wtedy dotarło do niej znaczenie słówka „też" w pytaniu o rodziców. Wyuczony takt powstrzymał ją jednak przed prostackimi pytaniami o szczegóły tragedii doktora Poważnego. W takich sprawach nie należy się śpieszyć. Ważne, żeby być tuż obok, na wyciągnięcie dłoni, dyskretnie monitorując potencjalne rywalki. Oswajanie Andrzeja zajęło ponad rok. Trzy miesiące później nieśmiało zaproponował jej małżeństwo. Kiedy już ustalili termin ślubu, Klaudia przewiozła do jego mieszkania na Kozłówce swoje rzeczy, w tym wiele rodzinnych pamiątek, ze szczerbatym pianinem na czele. Wzięli ślub cywilny dokładnie w trzecią rocznicę poznania. A kiedy Andrzej zaczął poważnie myśleć o złożeniu przysięgi w kościele, Klaudia oświadczyła, że odchodzi, zostawiając mu niemal wszystko, łącznie z kluczami. Taki gest.

Po rozprawie o podział majątku Andrzej uznał, że musi poszukać wsparcia, inaczej skończy w fotelu jak swój własny ojciec. Wtedy, jeden, jedyny raz, odważył się zadzwonić do Teresy. Przywitała go tak, jakby od ich ostatniej rozmowy upłynęło zaledwie kilka dni. Ani słowa wyrzutu, ani jednej dygresji na temat brudu panoszącego się w Andrzejowym wnętrzu. Żadnych osobistych przytyków ani pretensji, co wcale nie poprawiło mu humoru. Już wolałby usłyszeć, że jest nędznym gnojkiem, który przypomina sobie o kuzynce, dopiero kiedy dostaje kopa od sprawiedliwego Losu. Zamiast tego usłyszał: „Czym mogę służyć?", wypowiedziane balsamicznym głosem osoby, która odnalazła Oazę i jest gotowa wskazać do niej drogę każdemu. Bez dzielenia na swoich i obcych. Andrzej poczuł się jak jeden z wielu anonimowych desperatów żebrzących o kilka ciepłych słów. I zachował się tak jak oni. Drżącym głosem opowiedział, co go trapi.

– Słyszałam o twoim rozwodzie, i cóż, bardzo mi przykro.

– Mnie również – wyznał Andrzej, sam nie wiedząc, co w tej chwili boli go bardziej: odejście żony czy bezosobowy profesjonalizm Teresy.

– Niestety, do tego właśnie prowadzą związki niesakramentalne. Do zdrad i rozstania...

– Ale przecież inne małżeństwa też się rozpadają.

– Tylko pozornie; co Bóg złączył, tego nikt już nie rozłączy – przypomniała mu Teresa.

Zawsze można przeprowadzić unieważnienie, pomyślał Andrzej, z pewnym niesmakiem, uważał bowiem podobne rozwiązania za sztuczki na poziomie pierwszej gimnazjalnej. Zamiast uczciwie przyznać, że źle oceniłem swoje możliwości, próbuję wmówić szanownej komisji egzaminacyjnej, że mnie oszukano i podstępem zmuszono do udziału w cyrku, z białą suknią i marszem Mendelssohna w tle. Żałosne.

– Na szczęście ciebie ten problem nie dotyczy – ciągnęła kuzynka. – Nadal masz szansę zawarcia prawdziwego małżeństwa, z błogosławieństwem i wszelkimi honorami...

– Nie wiem, czy jestem w stanie związać się z kimkolwiek.

– Życie w celibacie też ma swoje uroki – pocieszyła go Teresa.

– Problem w tym, że moje, po odejściu Klaudii, straciło cały sens.

– Pamiętaj, że Pan nie zsyła nam ciężarów ponad nasze siły – usłyszał zawstydzony. – Dlatego samobójcy grzeszą w dwójnasób. Decydują o czymś, o czym decydować im nie wolno, i odmawiają dźwigania ciężaru, który mogą i powinni udźwignąć.

Andrzej zaczął się zastanawiać, czym grozi TAKI grzech. Piekłem do kwadratu? Bo o wydłużeniu kary nie ma w tym wypadku mowy. Zaraz jednak strzepnął z włosów niesforne myśli, przypominając sobie, po co dzwoni do kuzynki. Nie po kolejnego kuksańca przecież, ale po wsparcie.

– No, a jeśli, jeśli ktoś nie radzi sobie z ciężarem – wyjąkał – i potrzebuje pomocy, to...

– Rzucamy mu koło ratunkowe, a jakże, ale musi chcieć je złapać – odparła Teresa. – Niestety wielu tonących okazuje karygodną butę, dlatego kończą pogrążeni w otchłani.

To chyba o mnie, pomyślał Andrzej, zastanawiając się, czy powinien błagać o następne koło, czy z godnością pójść na dno. Zdesperowany, podjął ostatnią próbę i otrzymał sznur ratunkowy w postaci informacji na temat grupy wsparcia dla wzgardzonych i porzuconych mężczyzn.

– W środy, szósta dziesięć rano, tylko się nie spóźnij – poleciła Teresa. – Bo siostra Dolores bardzo sobie ceni punktualność.

– Tak wcześnie? – jęknął Andrzej.

– Jeśli komuś naprawdę zależy, potrafi się zmobilizować, wierz mi. A jeśli nie, cóż... może szukać pomocy gdzie indziej. Jest przecież całe mnóstwo tak modnych obecnie psychoterapeutów i rozmaitych szamanów.

Może oni ci „pomogą", kto wie – odparła z przekąsem, a zaraz potem poinformowała Andrzeja, że musi kończyć, bo ma pilną rozmowę na drugiej linii: kolejna ofiara związku opartego na cielesnej fascynacji.

I co teraz? – rozmyślał Andrzej, zanurzywszy chude ciało w fotelu ojca. Pomysł z szamanem odpada. Ci najlepsi przyjmują u źródeł Amazonki i trzeba trochę się pokręcić po dżungli, żeby trafić do właściwego. Nie ma tak, że bierzesz Panoramę Firm, wyszukujesz odpowiedni numer, dzwonisz, umawiasz się i lecisz. Zresztą kto da Andrzejowi miesięczny urlop? Teraz, tuż przed sesją, kiedy trzeba zastąpić profesora smażącego pączki w Wenecji? Mógłby ewentualnie próbować w sierpniu... o ile dożyje do wakacji. I uzbiera na lotniczy za ocean. Znowu z psychoterapią Andrzej sam już nie wie. Był raz i nie bardzo mu się podobało.

Psychoterapia

Tuż po zdaniu egzaminów na doktoranckie Andrzej poczuł ogromne zmęczenie. Ledwo miał siłę zmyć po sobie deserowy talerzyk i wyrzucić sreberko z czekoladki. Powinieneś zrobić morfologię, biadoliła matka. Wie, że powinien, ale przeokrutnie się boi. Na sam widok strzykawki wiotczeje i leci trzysta pięter w dół. A po wszystkim musi jeszcze wysłuchiwać złośliwego chichotu pielęgniarek. Nie, poczeka z tymi badaniami, póki zupełnie nie zgaśnie.

– A może wypróbowałbyś Oberon? – podsunęła znajoma matki, entuzjastka medycyny niekonwencjonalnej i serialu „Ostry dyżur". – Nic nie boli, żadnego wkłuwania, a diagnozuje szybciej niż sam doktor Ross. Gdyby jeszcze wyglądał jak George Clooney... – rozmarzyła się – od razu bym wzięła kredyt hipoteczny i sprawiła sobie takie cudo na własność.

Zaciekawiony opowieściami o rewelacyjnym wynalazku z Japonii, Andrzej umówił się na wizytę kontrolną. Badania miał prowadzić doktor Wisdom, uznany (w pewnych kręgach) specjalista od hipnozy, tarota, koloroterapii, psychoanalizy, masażu tybetańskiego i leczenia gongami. Przyjął Andrzeja u siebie w domu, kazał wygodnie ułożyć się na kozetce i wyszedł do kuchni, podładować akumulatory wyczerpane poprzednim seansem. Wrócił, trzymając w jednej dłoni bułkę z masłem, w drugiej zaś – poplamiony kwestionariusz. Usiadł tuż obok, spokojnie dokończył ładowanie i zabrał się do ankiety, zadając Andrzejowi mnóstwo szczegółowych pytań. Imię, drugie, trzecie, nazwisko, adres, wiek, wzrost, waga, stan cywilny, sytuacja osobista, przyjaźnie, zainteresowania i uprawiane sporty, zawód wyuczony, wykonywany, choroby przebyte w dzieciństwie, urazy i załamania, odczuwane obecnie dolegliwości. Andrzej odpowiadał cierpliwie, zastanawiając się, po co Oberonowi tak dokładne dane. Dopiero kiedy multispec zaczął dopytywać się o rodziców – praźródło wszelkich nieszczęść i kompleksów, Andrzeja olśniło. Zrozumiał, że bierze udział w swojej pierwszej sesji terapeutycznej. Zanim zdążył się podzielić swym odkryciem, doktor Wisdom oznajmił, że pora przejść do najważniejszej części spotkania:

– Hipnoza.

Andrzej chętnie by zaprotestował, ale jego pokłady asertywności okazały się jeszcze skromniejsze niż zasoby energii. Poddał się zatem, udając, że zapada w trans. A może zapadł, skoro pozwolił, by obcy facet położył mu dłoń na brzuchu. Oczywiście zdarzają się ludzie, którym śmiało można władować palec w tyłek na pierwszej wizycie, ale Andrzej zdecydowanie do nich nie należy. Nie znosi zapchanych autobusów i przypadkowych dotknięć nieznajomych, a już najbardziej nie cierpi, kiedy ktoś mu gmera w okolicy pępka. Ma wrażenie, że jeszcze chwila i supełek puści, uwalniając serpentyny jelit. A tu proszę, obca łapa na brzuchu i nic.

– Andrzeju – usłyszał nagle. – Teraz policzę do dziesięciu. A kiedy skończę, obudzisz się odprężony, beztroski i radosny niczym dziecko.

Odprężony może i tak. Ale z beztroską i radością to się Wisdom mocno zagalopował. Zresztą nie jego wina. Skąd mógł wiedzieć, że Andrzeja nazywano już w żłobku „stary maleńki"?

– No i jak się czujemy? Dużo lepiej? – Andrzej przytaknął i umówił się na następne sesje. A dwa dni później zadzwonił i, udając własną matkę, odwołał spotkania.

Może powinien spróbować jeszcze raz? Tylko skąd pewność, że zamiast terapii nie trafi mu się badanie Oberonem? A diagnozy, w obecnym stanie ducha, Andrzej nie potrzebuje. Wie dokładnie, co go zżera, nie wie natomiast, jak mógłby to zmienić. I nie ma nikogo, kto by mu wskazał wyjście awaryjne. Co gorsza, nikogo nie obchodzi, jaką ścieżką podąży Andrzej. Nikt nawet nie zauważyłby, gdyby skoczył do Wisły lub odleciał na Marsa. No, może na uczelni zapanowałoby pewne zamieszanie. Sekretarki pokwękałyby przez tydzień, że znowu trzeba zmieniać coś w papierach. „Niby Poważny, a tu taki kawał wyciął, tuż przed sesją. Jakby nie mógł poczekać kilku tygodni. Ale co takiego obchodzi, że my tu tyramy? Jeszcze dołoży i teraz ani kawy się napić, ani pasjansa machnąć. Masz ci los!". Profesor też by ździebko pomarudził, że zamiast smażyć chrupiące pączki, musi szukać kogoś na zastępstwo przy egzaminach. Jakiegoś Andrzeja Dwa, tyle że bardziej odpornego na stresy niż „Jedynka". Ale poza tym nikt, absolutnie nikt nie zmartwiłby się zniknięciem Andrzeja. I właśnie wtedy do niego dotarło, że został sam. Zupełnie sam. Ale nie na długo.

Trzy minuty później jego wrażliwe, inteligenckie uszy zgwałcił prostacki dzwonek do drzwi. Andrzej znieruchomiał niczym strwożony chomik, zastanawiając się, któż to. Rodzice nie żyją od pięciu lat. Rodzeństwa, jak wiadomo, nie ma; sam urodził się niemal cudem po dwunastu latach gorących modlitw. Sąsiad? Rozpłynął się w Paragwaju, uciekając przed bezduszną firmą windykacyjną. A listonosz albo kolędnicy? Na Boga! Nie o takiej porze! Koledzy z uczelni? Na ich wydziale nie ma zwyczaju utrzymywania kontaktów pozasłużbowych. A jeśli to Teresa albo... albo Klaudia? Przycisnął pulsującą skroń do drzwi, celując błękitnym okiem w judasza.

– Swuj. Nie musisz sie czaić i tak wszystko słyszę.

– To ty? – zdziwił się Andrzej, otworzywszy październikowe, dźwiękonieszczelne drzwi.

– Ja – potwierdził szwagier. – A kogo się spodziewałeś? Matki Teresy?

– Matki to może niekoniecznie, ale...

– Rany, wyglondasz, jakbyś ducha spotkał. Stało się coś?

– Trochę mnie zaskoczyłeś tą wizytą – tłumaczył się Andrzej, zapraszając szwagra na pokoje.

– A to niby czemu?

– Przecież wziąłem rozwód z twoją siostrą.

– Ale nie ze mną – wyjaśnił Steven Baldwin, zwany Obciachem, Śrubką, a najczęściej Wieśniakiem. – Takżeś się gózdrał z otwieraniem, że już myślałem, czy pszypadkiem nie mientosisz tu jakiejś niuni.

– Też coś! – oburzył się Andrzej,

– Ale zaraz uznałem, że prendzej zawału dostałeś. Dlatego tyle żem dzwonił.

– A nie przyszło ci do głowy, że wybrałem się do opery, na przykład?

– Tobyś zgasił śwjatło – odparł szwagier, rozcierając zgrabiałe łapska. – Ty, Andrzej, moge se zrobić cherbaty? Bo zmarzłem jak fiks.

Przeszli do kuchni. Andrzej zapalił gaz i zaczął szperać po szufladach w poszukiwaniu czegoś, co dałoby się zaparzyć, a potem jeszcze wypić, bez ryzyka biegunki. Ostatnie trzy torebki cejlonu zużył dziś rano, ale gdzieś powinna być owocowa i parę wiórków czarnej. Może tu? Nie, zielona, chyba z cytryną.

– Morze być zielona, albo cokolwiek, byle goroncego – odezwał się Wieśniak, omiatając wzrokiem brudne ściany.

– Przepraszam za bajzel, ale jakoś nie miałem ostatnio motywacji do sprzątania.

– Widziałem wjększe ródery – uspokoił go szwagier. – Raz szorowalimy z chłopakami taką hawire, pod Monachium. Z zewnącz jeszcze ujszła, za to w śrotku:

masakra. Ale co się dziwić, jak chłopu odbiło i zaćgał żonę, dwuch kochanków, sonsiadkę i listonosza. A potem wzioł i poderżnoł se gardło. Tam to dopiero był bajzel. – Pokiwał głową. – Ale czeba pszyznać, że pajenczyny masz niczego sobie. Prawie jak z chorroru.

– Mnie nie przeszkadzają – mruknął Andrzej.

– Mnie tem bardziej – zapewnił Wieśniak, zalewając herbatę wrzątkiem. – Ale jakby ci zaczeło pszeszkadzać, to morzemy jakiś remont machnońć, na wiosne. Policzył bym tylko za materiały. Przy okazji kupił byś se morze żerandol albo szafki.

Andrzej odmówił, tłumacząc, że w jego grafiku nie ma miejsca na takie bzdury jak wylewki, flizy, tynki, zmiana okien czy zabudowa kuchni.

– To mósiał być straszny cios dla Klaudii – uśmiechnął się Wieśniak. – W samo serce. A wież mi, nie łatwo w nie trafić.

– Nie sądzę – odparł Andrzej lodowatym tonem. – Klaudia nigdy nie zaprzątała sobie głowy prozą życia. Była ponad to.

– Ponad co?

– Ponad wszystko, co małostkowe i przyziemne – tłumaczył Andrzej, zirytowany głupimi pytaniami szwagra. – Nie obchodziły jej aptekarskie detale.

– Tak ci powjedziała?

– A żebyś wiedział!

– I co jeszcze muwiła? – zapytał Wieśniak, podczas drugiej niezapowiedzianej wizyty, trzy wieczory później.

Andrzej szykował się właśnie do skromnej kolacji, a tu jak coś nie huknie. Aż mu uszy przygniotło do wykładziny. Od razu sie domyślił, że to Herr Flick. Albo szwagier. Nikt inny nie waliłby w drzwi z taką energią i w rytm wojskowego marsza. Andrzej próbował udawać, że go nie ma, ale po piętnastu minutach poddał się i otworzył.

– No, jusz żem myślał, że po tobie, hłopie – rzucił Wieśniak, ładując się od razu do przedpokoju. – Jeszcze chwila i bym erke wzywał.

– Jeszcze chwila i musiałbym zainwestować w porządny aparat słuchowy – odburknął Andrzej, trąc obolałe uszy.

– Trzeba było otwożyć odrazu, a nie chować się pod kocem jak stróś. Przyniesłem cherbate, bo napewno zapomniałeś se kupić.

– I z tego powodu tak się tłukłeś???

– Myślałem, że se pogadamy. Bo po ostatniej rozmowie, czóję ten, no... yyyy... pewjen niedosyt.

– A o czym konkretnie chciałbyś porozmawiać? – zapytał Andrzej, wygodnie sadowiąc się w fotelu.

– Konkretnie to... – Wieśniak zmarszczył czoło – yyy... właściwje o niczym.

– Ale masz jakieś pytania? Coś cię szczególnie interesuje albo trapi?

– Normalnie chciałem pogadać. Po lucku! A ty mi wyjeżdżasz z konkretami – obruszył się Wieśniak. – Morze nastempnym razem pszygotuję jakomś listę. Ankiete czy coś.

– Sam wspomniałeś, że czujesz pewien niedosyt – zaczął się tłumaczyć Andrzej. – Więc chciałem się dowiedzieć, co jest źródłem...

– A ty nie czójesz?

I co ma Andrzej odpowiedzieć człowiekowi, którego widzi piąty raz w życiu?

– Prawie się nie znamy... – bąknął, przyglądając się w skupieniu swoim kraciastym bamboszom.

– No właśnie, hłopie! I chciałem to wreszcie zmienić!

– Ale czemu teraz?

– Bo wcześniej nie było morzliwości.

– Przez ten zagraniczny projekt? – przypomniał sobie Andrzej. Kiedyś zapytał Klaudię, dlaczego nie ma na ich ślubie Stefana. Odparła, że „właśnie dostał ważne zlecenie aż w Monachium i sam rozumiesz... gardłowa sprawa".

– Nieh będzie, że gardłowa. Chodź były w to zamieszane rużne inne organy – skwitował Wieśniak i polazł do kuchni nastawić bezprzewodowy czajnik. – A muwiła ci, czemu wyjechałem?

Niby padły wyjaśnienia, ale jak się Andrzej głębiej zastanowi, to nie potrafi wyłuskać nic konkretnego. Zdania urwane w połowie, wiele znaczących spojrzeń, kilka słów wypowiedzianych z odpowiednią intonacją, i westchnienia. Czyli sama woda.

– Ale wogule muwiła na mój temat? – drążył szwagier.

– No, że... masz na imię Stefan. I że jesteś spod... Wodnika?

– Bliźniaka.

– Może i Bliźniaka – zgodził się Andrzej, nie do końca pewien, czy on sam jest Strzelcem, czy może Rybą. Taki to z niego postmodernista i pasjonat New Age. – Wspomniała, że od kilku lat sporo podróżujesz, szukając, szukając...

– Czego?

I znów, zamiast informacji, same mgliste zwroty. „Wiesz, kochanie, jak to jest...", „Stefan bywa taki ekscentryczny", „Bardzo się o niego martwimy", „Nie każdy od razu trafia na właściwy tor", „To wszystko nie jest takie proste..." – Co wszystko?

– Dla mnie naprzykład ortografja. Zupełnie nie rozumiem, dlaczego „pułka" pisze się przez u zwykłe.

– Przez ó z kreską.

– O, sam widzisz – ucieszył się się szwagier. – A ten, no... o rodzinie coś ci muwiła? Albo o sobie?

I to sporo, zwłaszcza na początku znajomości. Że szanują pewne reguły. Że lojalność to niezwykle ważna rzecz; każdy może wtedy liczyć na pomoc innych, a już na pewno na bukiet imieninowych kwiatów lub świąteczne życzenia. Że bez tradycji nie byliby tu, gdzie są. I dlatego Klaudia tak się cieszy, że znalazła właściwego człowieka. Mężczyznę, który choć mieszka sam, docenia wartość rodzinnego kręgu. A na sam koniec (już po wywiezieniu pianina i szkatułki z puklem) dodała:

– Że to były cztery bezpowrotnie stracone lata. Że niepotrzebnie się poświęciła i... – Andrzej machnął dłonią – szkoda nawet mówić, bo mi wstyd.

– Poświęńcić to se morzna, jaja na Wielkanoc. Jeśli jusz, to conajwyżej źle zainwestowała. – sprostował Wieśniak. – Wydawało się Klaudii, że uszczeliła samotnego orła, a trafił jej sie...

– Przestraszony nietoperz w starych kapciach, to chciałeś powiedzieć? – wypalił Andrzej, nerwowo trąc lewą powiekę.

– Eee, stary, sorki. – Wieśniak próbował poklepać szwagra po ramieniu, ale ten go odepchnął. – Wiem, że za ostro palnołem z orłem, ale nietopeża to już ty sam zapodałeś. Zresztom, jak pomyśleć, nietopeże to fajne zwieżaki...

– Daj spokój!

– A jaki majom radar, chłopie. Policja wymięka. No i pamientaj o batmanie! To jest dopiero fest gość!

– Przestań mi tu bajerować z batmanami!

– No co ty! Ja bajerować? Żebym pęk, nie dam rady. – Zresztą kto by uwierzył wąsatemu Wieśniakowi? Chyba desperat. – Nie, stary, tej zdolności akórat żem nie odziedziczył. Za to moja siora aż w nadmjarze.

– Nie chcę słyszeć ani złego słowa o Klaudii!

– Powjem ci tylko, że ze ściemniania powinna dostać piontkę.

Po prawdzie to nawet siódemkę z plusem, zważywszy pranie mózgów, jakie urządziła własnej rodzinie. Wmówić żarliwym obrońcom takich wartości jak: małżeństwo, własnościowe z hipoteką, bezpieczny etat na uczelni, widoki na dom pod lasem i efektowną habilitację, że rozwód z doktorem Poważnym to smakowita drożdżówka z masłem, zasługuje na medal. W swojej klasie, oczywiście, czyli z tombaku, ale jednak medal. Oczywiście tego szwagier Andrzejowi nie powie. Za dużo prawdy na raz może człowieka rozwalić na miejscu. Jak granat.

– Czyli kiedy mówiła, że jest subtelna, wrażliwa i romantyczna – odezwał się Andrzej, łamiącym się głosem – to kłamała?

– W tym akurat przypatku samom siebje – wyjaśnił Wieśniak.

– To jest romantyczna czy nie jest, bo już się zagubiłem?

– Powiecmy, że jest. Ale wedłóg innych kryterjów nisz nasze. Ja na ten przykład tesz jestem romantyczny. No co robisz takie oczy. Jestem – zapewnił Andrzeja. – Tylko że dla mnie romantyzm znaczy jak coś zrobie dla kogoś za friko...

Dla Klaudii zaś... o, to już całkiem inna bajka. ONA i ON. Zmęczeni codziennością i rozczarowani naskórkowymi relacjami. Spotykają się przypadkiem w pięciogwiazdkowej restauracji. ONA wpadła tu na chwilę, by przy kieliszku najlepszego szampana zastanowić się nad swoim jałowym życiem. On miał zamiar zjeść samotną kolację, jak co roku od śmierci ukochanej żony. Kiedyś jedli ją razem... Tak dawno temu, ale ON pamięta każdy szczegół. Każdą rozmowę, kształt jej nieskazitelnych stóp i zmysłowy tembr głosu. Właśnie dlatego przychodzi tu co roku, by powspominać tamte szczęśliwe chwile przy carpaccio z norweskiego łososia i znakomitym crème brûlée (specjalność lokalu). Dopije dokonałe wino, a potem wróci do pustego apartamentu i spróbuje dalej żyć... Szara codzienność, naskórkowe relacje, ucieczka w świetnie płatną pracę.

I nagle, całkiem przypadkowo dostrzega JĄ. Wiotką szatynkę w rubinowej sukni z atłasu. Zamyślona sączy kieliszek najlepszego szampana, nie wiedząc, że ON już zaczął pieścić wzrokiem jej kremowe ramiona. Dopija wino i nagle, zupełnie przypadkowo dostrzega JEGO. Intrygującego szatyna ubranego z niewymuszoną elegancją i znajomością najnowszych trendów. Uśmiecha się smutno, a zarazem intrygująco. ON również, odsłaniając imponujące licówki w kolorze naturalnej bieli.

Przez kilka minut uwodzą się wzrokiem. Wymieniają gorące spojrzenia, od których JEJ pęcznieją usta i twardnieją sutki, JEMU zaś nie pęcznieje nic, ponieważ ma pełną kontrolę nad swym wysportowanym ciałem wojownika. Kiedy orkiestra zaczyna grać „Unbreak my heart", prosi JĄ do zmysłowej rumby, którą tańczy lepiej niż sam mistrz Robert Kochanek. Płyną przez parkiet, w milczeniu, delikatnie ocierając się o siebie biodrami. W tak magicznej chwili wszelkie słowa są zbędne. Zresztą oni już czują, że to spotkanie odmieni całe ich życie. Czy tego chcą, czy nie.

Potem odwozi JĄ do domu swoim mercedesem. Szarmancko całuje w kremową dłoń, na co ONA zaczyna mu rozpinać koszulę od Armaniego. Zsuwa z siebie atłasową suknię, odsłaniając ogromne piersi o sterczących (od dwóch godzin, dziesięciu minut) sutkach. Kładzie się na purpurowym dywanie, pozwalając by ON przejął prowadzenie miłosnej gry. Oboje odnajdują swoje punkty WOW, co owocuje wielokrotnym trzęsieniem ziemi. Rano już wiedzą, że TO JEST TO.

Niestety Andrzej nigdy nie poznał treści owej bajki, ponieważ Klaudia nie wdawała się w zbędne szczegóły. Podsunęła mu tylko parę czarodziejskich słów: „romantyczny wieczór", „chemia w powietrzu", „połówki pomarańczy", Andrzej zaś odszyfrował je według własnego klucza. ONA i ON. Owinięci kraciastym kocem. Dzielą się jedną pomarańczą, prowadząc długie rozmowy aż po świt. W powietrzu roznosi się duszny zapach sztucznie aromatyzowanej świecy (podobno zielone jabłuszko). Następnym razem kupię woskową, bez całej tej chemii, obiecuje ON, a ONA mówi, że to nieważne, bo liczy się nastrój chwili. Zasypiają nad ranem, czując, że TO JEST TO.

– A teraz już za późno na jakiekolwiek wyjaśnienia.

– Niewiem, czy cie to pocieszy – wtrącił Wieśniak. – Ale Klaudia znowu się rombneła. Narazie o tym niewie, bidulka.

– A skąd ty wiesz?

– Bo robiłem gościowi japoński ogrud. Zresztom trudno byłoby wykombinować coś innego na trzech arach. I wież mi, chłopje, nietopeż przy nim to bardzo miły ptaszek.

– Ssak, szczep łożyskowce.

– Mi to ryba, czy ssak czy rak. Ja lubie wszystkie zwierzenta. No może poza niekturymi przedstawicielami homosapjens.

– Właśnie taki trafił się Klaudii? I to cię cieszy?

– Nie uwieżysz, stary, ale wcale a wcale.

Przez tydzień cisza. Już Andrzej myślał, że szwagra pognało w daleki świat, a tu nagle telefon. W środę o trzeciej nad ranem. Wieśniak.

– Wreszcie mam! – ogłosił uradowany.

– Co takiego?

– Liste pytań. To znaczy narazie dwa i puł. Słuchasz uwarznie? Piersze: Czy spotykasz się z kimś? Z jakąś pannom albo...

– Chyba żartujesz!

– Wiedziałem! – ucieszył się Wieśniak i zanim zaspany Andrzej zdążył zapytać, skąd, szwagier mu wyjaśnił. – Bo to jest tak. Jak kogoś masz, załuszmy babe, to wszendzie widzisz morze lasek. Do wyboru, do koloru, tylko wyciągnońć łape i brać. Ale jak jusz zostaniesz sam, to nagle sie okazóje, że tym najfajniejszym laskom zawsze towarzyszy jakiś cfany starószek, a reszta albo lipna albo za sam spacer woła tyle, że jusz lepiej wykópić karnet w agencji.

– Dzięki za wyczerpujący poranny wykład – odparł Andrzej, ziewając.

– Nie ma zaco. To teraz jeden be: Czy masz kogoś na oku?

– Nie mam.

– Na pewno?

– Na sto pięćdziesiąt procent – odburknął Andrzej. – Mam takie sprawy w nosie.

– Znaczy w dupie, nie bujmy sie tego słowa.

– Skoro wolisz to ująć za pomocą wulgaryzmów, niech będzie – poddał się Andrzej. – W każdym razie nie jest to oko.

– Kumam, stary. To teraz ostatnie. Co wolisz: foki czy wielbłondy?

To nie może być jawa, pomyślał Andrzej, to wszystko mi się śni. Zaraz się obudzę, wezmę ciepły prysznic i znowu będzie normalnie. Jak kiedyś, pięć lat temu. Albo najlepiej dwadzieścia. Chodził do ósmej klasy, brał udział w olimpiadach i marzył tylko o tym, żeby się dostać do „czwórki". Do klasy z poszerzonym angielskim.

– To kture ci pasuje? – usłyszał nagle. – Tylko nie mów, że nietopeż. Problem nietopeża jusz żeśmy wyjaśnili i teraz pytam o co innego. Więc kture?

– Niech będzie wielbłąd – strzelił Andrzej.

– Ale na zicher?

– Na zicher, wielbłąd. Najlepiej samica dromadera, jasnobeżowa, w wieku trzech lat, wzrost dwa dwadzieścia, waga...

– Tyle mi starczy. To cusz... dobrej nocy, stary!

Od tej rozmowy Wieśniak nawiedzał ponure lokum na Kozłówce regularnie niczym duch. Straszył Andrzeja, dzwoniąc do drzwi nad ranem albo tuż przed północą. Irytował swoimi gadkami i budził popłoch, proponując coraz bardziej obciachowe rozrywki. A już szczytem wszystkiego była „impreza rodzinna", którą Wieśniak urządził gdzieś pod koniec marca. Oczywiście w mieszkaniu Andrzeja, bo gdzieby indziej. Najpierw pożyczył klucze, tłumacząc, że chce naprawić spłuczkę i pozmieniać te cholerne uszczelki w kranach.

– A jak zostanie czasu, dokrencę ci kontakty – kusił, nerwowo trąc koniuszek nosa. – I morze coś ekstra.

Andrzej zgodził się wreszcie, przekonany argumentami o kosztownym wodolejstwie. Przekazał trzy cenne klucze i wyszedł podyżurować przy egzaminie poprawkowym w zastępstwie za profesora, który właśnie kręcił kogel mogel na Tajwanie. Kiedy wrócił, zastał dwudziestoosobowy tłum szalejący w jego dużym (całe piętnaście metrów kwadratowych) pokoju. W małym swawoliły dwie pary, wymieniając się bogatym doświadczeniem nabytym na wakacjach w Berlinie. W kuchni Wieśniak przyrządzał bigos i grzańca z prądem, śpiewając razem z grupą ZERO:

– Bania u Cygana, bania u Cygana, HEJ! Bania u Cygana do ranaaa! No cześć, szwagier! Bania aż do rana, hej! Rana, hej! Rana, hej! Bania u Cygana do ranaaa!

– Do jakiego rana!? – przeraził się Andrzej. – I co tu się dzieje?

– Dobrze się dzieje! Dziś walimy na całość, damy wielkom banie. Nie ma czasu na sempy i na dołowanie. Jest impreza u Cygana, my musimy tu być!

– Jakiego Cygana! – obruszył się Andrzej, zamykając drzwi od dużego pokoju. Uff, ździebko ciszej.

– Masz coś pszeciw Romom? – spytał Wieśniak, energicznie mieszając kapustę.

– Nie zmieniaj tematu, Stefan. Wchodzę zmęczony do własnego mieszkania i co zastaję? Dziki tłum! Narobiłeś mi bigosu, i tyle.

– Nietyle, nietyle. Dużo wiencej – pochwalił się szwagier. – Krany naprawione, ło. Spuczka tesz. A zobaczno na kontakty. Chciałem dobrać do koloru ścian, ale nie mieli szarożułtych. To wziełem niebieskie.

– Ile?

– Nic, taki prezent.

– Ile osób sprosiłeś do mojego domu?

– Dziesieńć, ale wiesz jak jest. Czasem ktoś pszylepi się po drodze.

– Przyprowadziłeś tu obcych ludzi?

– Zaraz obcych! – oburzył się Wieśniak. – Przecierz wszyscy Polacy to jedna rodzina. Starszy czy młotszy, chłopak czy...

– To ja jestem bardzo wybiórczy jeśli chodzi o kontakty z niektórymi krewnymi.

– Ja tym bardziej... i nawzajem... Ale pomyślałem, że raz na rok, w Józefa, można wspulnie pobrykać, bez tych wszystkich wygłupuw z selekcją na bramce. W końcu twoja hata to żaden modny klób, conie?

– Dzięki Bogu!

– Widzisz. Dlatego otwarłem drzwi. Zresztom w grópie łatwiej się odpręrzyć i zdezynfekować...

– Uprawiam inne sposoby relaksacji.

– O tym tesz żeśmy pomyśleli. Ktura to jest? – zerknął na kuchenny zegar pokryty tłustym kurzem, jedną z nielicznych pamiątek po Klaudii.

– Dziewiąta. O tej porze słucham zwykle Griega.

– Morzemy sprubować Kriga, na początek. Ale lepszy byłby Afric Simone. O, jusz jest! Idę otwożyć, a ty pilnój bigosu! – Wieśniak podbiegł do drzwi i za chwilę wprowadził na korytarz długonogą (dzięki hiperszpilom), wielkoustą (dzięki konturówce) i dorodną (bezinteresowny dar Matki Natury) syrenę w efektownej peruce.

– To jest właśnie Blądi. Dziewczyna z plakatu – poinformował Wieśniak, nie tłumacząc o jaki plakat chodzi. Wyborczy, artystyczny czy reklamowy.

– Jestem Blądi, dziewczyna z plakatu – przedstawiła się Blondi, wytrząsając śnieg z kauczukowych loków, jakich nie powstydziłaby się sama Violetta Villas. – A ty?

– Andrzej – ostrożnie podał jej dłoń.

– Miło mi gościć w twoich progach. Eeee... to gdzie mam wykonać taniec erotyczny?

– Jusz robimy miejsce. Panowie! – krzyknął Wieśniak do mniej i bardziej znajomych członków swojej wielkiej, polskiej rodziny. – Blądi pszyszła. Zwalniamy parkjet! Kufel, weź, zmień muzę. Na co to było, Andrzej? Kapela Krig?

– Może być Simone albo co tam macie – odparł Andrzej zrezygnowanym głosem.

– To ja się w międzyczasie domaluję. Gdzie tu łazienka?

Andrzej wyciągnął rękę niczym robot.

– O matko, jaka ciasna! – usłyszał. A zaraz potem pisk jakiejś pary. – Państwo sobie nie przeszkadzają w tej wannie. Ja tyko na chwilę wpadłam dokonać poprawek.

Rzeczywiście domalowała się migiem, za to na błysk. Zdążyła też wskoczyć w sceniczny kostium z czerwonego lateksu i gotowa do tańca stanęła w drzwiach dużego pokoju. Weszła do środka kręgu utworzonego przez dwudziestu podchmielonych swojaków. Oparła na biodrach żelowe tipsy ozdobione cyrkoniami wielkości borówek amerykańskich. Odetchnęła naprawdę pełną piersią, pozostałym brakło z wrażenia tchu, Andrzejowi zaś przypomniał się fragment wierszyka Brzechwy. „Stoi na stacji lokomotywa, ciężka, ogromna i pot z niej spływa, tłusta oliwa".

– To ja proszę o jakiś mjuzik – odezwała się lokomotywa. Wieśniak wcisnął drżącym palcem guzik „play" i z głośników popłynęło Boney M.

– Co to jest? – spytała zdezorientowana Blondi, po kilku nieudolnych próbach zgrania się z „Rasputinem".

– Bony Em – wyjaśnił Wieśniak, wygładzając pszeniczne wąsy.

– Coś kojarzę, ale do tego to nie jestem przygotowana – wyznała Blondi, a Andrzejowi przypomniały się zajęcia z socjologii prowadzone kiedyś w handlówce.

– Mamy jeszcze Bitelsów, Rammstein, Szopena, Kult – wyliczał cierpliwie Wieśniak. – Madonne?

– Którą?

– Like a vir... vir... – dukał, próbując złożyć cały tytuł.

– Lajkewerdżin – nie wytrzymał Andrzej, podając szwagrowi pomocną dłoń. – To chyba też za stare. Sprzed... sprzed dwudziestu lat... – Boże jak ten czas leci, pomyślał nagle i w jednej chwili zrobiło mu się żal wszystkiego. Nawet tych sekund, które właśnie przeciekają mu między palcami.

– O właśnie, Endrju! – Blondi wysunęła w stronę Andrzeja szpiczasty pazur. – Gdzie ty się tam kryjesz, skarbie? Taki smutny, osamotniony. Chodź, dołącz do nas! Panowie, prosimy oklaski, zapraszamy Endrju...yyy... Endrjego do kółeczka!

Rozległy się oklaski, na zachętę, więc Andrzej, zagryzając do krwi wąskie usta, zrobił trzy susy i błyskawicznie wcisnął swoje wątłe body między dwa przelewające się wory.

– Dużo lepiej – oceniła Blondi, unosząc kciuk do góry i kazała włączyć telewizor. – Najlepiej MTV, a dalej już se poradzę. – Wieśniak pstryknął odpowiedni guzik. Na ekranie pojawiła się zminiturzyowana kopia Blondi miotająca się histerycznie w czarnej mazi. – O, to znam, chyba Shakira, nie? – ucieszyła się, robiąc próbne zamachy biodrami. – No to czas: start.

Ruszyła maszyna po torach ospale, pomyślał Andrzej, z przykrością obserwując toporny taniec brzucha. Jakby Blondi po raz pierwszy próbowała zabawy z kółkiem hula-hoop. Pewnie stąd to napięcie na twarzy, które dostrzegł tylko on, pozostali panowie skupili się bowiem na całkiem innych elementach sekslokomotywy. Ta zaś najwyraźniej zaczęła się rozkręcać. Szarpnęła wagony i mknie coraz prędzej, rozrzucając po drodze kawałki lateksu. Trzeba przyznać, że sam striptiz poszedł jej wyjątkowo sprawnie. Widać było lata ciężkiej pracy na akord. Szast prast i zanim widzowie zdążyli się porządnie spocić, było już po wszystkim. No, prawie. Blondi stanęła w środku kręgu, odziana wyłącznie w hiperszpile oraz kauczukowe loki. Poprawiła przekrzywioną perukę i zrobiła rundkę wzdłuż areny, prezentując oszołomionym panom swe imponujące krągłości w kolorze parówek sojowych. Andrzejowi zrobiło się niedobrze. Uświadomił sobie, że co innego zerknąć ukradkiem na plakat z dziewczyną, a co innego gościć dziewczynę z plakatu w swoim dużym (podobno) pokoju. Nie spodziewał się, że z bliska to wszystko wygląda tak... tak nieprofesjonalnie, tandetnie... obleśnie po prostu. I pomyśleć, że on, doktor nauk społecznych, człowiek Poważny, niepozbawiony pewnego smaku, w porywach nawet esteta, bierze udział w równie żałosnym i obrzydliwym widowisku. Zażenowany wycofał się do przedpokoju, chwycił kurtkę i po prostu wybiegł. Przed siebie.

Kiedy wrócił grubo po północy, Wieśniak właśnie kończył dopieszczać parkiety nadwerężone tańcem, nie tylko erotycznym.

– Poszli?

– Zaraz po Blądi. A co poniekturzy to nawet wcześniej, tak ich przypiliło. – Rzucił Andrzejowi łobuzerskie spojrzenie. Trefniś jeden.

– Miałeś mi tylko naprawić spłuczkę, ewentualnie pogrzebać przy kontaktach – odezwał się Andrzej po pięciu minutach wymownego milczenia.

– I coś ekstra – przypomniał Wieśniak.

– Myślałem, że chodzi o wymianę żarówki w nocnej lampce, a nie tani show!

– Nie taki tani, chłopje. Wypstrykałem się z zaskurniaków, asz miło! Jestem teraz bardziej goły nisz dziewczyna z plakatu.

– Stefan, powiedz mi tak szczerze, po co to wszystko? Tylko nie chrzań o rozrywkach, bo zaraz wybuchnę i naprawdę mnie rozerwie na strzępy – ostrzegł.

– Szczeże? – Wieśniak odłożył mopa. – Chciałem, żebyś przejżał na oczy i...

– Dziękuję za lekcję pokazową – przerwał mu Andrzej, zirytowany. – Nareszcie wiem, jaka jest różnica między profesjonalnym występem w telewizji, a żenadą, którą nam zaserwowałeś...

– Nie ja, tylko Blądi – sprostował Wieśniak. – To powiec, co takjego strasznego zobaczyłeś zbliska stary.

– Żałosną amatorszczyznę i tani brokat!

– Czyli dziadostwo do sześcianu, tak? A jednak nie protestowałeś, bioronc udział w podobnym dziadostwje. I to przes cztery dugie lata.

– Nieprawda! – pisnął Andrzej.

– Wydawało ci sie, że jesteś bochaterem wenezułelskiej telenoweli, co? – zaśmiał się Wieśniak – Normalka! A wiesz czemu? Bo ściema to najlepszy towar eksportowy Klaudii i całej mojej rodziny.

– Po co mi to wszystko mówisz?

– Nie chce, żeby ktoś znowu zapódrował ci oczy, Andrzej. Żebyś miał powturke z rozryfki. Ja miałem dwa razy. – Umilkł, ale zaraz ulepił uśmiech na swej razowej twarzy. – A pozatym to se pomyślałem, że takie single, jak my dwaj, mogom sie czasem rozerwać, conie? – Znowu się zaczyna. – Dlatego zadatkowałem na wycieczke. Do Tunezji.

– Gdzie?
– Przeciesz muwiłeś, że lubisz wielbłondy.

No lubi, nawet bardzo, ale żeby lecieć dwa tysiące kilometrów dla jakiegoś dromadera to już lekka przesada. Jakby nie można było wybrać się po prostu do zoo, gderał Andrzej. Zanim jednak zdołał wysunąć mocniejsze argumenty przeciw Tunezji, Wieśniak już załatwił wszystkie formalności.

– Tu som umowy z biórem podrórzy, tu masz dowót wpłaty. Euro wymienione, dinary kópimy tylko na miejscu. Jeszcze tyrkne do bióra, podam im twój nómer paszportu i gotowe.

– Tak po prostu, nieodwołalnie?

– Nieodwołalne, w dzisiejszych czasach? – Wieśniak parsknął jak rozbawiony koń. – Pewnie, że morzemy się wycofać, w karzdej chwili, ale poco? No chyba że wolisz dalej śnić o rzyciu pod swoim kocem w krate. To jak?

Andrzej, urażony tekstem o kocu, podjął wyzwanie i po feriach wielkanocnych zawiadomił profesora, że nie będzie mógł go *wyjątkowo* zastąpić na lipcowych egzaminach wstępnych. Sesja w czerwcu bardzo chętnie, ale później wyjeżdża z kraju, na wakacje. Pierwsze od matury.

– Odpoczynek to ważna rzecz – przyznał profesor, przeglądając smakowite oferty wakacyjnych chałtur w atrakcyjnych zakątkach Układu Słonecznego. – Ogromnie ważna. Ale nie ukrywam, że będzie nam tu doktora bardzo brakowało. – Oj, bardzo. Zwłaszcza, że akurat w lipcu profesor miał kręcić pyszne lody na Hawajach. – Dlatego chętnie bym się skonsultował w tej sprawie z moją prawą ręką.

– Cóż – odezwała się pani Miecia Anioł, kiedyś żona dozorcy, a obecnie prawa ręka profesora i nieformalna cesarzowa wydziału. – Nam też będzie doktora brakowało. Ale rodzinny urlop raz na jakiś czas każdemu się należy – oznajmiła, gmerając upierścienionymi paluchami w ogromnym pudle belgijskich pralinek (sprytny fortel Wieśniaka). – Nawet zwykłym doktorom.

– Dziękuję – ukłonił się Andrzej.

– Dlatego proszę jechać.

– Dziękuję! – Kolejny ukłon.

– Wypoczywać.

– Bardzo dziękuję! – I jeszcze jeden. W starym, dobrym japońskim stylu.

– I jak najszybciej tu do nas wrócić!

– Oczywiście.

– No i proszę o nas pamiętać – wyszeptały pozostałe sekretarki, oszołomione zapachem angielskich róż (dołączonych do czekoladek).

– Koniecznie! – poleciła cesarzowa, wrzucając pralinkę do krokodylej paszczy.

Otrzymawszy błogosławieństwo i subtelne wskazówki w sprawie materialnych dowodów owej pamięci, Andrzej ruszył na megazakupy. Okazało się, bowiem, że nie ma w domu niczego, co normalni ludzie zabierają na wakacje. Musiał więc nabyć: ręcznik plażowy, balsam do opalania (faktor 2000), okulary do nurkowania, płetwy, wyczerpujący przewodnik po Tunezji, klapki (na wypadek spotkania z wielkim groźnym krabem), czapeczkę chroniącą szare włosy i komórki przed zabójczym działaniem słońca, torbę podróżną, parę filmów, „reprezentacyjną” piżamę, i oczywiście kąpielówki, bo te z Hiszpanii zginęły w trakcie lotu kamikadze. Druga para zaś, jeszcze z czasów studenckich, dziwnie się rozwłóczyła.

– Zwykle się kórczą – stwierdził Wieśniak, boleśnie doświadczony w tych sprawach. – Ja to zmjeniam majty co dwa lata, bo nie lóbie żadnego ucisku. Ale zdażają sie twardziele, co wcisnom na siebie gacie, które nosili czterdzieści kilo temu. To jest dopiero samoakceptacja – westchnął, nie kryjąc podziwu. – A swojom drogą, hłopie, jak ty se radziłeś w tej Hiszpani?

Dzień wyjazdu

– To co, kwiatki pod pachy, bagasz do łapy i śmigamy do mnie – zarządził Wieśniak, zerkając na zegar w Andrzejowej kuchni. Nadal pokryty tłustym kurzem, jedną z nielicznych pamiątek po Klaudii.

– A paszporty masz? Na pewno? – gorączkował się Andrzej.

– Paszporty, umowy, forse, wszystko. Woda zakrencona, gazy też. Prond wyłączony. Okna zamknięte na pieńć spustuw.

– W sypialni też?

– Wszędzie. Sprawdzałem przy tobie. Bieszże fikósy i jećmy bo chwila moment i trafimy na korki.

Wreszcie wyszli, pozamykawszy drzwi na wszystkie trzy zamki. Andrzej miał ochotę pobiec na górę i jeszcze raz sprawdzić, czy na pewno domknęli, ale Wieśniak go przekonał, że wracanie przynosi pecha. Nawet jeśli obrócisz się przez lewe ramię i policzysz do dziesięciu.

– Poza tym, powiecmy se szczerze, szwagier, co ci mogą ukraść? Stare wideo? Klepki z parkietu? A może łuszko? To przestań panikować i skasój bilety, bo ja już nie dam rady – polecił Wieśniak, przerzucając przez ramię bagaże Andrzeja.

Dotarli na Bałuckiego w pół godzinki. Wtedy Andrzej po raz pierwszy zobaczył Wieśniakową samotnię. Nieco większa niż jego M3, świeżo odmalowana na biało, na podłodze deski pociągnięte białą bejcą, w łazience nowe białe flizy i jeszcze bielsza, dopiero co zmieniona, wanna. W kuchni biały zlew i bielusieńki gazowy piecyk, w oknach śnieżnobiałe firanki. Zamiast żyrandoli mlecznobiałe papierowe kule. A poza tym... surowo. Żadnych ozdób, obrazków czy rodzinnych fotografii. Tylko to, co niezbędne: prosta szafa, zwykły stół i jeszcze zwyklejszy materac, dwa taborety i trzy półki zrobione z sosnowych dech zawieszonych na zwykłych „krowich" łańcuchach. Wszystko, poza materacem, zabejcowane na biało.

– I jak wrarzenia? – dopytywał się szwagier, nastawiając biały czajnik.

– Bardzo tu... biało – ostrożnie zaczął Andrzej.

– Bjel spszyja medytacji – wyjaśnił Wieśniak. – No a pozatym?

Andrzej miał ochotę zażartować, że nawet pokój Van Gogha był urządzony z większą fantazją. Ale, po pierwsze, nie wiadomo, czy nazwisko Van Gogh coś szwagrowi powie, a po drugie każdy ma swój gust. Dlatego lepiej wstrzymać się z pochopnymi ocenami.

– Wal śmiało stary – naciskał Wieśniak. – Powiec, co myślisz, a nie dóś w sobie jak bąka.

– Cóż – wahał się Andrzej, dobierając jak najmniej raniące słowa. – Trudno byłoby tu nakręcić radosny serial familijny.

– I o to chodzi! – ucieszył się Wieśniak. – Rzadnych serjali więcej.

– Nie brakuje ci rodzinnej atmosfery?

– Rodzinna atmosfera jest tu! – Puknął się w klatę. – A jak jej niema, są tylko kópki i inne dóperele. A ja nie chcem, żeby za puł wieku ktoś pokazywał moje porcelanowe serwisy, opowjadając na przyjenciach bójdy o „kohanym wuju Stefanie, wjelkim podrużniku". Tak kohanym, że nie wiadomo dokładnie, co robił i gdzie umar.

– I tak będą opowiadać – wtrącił Andrzej. – Element rodzinnej legendy.

– Ale przynajmniej nie bendom mjeli co pokazać. Bo hyba nie te tszy musztarduwki.

– No nie wiem, z czasem takie rzeczy nabierają wartości.

– To bende músiał przejść na jednorazowe kópki. – Wieśniak podrapał się po blond czuprynie. – Albo jeszcze coś wymyśle, jak przyjdzie pora. A pukico obejżyjmy jeszcze raz foldery. Przeczytaj, co tam naobjecywali.

„Krystalicznie czysta woda – zaczął Andrzej. – Romantyczna, piaszczysta plaża ciągnąca się aż do centrum Sousse. Czterogwiazdkowy hotel w mauretańskim stylu, oddalony od morza około dwieście metrów. Na terenie kompleksu hotelowego ogród i urokliwy basen. Wieczorami liczne atrakcje i programy animacyjne. Naprzeciwko hotelu słynna dyskoteka".

– Co nalerzy rozumieć nastempująco: Hotel identiko jak pozostałych pieńcet w okolicy. Sztuczne marmury, mozajki w holu i jakas żeźba, niby z bronzu. Ale na zdjenciach wyjdzie full wypas. Zópełnie jak dom moich starych. Za hotelem basen sześć na dziewieńć, ozdobjony skałkami z rudej syfpianki.

– Skąd ty to wszystko...

– Robiłem w Hiszpani. Przy jednym wodospadzie to nawet kreńcili teledysk discopolo – pochwalił się Wieśniak. – Czekaj, bo mnie wybiłeś z rytmu i nie pamientam, o czym to ja chciałem...

– Basen – przypomniał Andrzej, odkładając folder.

– Właśnie. Żebyś pszypadkiem nie właził do wody, bo ci cała skura zejdzie jak węrzowi. Chloru tam tyle co w domestosach. Wienc basen zostawjamy niemjeckim damom, kture lubiom głembokie pilingi. Idziemy na plarze, ktura jest, ile od hotelu?

– Dwieście metrów. Mniej więcej.

– Czyli wiencej. Jakieś puł kilometra, a po drodze róchliwa ulica. Plarza długaśna i upszczona turystkami z Niemiec, co znaczy że beńdzie goło i wesoło. Oraz dóżo śmieci, to jusz dzięki naszym. Nazbierajom sie na saksach to mószom gdzieś wyżucić, nie?

– A woda w morzu?

– Napewno ciepła jak barszcz. I czysta, asz do wieczornych wiatruw, potem zamjenia sie w gęstom zupe z kombu. Tylko dla smakoszy. Co tam dalej. Acha, dyskoteka: dam se ucionć durzy palóch lewej stopy, że zamknienta na cztery spósty. „Zaledwie przed tygodniem, drodzy Państwo, nie zdążyliśmy zmienić folderuw".

– Ja i tak bym spasował – odparł Andrzej, purpurowiejąc na wspomnienie żałosnych pląsów za kolumnami w El Machete.

– A ja chętnie poskacze. Napewno zrobiom jakieś disco po programie animacyjnym.

– Czyli?

– Tańce brzócha, wystempy transwestytów i taka tam lokalna cepeljada. Ale po Blądi masz już zaprawę, więc nie powinieneś przeżyć szoku. Może nawet ci się spodoba, no wjesz: wakacyjny nastruj chwili.

– Skąd ty to wszystko wiesz, Stefan? – wydukał wreszcie Andrzej.

– Bo ja jestem światowy Wieśniak – pochwalił się szwagier. – A poza tym umiem czytać ulotki. Mam wprawę. To co? Zaraz ruszamy?

Es-salám aláykum!

O północy sąsiad Wieśniaka zawiózł ich na lotnisko. Pożegnał się, obiecując dbać o fikusy Andrzeja, w zamiast za puszkę chałwy i figowe wino. A potem wszystko poleciało błyskawicznie. Niczym striptiz dziewczyny z plakatu. Wymiana umów na bilety i vouchery, odprawa, dwie i pół godzinki lotu, przejazd autokarem z Monastiru do Soussy, zakwaterowanie w jednym z pięciuset identycznych hoteli, krótka drzemka, równie krótki prysznic, a w samo południe spotkanie z rezydentką... Aldoną Pompon.

– Witam serdecznie wszystkich. Także spóźnialskich. – Aldona wskazała palcem Andrzeja i Wieśniaka, którzy wpadli na salę trzy po dwunastej. – Z panem to już miałam kiedyś przyjemność, wątpliwą. Gdzie to było?

– W Hiszpanii – wyszeptał Andrzej, kredowobiały z nadmiaru wrażeń w samolocie. Na widok Aldony zbladłby jeszcze bardziej, ale przypomniał sobie, że wyczerpał wszystkie zasoby bieli, kiedy samolot wpadł w strefę turbulencji nad Sycylią.

– Nie pana pytam, tylko sąsiada.

– W Hiszpani żeśmy sie spotkali – wyjaśnił Wieśniak, nie tracąc rezonu. – I dla mnie równiesz była to wontpliwa przyjemność.

– Ale widzę, że znalazł pan odpowiedniego partnera. – Kiwnęła głową, niby z uznaniem. – To cóż, szanowni państwo, odczytam teraz listę zasad obowiązujących na terenie obiektu.

Niestety ku jej niezadowoleniu, krótką, ponieważ rezydent to nie to samo co głównodowodzący na międzynarodowej trasie. Przypomniała tylko, żeby nie chodzić po hotelu północy, nie pić wody z kranu, bo „lekarze i bez tego mają mnóstwo pracy", nie korzystać z basenu po kolacji, a przede wszystkim niepotrzebnie nie zawracać jej, Aldonie, gitary. Potem zaś, promiennie się uśmiechając, zaproponowała wspaniałe wycieczki krajoznawcze, „przygotowane specjalnie z myślą o potrzebach szanownych państwa". Nie zgłosił się nikt.

– Proszę się poważnie zastanowić, żeby potem państwo nie żałowali – zaświergotała Aldona, starając się nadać swym aryjskim rysom przyjemną miękkość drożdżowego ciasta. – Taka okazja może się już nie powtórzyć, bo co roku zmieniamy ofertę.

– A co z dyskoteką? – odezwał się student z tylnego rzędu.

– Tak się właśnie niefortunnie złożyło, że ją zamknięto. Dosłownie trzy dni temu – zapewniła, patrząc chłopakowi prosto w zielone oczy. – I nie zdążyliśmy nanieść poprawek do folderów. Na szczęście możemy zaoferować mnóstwo innych znakomitych rozrywek. Na przykład nasze wspaniałe wycieczki...

Więcej Andrzej nie słyszał, bo Wieśniak pociągnął go za rękę i wyszli, mówiąc pozostałym turystom: „dozobaczenia na objedzie".

– O co chodzi z tą wątpliwą przyjemnością? – zapytał wreszcie szwagra.

– Szkoda szczempić jęzor. Kawał francy, która uwjelbia kopać po plecach.

A jednak sadomaso, pomyślał Andrzej, urażony faktem iż rezydentka zarejestrowała w pamięci wątpliwą przyjemność z Wieśniakiem, za to zupełnie umknęło jej ponad osiemdziesiąt godzin intensywnych doznań dzielonych razem z nim, doktorem Poważnym. Jeszcze bardziej zabolała go świadomość, że został zlekceważony przez takiego, takiego... pompona. A na koniec te obrzydliwe insynuacje... Świat schodzi na psy i tyle, westchnął, posłusznie drepcząc za Wieśniakiem. Ten zaś wydawał się zupełnie zrelaksowany mimo starcia z rezydentką. Od razu sprawdził, kiedy można kupić dinary, i posługując się mieszaniną niemieckiego slangu i języka ciała, spytał recepcjonistów, jak trafić na hotelową plażę.

– Tak jak muwiłem. Puł kilometra w dół, po drodze szosa, potem pszeciskamy się wybetonowaną alejkom tusz za sklepem z pocztuwkami. To co? Idziemy poplóskać?

Morze okazało się niemal zgodne z opisem na folderach, plaża nieco mniej. Obłożona gęsto turystami, między którymi kursowali tunezyjscy handlarze. Co chwila ktoś przystawał przy Andrzeju i Wieśniaku, usiłując im sprzedać trochę łakoci, owoce, fistaszki lub coś do picia. A czasem kiczowaty dywanik, bistorową chustkę (wątpliwa ochrona przed słońcem) lub sadzonkę palmy.

– Czy ci ludzie nie widzą napisu „All inclusive"? – irytował się Andrzej.

– Widzom i rozumjejom, bo skończyli Oksfort z wyrużnieniem – odparł Wieśniak, smarując mięsień piwny balsamem szwagra. – Ale że lubjom czynny wypoczynek, to po pracy w banku łażom nad może z bananami, wypatrujonc policji konnej. A jak sie natknom na patrol, bracie, adrenalinka gwarantowana. Od razu puszczajom inne napieńcia. I luz. Nie mów, że uwjeżyłeś, stary.

Andrzej spuścił głowę, bawiąc się kawałkiem muszelki.

– Uwjeżyłeś! Ja cie krence! To teraz bez jaj, czyli na serjo. Taki Raszid, ktury właśnie do nas sunie z wisiorkami, hromoli napisy, nawet jeśli je kuma. Bo gdyby paczył na każdy zakaz, to by teraz żar kuskus z morskom solom. A chciałby, jak każdy, poprubować słodkiej baklawy. I to nie sam, a z Fatimom i dzieciakami. Dlatego zapyla codziennie po plarzy, liczonc na to, że zarobi kilka dinarów.

– Ale mnie złości, że jestem zmuszony mu odmawiać.

– Wjesz, ile on takich odmuw słyszy codzień? Tysionce. I akurat zapamjenta twojom. Tak, tak! Weź, Andrzej, spasój troche, bo sie wypalisz i żaden balsam z filtrem ci nie pomorze.

– To nie o to chodzi – wyjąkał zawstydzony Andrzej.

– A o co? Że ci wstyd odmawjać? Bo wyjdziesz na dziada przed Żamalem? Powiem ci, że on akurat świetnie to rozumje.

– Za to ty nie rozumiesz nic a nic.

– To wyjaśnij dórnemu szwagrowi. Przet kim chcesz grać szczodre panisko? Przede mnom?

– Wcale nie chcę! – burknął Andrzej i odwrócił się na brzuch, zasłaniając skronie rękami.

Bo tu nie chodzi tylko o wstyd, że go nie stać. Andrzej po prostu bardzo rzadko odmawia i nie ma w tym wprawy. Zaraz robi mu się mdło i duszno. Czuje się tak podle, że najchętniej schowałby się pod swój kraciasty koc. Albo zrobił, o co proszą, nawet narażając własne życie. Jak podczas spotkania z policjantem.

Przygoda z policjantem

Andrzej wracał z basenu na „Koronie". Bardzo się śpieszył, bo o ósmej miała go odwiedzić kuzynka Teresa i przepytać z zadanych lektur („Wartość cierpienia w świecie zdominowanym przez pigułki"). Przebiegł sprintem całą Limanowskiego, potem skręcił w prawo, w Wielicką. Tuż za zakrętem znajdowała się wyspa, a na niej przystanek tramwajowy. Poczekał na zielone światło i już wystawił czaplą nogę w kierunku pasów, kiedy z Limanowskiego wystrzeliła czarna beemka. A potem druga, parę golfów i jakieś audi. Śmignęły z hukiem i tyle było je widać. Ot, sportowy duch Podgórza, pomyślał Andrzej, czekając, aż droga zrobi się wolna i on zdoła jakoś pokonać te dziesięć metrów szosy. Prawie mu się udało. Prawie, bo ostatni krok zrobił już na czerwonym. I wtedy dopadł go policjant. Czujny, zwarty i gotowy, jak to z młodymi na służbie bywa.

– No, obywatelu – rzucił, jak za dawnych surowych czasów. – Ale na czerwonym to my nie przechodzimy, bo mandacik jest.

Andrzej zaczął się gęsto tłumaczyć, że wcześniej nie mógł, bo sam „pan władza widział te auta, dwieście na godzinę".

– Tak właśnie powstaje łańcuszek przestępstw –

odparł pan władza. – Zaczyna się od drobiazgów, a kończy na brutalnych mordach. Na szczęście zjawiłem się w porę, by powstrzymać falę zbrodni. A pan mi w tym pomoże.

Andrzej potulnie zapytał, jak mógłby wesprzeć dzielnego szeryfa.

– Przechodząc na zielonym, żeby kierowcy zrozumieli, że ma pan do tego pełne prawo.

– Ale oni...

– Mają zieloną strzałkę, wiem. To pan jednak ma pierwszeństwo i należy z niego korzystać.

– Ale gdybym skorzystał, rozjechaliby mnie na miazgę.

– Zostaliby surowo ukarani – zapewnił policjant, co jakoś średnio usatysfakcjonowało Andrzeja. – Dobrze, to była część teoretyczna. A teraz poćwiczymy prawidłowe przechodzenie na zielonym świetle. Jak tylko się zapali, ruszy pan dziarskim krokiem, pokazując w ten sposób piratom, gdzie ich miejsce.

– A jeśli mnie nie zauważą? Wie pan, przy takiej prędkości i ciemnych szybach sporo można przeoczyć... – plątał się Andrzej.

– Wtedy wkroczę do akcji ja. No, uwaga, zielone, start!

Andrzej, mokry ze strachu, śmignął szybciej niż sportowe audi.

– Całkiem nieźle! – Policjant uniósł kciuk. – A teraz z powrotem do mnie. Tylko z większą pewnością siebie. I nie tak szybko. Niech kierowcy zobaczą, że należy się panu respekt. Uwaga, baczność. Do startu, gotowi, JUŻ! Równym krokiem i głowa do góry!

Andrzej ruszył, wzywając na pomoc osobistego anioła stróża. Zdążył wskoczyć na wyspę tuż przed ryczącym kadettem.

– No i jak? Można wyegzekwować swoje prawa? Można. Trzeba tylko trochę stanowczości i dobrej woli. A na przyszłość więcej odwagi!

Andrzej podziękował za cenną lekcję i od tej pory unikał przejścia przy Wielickiej jak ognia.

– Eeee uuu! – Wieśniak pociągnął za róg Andrzejowego ręcznika. – Nie donsaj sie jusz, stary. Szkoda wakacji.

– Nie dąsam się, tylko myślę.

– Z boku wyglonda to tak samo, dziwne – Wieśniak zmarszczył czoło, próbując rozgryźć „Wielką Tajemnicę", ale zaraz się poddał i zmienił temat. A raczej wrócił do starego. – Suchaj, jak cie peszy odmowa, zostaw wszystko mi. Powiem: „No merci bukup". I po sprawje.

– Dzięki – mruknął Andrzej, nie podnosząc głowy.

– Choć pocichu liczyłem, że troche sie tu oczaskasz nie tylko od słońca. Ale jak dobrze wypoczniemy, to tesz nie beńdzie źle.

– Sądziłeś, że zmienię nawyki w tydzień? – zdziwił się Andrzej. – Tobie też wystarczyłoby siedem dni?

– Siedem lat albo i dziesięć. Tyle mi zeszło – przyznał szwagier. – Ale ja jestem tempy Wieśniak. No i chodziło o grubsze zmjany.

– Generalny remont?

– Żeby! Totalna przebódowa. Od fundamentuw asz po dach.

– Nie dało się inaczej? – ostrożnie zapytał Andrzej.

– Nie, bo „w gruzy by wszystko runęło" – Wieśniak zacytował Kazikowy „Psalm 151".

Andrzej czuł, że powinien zapytać o szczegóły, ale zupełnie nie wiedział jak. Nigdy nie umiał wchodzić z buciorami w cudze życie. Nawet gdyby wpłynął przez okno niczym łabędź Czajkowskiego w lekkich jak mgła baletkach, i tak byłoby to wkraczanie na cudzy teren. A tego Andrzej strasznie nie lubił. Kiedy Wieśniak kilka razy otworzył ciężkie drzwi, zapraszając szwagra do środka, ten stawał na progu, dziwnie podenerwowany. Może i z powodu złośliwych aluzji Aldony. Andrzej czuł, że mają związek z walącym się domem Wieśniaka. A że nie wiedział, jak przyjmie nagą (a fu!) prawdę, wolał zostać na tarasie, dyskretnie zerkając w stronę kuchni. Niczym dziecko, które chciałoby usłyszeć bajkę o piratach i jednocześnie strasznie się jej boi.

Ale trzeciego dnia pobytu Andrzej się zagapił i całkiem niechcący wszedł na korytarz. Wybierali się właśnie do mediny, żeby zwiedzić co nieco i porobić zakupy.

– Musisz wkładać skarpetki do sandałów? – nie wytrzymał Andrzej, poirytowany upałem.

– Bo co?

– Bo to podobno strasznie...

– Obciachowe, wiem, ale wygodne i chroni giry przed bomblami.

– A nie przeszkadza ci, że jesteś trochę poza... powiedzmy modą?

– Troche??? – parsknął Wieśniak. – Chromole mode od drugiej zawodófki. Mam w życiu warzniejsze cele niż bycie trendi. Myślałem, że ty ruwniesz.

– Bo mam – bąknął Andrzej, nerwowo szeleszcząc reklamówkami.

– To o co chodzi z tym pytaniem o mode? Nigdy nie pszeszkadzał ci muj styl.

– O nic!

– Andrzej! Pamientaj, że mam alergie na ścieme i jak mnie obsypje, to zobaczysz – ostrzegł Wieśniak.

– Bo Aldona... bo Aldona powiedziała, to znaczy użyła określenia, może i niechcący, ale jednak...

– No jakiego?

– „Partner"! – Wreszcie wypluł z siebie to parszywe słowo.

– Acha! Wienc jako twój partner powinienem lepiej dobjerać se szmatki? I co jeszcze? Machać dłoniom, golić klate i cochwile wykszykiwać: „O matko, jakie to słodkie!"?

Andrzej spuścił głowę.

– Skond ty bjeżesz te rewelacje o cieplakach? Z tiwi? A może spotkałeś jakiegoś w biblotece albo na uczelni?

Trudno powiedzieć, czy spotkał. Nikt przecież nie paraduje z plakietką: „Jam docent i pedał". Andrzej trafił za to (całkiem przypadkiem) na kilka filmów z bohaterami zorientowanymi inaczej i zawsze byli przedstawiani bardzo podobnie. Ekstrawaganckie kolorowe ciuchy, kokieteryjnie przechylona głowa, afektowany głos i piski na widok gryzoni lub nowej kolekcji Versacego. Mnóstwo biżuterii: kolczyk, wisiorki, bransoletki, efekciarski sygnet z brylantem. No i ten mały palec, zawsze zalotnie odchylony, aby zakomunikować gotowość.

– Ałtorom tej porywającej wizji i homofobom moge poradzić jedno – odezwał się Wieśniak. – Żeby omijali szerokim łukjem Włochy. Bo mogom przerzyć szok. To rura, hłopie, zanim nas spali na popiuł.

W pół godziny doszli brzegiem plaży do samego centrum. Obejrzeli Wielki Meczet, imponujące mury obronne, a zaraz potem Wieśniak oświadczył, że wystarczy zwiedzania. Pora na tak zwany real. Czyli targowisko.

– To jest dopiero odjazd. Nie jakiś chipermaket, tylko prawdziwe rzycie, stary. – Pociągnął Andrzeja w boczną uliczkę. Skręcili w następną i w kolejne, coraz węższe, aż znaleźli się wśród straganów ze świeżym mięsem. – Wuala! – Wieśniak wskazał na kozie i owcze łby dopiero co zatknięte na tyczkach.

Jeszcze rano skubały trawę, pomyślał Andrzej i poczuł, jak robi mu się ciemno przed oczami.

– Tak wyglonda reszta smakowitych kotletów, stary.

– Ale ja nie muszę o tym wiedzieć – wyszeptał Andrzej, opierając się o mur sąsiedniego budynku.

– Wolisz myśleć, że kiełbasy rosnom se na drzewach jak śliwki? A może chcesz wieżyć, ze owjeczki cieszom sie na myśl, jaki beńdzie z nich pyszny kebab? Noto tak wyglonda usmiechnienta owjeczka i zadowolona koza.

– Stefan, przestań – poprosił Andrzej. – Tyle naprawdę mi wystarczy.

Wieśniak zrozumiał i wyprowadził słaniającego się szwagra poza ulicę „rzeźniczą". Usiedli w jednej z kawiarenek i przy mocnej zielonej herbacie z miętą Andrzej powolutku doszedł do siebie.

– Sory, nie wjedziałem, że tak cie to ruszy.

– Ja też nie – przyznał Andrzej. – To chyba przez upał.

– Napewno – zgodził się szwagier, nieco zbyt skwapliwie. – To teraz już bez szarżowania. Kraina łagodności.

– Proszę, proszę, co za obietnice – usłyszeli nagle. Aldona Pompon; kto inny siliłby się na podobne uwagi przy czterdziestostopniowym upale? – Panowie, oczywiście, nie na wycieczce? Wolimy spacerki we dwoje?

– A kolerzanka jak widze w pojedynke. Nie udało sie przynencić rzadnego hotelowego bzykacza? – odgryzł się Wieśniak.

– A panu to tak nie wstyd? – Aldona zwróciła się do Andrzeja, ostentacyjnie ignorując Wieśniaka.

– Czego?

– Noo... prowadzać się z takim... – zawiesiła głos, nie kończąc.

– Nie rozumiem, o co chodzi – wyjąkał Andrzej.

– Niech kolega panu wytłumaczy. To cóż, nie będę przeszkadzała w romantycznym tête-à-tête. Do widzenia! – I odeszła, zarzucając biodrami niczym bohaterki trzeciorzędnych seriali.

– Sexbomba na całego – skwitował Wieśniak z przekąsem. – Pierwszy lepszy kot z Susy ma więcej wdzięku.

Andrzej chciał odburknąć, że nie interesuje go ani wdzięk kotów, ani wątpliwa gracja Aldony Pompon, ale postanowił milczeć.

– I jeszcze myśli – ciągnął Wieśniak – że wbiła nam szpile. Nawylot. Beńdzie przeżywać do samego rana. Radość że chuhuha.

– Mnie wbiła – przyznał Andrzej.

– A mnie jej teksty walom ruwno. Za czensto to słyszałem.

– Może nie bez powodu...

– Może, ale bez obaw, stary, nie jesteś w moim typje – zażartował Wieśniak.

– To dlatego wyrzucili cię z domu?

– Sam odeszlem, tusz po zawoduwce.

– Właśnie dlatego?

– To takje ważne dlaczego?

Andrzej nie odpowiedział.

– Powiedzmy, że nie pasowałem im do aksamitnych kotar. Zadowolony?

– Bardzo śmieszne.

– A jesteś pewny, że zniesiesz jeszcze jeden kozi łeb?

– Nie wiem.

– Dobra, zaryzykójmy.

Andrzej przygryzł blade usta. Zaraz się dowie i...

– Odeszłem przez wąsy.

– Jak to? – wyjąkał wreszcie Andrzej.

– Normalnie. A ty se wstaw, co ci pasi. Brak góstu i znajomości inglisza, straszne byki, obciahowe zachowanie pod karzdym wzglendem. Czyli wąsy.

*

Wieczorem oglądali jedną z atrakcji przyciętych pod rubaszne gusta hotelowych gości: efektowny taniec wielkiego brzucha w wykonaniu dojrzałej jak październikowe gruszki Harissy.

– Widzisz tych ziomali polewej? – Wieśniak wskazał grupę trzydziestolatków szalejących z kamerami kupionymi w markecie dla bystrzachów. – Podjarani Harrisom na maksa, a w Polsce wstydzili by sie pokazać z babkom, co ma dwa lata wiencej.

– Wakacyjny nastrój chwili – skwitował Andrzej, nieco zażenowany zachowaniem rodaków.

– A potem wrócom do kraju i wykasujom wszystko, co nagrali. Bendom za to durzo opowjadać o megalasce z Tunezji. A swoje ruwieśnice dalej nazywać starymi torbami.

– Dlatego nie robisz żadnych zdjęć?

– Nie robie, bo mam arhiwum tutaj. – Stuknął się w czoło.

– Nie boisz się utraty danych?

– Jak mi zacznom na starość pliki znikać, rzadna fotka nie pomoże. A narazie starczy.

– Tobie tak, ale innym...

– Znaczy rodzinie? Ma tak bójnom wyobraźnie, że se poradzi. No i lata trenigu tesz robiom swoje. Wkrótce stuknie dwadzieścia – dodał Wieśniak, siorbiąc tunezyjskie piwo.

– Aż tyle czasu nie widziałeś swoich bliskich?

– Coty, widziałem, cztery lata temu, po powrocie z Hiszpani. Nic sie nie zmienili. Chodzi mi oto, że od dwódziestu lat moja rodzinka maluje portret niejakiego Stefana Obornickiego. Ktury nie ma nic wspulnego z twoim szwagrem, Stefanem Oborniakiem.

Andrzej nawet nie zdążył skomentować wynurzeń szwagra, bo w tej samej chwili wszystkich gości spędzono do klubu na kolejną megaatrakcję: super dicho. Na początek zapodano parę rubasznych przyśpiewek z dolnej Saksonii, potem podkręcono atmosferę technołupankami prosto z Ibizy, w połowie imprezy popłynęła słynna „Ajsza". Raz w wykonaniu Khaleda, a zaraz potem jej polska atrapa (wzbudzając dziki entuzjazm wielbicieli Harissy). Po Ajszy zaatakowano uszy gości świeżą niemiecką rąbanką. Chwila przerwy, czyli deser dla zakochanych. Trzy landrynkowe hity i wreszcie to, na co czekali prawdziwi Kozacy. Q-Bass.

– „Tyłki do góry!” – ucieszył się Wieśniak, próbując wyciągnąć szwagra na parkiet. Ale Andrzej wbił się w fotel tak, że można go było wyłuskać tylko widłami. Z braku wideł Wieśniak poszedł w tany sam. Co nie znaczy, że dansował samotnie. Okazało się bowiem, że hicior o tyłkach znają i kochają ziomale ze ściany wschodniej i zachodniej. Z serca Polski, znad brudnego morza i spod samiuśkich Tater, a nawet ci, których wiatr i bieda zagnały za ocean. Nie znał go tylko Andrzej, dlatego z ciekawością przysłuchiwał się słowom. Pierwszą zwrotkę przeuszył podczas przepychanek ze szwagrem, z drugiej zaś dowiedział się, że: „To dla was jest ta czadowa impreza, wypad do domu, ten kto nie dowierza”. Andrzej, w pierwszej chwili wcisnął się głębiej w fotel, ale ciekawość zwyciężyła. No i dostał za swoje: „Tylko tutaj basik mocno nawala, tylko tutaj muza ostro napie...lala. Didżej ostro gra, dzięki temu go znamy, no to dalej wszyscy razem, ostro zapie...dalamy”.

Andrzej sądził, że już nic nie zdoła go bardziej zawstydzić, ale kiedy zobaczył jak Wieśniak razem z tłumem wyśpiewuje refren: „Tyłki do góry, cała sala się buja, to nie koniec imprezy, nie walcie...”, w pełni pojął znaczenie słowa „Obciach”. I natychmiast pożałował, że nie wziął ze sobą trzech koców, pod którymi mógłby się schować, i z godnością umrzeć.

– Prawdziwy czad, conie? – emocjonował się Wieśniak, mimo że od dyskoteki minęły co najmniej dwa kwadranse.

– Czad – przyznał Andrzej.

– Ale jak na ciebie zerkłem, to wydałeś mi sie średnio rozbawiony.

– Za to mogę cię zapewnić, że jeszcze w życiu tak się nie wstydziłem. Kompromitacja na całego.

– Przed kim? Przed Niemcami? A ty myślisz, że o czym som ich piosenki? O rosterkach Bacha?

– Nie znam niemieckiego, znam za to polski i...

– To ja ci powjem – zaoferował się Wieśniak. – Piersza: „Tam w korytarzu stoi koń i szczerzy do mnie zemby", druga; „Spotkałem na łonce dziewcze, co lubi durze pyzy, beńdziemy razem gnietli je, te durze, tuste pyzy". Mam ci zaśpiewać trzeciom o jeleniu, ktury się napił piwa? „Ha ha ha, ha ha ha, oj napił sie piwa!".

– Wystarczy – poddał się Andrzej, siadając na betonowym murku. – I tak wolę Mozarta.

– Stary, ja też wole se posuchać rocka, ale umiem sie pogibać i przy Q-Bassie.

– A ja nie.

– Zauwarzyłem.

– Nie będę przepraszać za swój gust.

– Ja ruwniesz! – odpalił Wieśniak. – Bo nierobie nikomu krzywdy.

– Mnie sprawiłeś swoim... tańcem pewną przykrość.

– To wjelkie sory, że uraziłem człowjeka o tak wyrafinowanym smaku.

– Zawsze ci mówiłem, że nie lubię tandety.

– Nikt w tym kraju nie lubi, chyba że jest to tak zwana tandeta „on wok". Z odpowiedniom metkom i recenzjami na pieńć gwjazdek. Wtedy owszem, jak najbardziej. Kochamy Bollywood i złote cekiny!

Andrzej próbował nieśmiało wtrącić, że on woli kino irańskie, ale Wieśniak dostał takiego słowotoku, że nie dało się wcisnąć nawet pół zdania.

– Nikt, oczywiście, nie czyta brukofcuw, ale każdy wie, zkim jest Mandaryna i w jakich pozycjach. Nikt nie oglonda pornosuw. Ciekawe tylko, skond wzieła sie moda na brazylijskom depilacje i ogromne silikony. Pewnie z opery. Karzdy śmjeje sie z serjali, ale świetnie pamjenta, kogo zdradził Ridż Forest.

– Forrester – sprostował Andrzej i od razu spiekł raka.

– A podobno gardzisz taniom rozrywkom – uśmiechnął się Wieśniak. – Wienc ci powjem, że każdy lubi czasem pogrzebać w śmieciach. Nawet Wytforni. Tylko nie każdy umje sie do tego przyznać.

– Ty umiesz?

– I dlatego mam w chałópje same białe ściany. No... może poza piwnicom. Chcesz zobaczyć? To choć.

*

– Dlatego tak się z nimi obnosisz?

– A ty sie obnosisz ze swoimi oczami? Paradójesz z nimi tak na wierzchu.

– Mam ukrywać kolor oczu? – zdziwił się Andrzej i nagle do niego dotarło, że Wieśniak też nie paraduje. Po prostu nosi wąsy i tyle.

No i pstryk!

– Ale zleciało, piorónem. Aniśmy się obejrzeli, a tydzień szczelił jak tata z bata.

– Zleciało błyskawicznie, to prawda.

– Ale warto było, szwagier, co nie? Wrarzeń co niemiara.

– O, bez dwóch zdań.

– A czyja to zasuga, no czyja?

– Twoja, Stefan, twoja.

– Pewnie że moja, niczyja inna. A tak się, chłopie, bałeś tego wyjazdu. Trzęsłeś worem prawie jak Harissa.

Prawda, miał pewne opory. Ale teraz chętnie by został jeszcze tydzień. Niestety, trzeba spakować torby i wracać do prząśnej rzeczywistości na Kozłówce. Jeszcze tylko jeden wypad do Susy, po słodkie pamiątki dla cesarzowej.

– Migdały zatopione w karmelu – poradził Wieśniak. – Beńdzie miała cięszki orzeh do zgryzienia. I rozrywke na całom jesień.

Jeszcze ostatnia kolacja, wieczorny spacer, zostawić pani Kasi napiwek, wymeldować się, i o ósmej autobus do Monastiru. Jak wszystko pójdzie gładko, tuż po północy przywitają deszczowy Kraków. Bo na początku lipca w Małopolsce zawsze pada.

– Szkoda wyjeżdżać.

– Wrzóć zasiebie monete i napewno tu wrócisz – pocieszył go Wieśniak. – Sprawdziłem, działa.

Tyle że Andrzej wcale nie wie, czy chce powrotu. Chciałby przedłużyć właśnie ten pobyt.

– Bo tobie sie dupy niechce ruszać, taka jest prawda. Przyrosła do pjachu i ani drgnie.

Co racja, to racja. Andrzej nigdy nie należał do ludzi czynu. Gdyby mógł, nie ruszałby się z dużego pokoju. Ale, niestety, trzeba. Na razie do mediny.

Dziś taksówką, bo Wieśniak chciał koniecznie sprawdzić, jak się siedzi na tych wszystkich dywanikach i kobiercach wyściełających siedzenia. W ogóle Wieśniak zwracał uwagę na różne dziwne drobiazgi. Na przykład fascynowały go ręczniki układane codziennie w inny wzorek przez sprzątającą ich pokój „panią Kasię". Kiedy Andrzej zapytał, co w tym takiego fajnego, Wieśniak odparł, że mało komu chce się wysilać w pracy na akord. I to wykonywanej prawie za darmo.

– A pani Kasi sie chce. Wczoraj ułorzyła tulipan, dwa dni temu serdócho, ciekawe, co zastaniemy dzisiaj – ekscytował się Wieśniak. – Morze ruże albo słonecznika. Zostawie jej pare skarpet, żeby miała zczego zrobić płatki.

Innym razem, gdy mijali lokalną herbaciarnię, zauważył że tłum wąsaczy z uwagą ogląda na Polonii „Przygody Reksia".

– Morze zamiast rzołnierzy powinniśmy wysyłać do Iraku taśmy z bajkami – zażartował.

– I przy okazji kilka do Białego Domu.

– Wras z intrukcjom obsługi, żeby zostały dobrze zrozumjane – dodał Wieśniak. – Inaczej wojna mórowana.

A dziś postanowił przetestować tunezyjskie taksówki.

– Komfort jazdy prawje jak na wjelbłondzie – ocenił, moszcząc się między bogato zdobionymi poduchami. – Musze sobje takie sprawić do auta. Jak je wreszcie kupie, a wcześniej zdam prawko jazdy.

– Nie masz prawa? – zdziwił się Andrzej.

– A ty masz?

– Nie, ale strasznie się tego wstydzę.

– A ja wcale, choć oblałem egzamin dziesięć razy. Niekażdy jest krulem szos jak nasz pan kierowca. Tszy minuty i prosze, witamy w centrum!

– Trzy minuty i dwadzieścia złamanych przepisów – zauważył Andrzej.

– Napewno bardzo sie tym gryzie i za kare odmuwi se kolacji – pocieszył go szwagier, płacąc królowi szos trzy dinary. Dwa za usługę, a jeden za ogólne wrażenia, oraz wąsy.

– Zgodnie z obietnicom dziś czilaucik. Czyli kraina łagodności w wydaniu orjentalnym.

– Nie zemdleję?

– Mam nadzieje, że z roskoszy – odparł Wieśniak zapraszając szwagra do ciasnego sklepiku wypełnionego workami przypraw, aromatycznych olejków, rozmaitych orzechów i pachnącego jaśminem ryżu.

– No to jesteśmy w sezamie. I zaraz zobaczysz, jak naprawde smakujom migdały – Wieśniak kazał zważyć całe dwa kilo, a potem jeszcze po kilogramie nerkowców, orzechów brazylijskich, płatków róży i zupełnie nieznanych Andrzejowi ziarenek. – Ale to potem, a teraz weź porzondnego niucha i nachwile zapomnij o całym śwjecie. I jak?

– Nie do opisania – przyznał Andrzej, powalony intensywnością i bogactwem doznań węchowych.

– Nasze kurkumy i imbiry to przy tym zwietszałe siano, co?

– Twórcy perfum powinni jeździć tu po wenę.

– Każdy twierdzi, że jeździ, ale sondzonc po efektach, rzadko kťury wyłazi z sypjalni. A już napewno nie wyścióbja nosa poza teren hotelu.

– Szkoda, że nie da się zabrać ze sobą choć odrobiny tego... wszystkiego – westchnął Andrzej.

– Ja nawet prubowałem. Wiozłem ze soba pusty słuj

i zabierałem do niego powietsze. A to z lawendowych pól, a to z katedry w Szibeniku i z bazaruw w Odessie. Zakrencałem szczelnie, a po powrocie otwierałem i...

– I co?

– Zawsze było czuć ogurkami. Ty, pacz, ale scena! – Wieśniak wskazał palcem pobliski placyk. – Widzisz te rodzinke?

Andrzej przyjrzał się uważnie, ale nie mógł wychwycić nic szczególnego. Rodzina jak rodzina. Zadbana mamusia w zwiewnej różowej sukience, postawny tato z cyfrową kamerką w dłoni, a obok dwójka znudzonych „okropnym zwiedzaniem" dzieci. Zwykli turyści, jakich setki drepczą po mieście każdego ranka.

– O, popacz teraz. – Wieśniak pociągnął Andrzeja za ramię.

Podeszli bliżej. Pan domu właśnie filmował kamienny murek, a raczej... tak, teraz Andrzej wreszcie zobaczył. Pomarszczoną Berberkę w kolorowych szmatkach. Przycupnęła koło murku chowając się przed słońcem. A wokół niej stadko bezdomnych kotów. Wychudzonych jak ona, o zaropiałych oczach, jeden bez łapki, a drugi z odgryzionym ogonem. Siedzą cierpliwie, czekając, aż staruszka podzieli się z nimi rybą, którą trzyma na podołku. Więc dzieli się, nie zawsze po równo. Kawałek sobie, drugi podsuwa pod nos półrocznemu kociakowi z bielmem. Kawałek sobie, trzy na ziemię i jeszcze ości. Zajęta posiłkiem nie zwraca uwagi na turystów. A może wcale ich nie widzi...

– Egzotyka – odezwał się Wieśniak ściszonym głosem. – Zwłaszcza dla Wytfornych. Bo tacy zawsze używajom noża i widelca. A pokażdym posiłku mówiom

„dziękuje, kochanie" i obcierajom se usta serwetkom. Wogule są strasznie mili, kjedy tszeba. Na wakacjach zwiedzajom muzea, ale lubiom tesz liznąć odrobine prawdziwego rzycia. Nie zadóżo, tak dla smaku. O, właśnie znaleźli ciekawy objekt do sfilmowania. Śmiesznom babcie z bielmem na oku. Fajnie pomarszczonom. Bez zembów, bez butów, bez widelca, to pewnie i bez uczuć, nie? Taka babcia nawet nie wje, co to duma czy godność, bo nie siedziała by tu teraz z bródnymi kotami. A gdyby tak zrobić im zdjeńcie?

– Komu?

– No, Eleganckim. Potraktować ich jak plastikowe przedmjoty. Jak ogrodowe krasnale z chipermarketu. Ciekawe czy coś by poczuli? Jak myślisz?

Wtedy Andrzej zrozumiał wszystko. Chwycił swojego zdezelowanego zenitha, ustawił się tuż obok Tunezyjki, ostentacyjnie wycelował obiektyw w pana domu i zaczął strzelać.

Poniedziałek

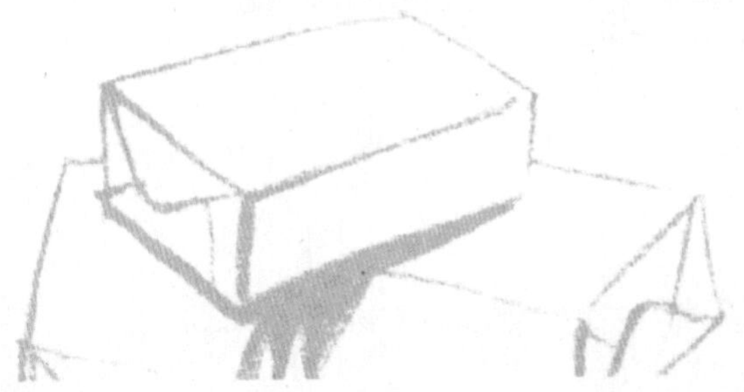

Dżdżysty weekend zebrał na drogach krwawe żniwo. Na Śląsku znowu aresztowano podejrzanego o korupcję urzędnika wysokiej rangi. W Kongu pożar lasów, a w Chinach ptasia grypa. W Kalifornii Paris Hilton zapomniała włożyć figowy listek, w Iraku trwa budowa demokracji, w Rzeszowie zaś uzbrojeni napastnicy wpadli do spożywczego, żądając pierogów. Sterroryzowana ekspedientka wydała im dwie tacki leniwych, za co obcięto jej premię. Ale Dustin Hoffman (czyli po naszemu Wiesiek) ma to głęboko w czterech l, bo od ponad roku unika kontaktu z musmediami. Tak mu zalecił doktor Desperado, obejrzawszy Wieśkowe wyniki.

– Dużo ruchu, zielonego i jak mawiają niepoprawni optymiści, żadnych stresów. Co jest oczywiście niemożliwe do spełnienia.

– Niemożliwe – westchnął Wiesiek. Może w innej czasoprzestrzeni. Ale nie tu i teraz. – Czyli po ptokach?

– Zawsze coś da się zrobić – pocieszył go doktor. – Na początek ograniczyłbym do minimum spożycie margaryny.

– Ale jak? – Skoro margaryny u nas więcej niż zwykłego żytniego chleba. Wylewa się z lodówek i z telewizorów. Straszy w barach mlecznych i na okładkach czasopism, wyłazi z ust sprzedawców marzeń i sezonowych łowców nagród.

– Walka nie będzie łatwa – przyznał lekarz, podejrzliwie przyglądając się kanapce, którą kupił w przyszpitalnym bufecie. – Ale kto powiedział, że ma być łatwo? I do tego przyjemnie? I żeby jeszcze zmalało bezrobocie? – Uśmiechnął się krzywo. – Tyle luksusów naraz mogłoby doprowadzić wyposzczony naród do szaleństwa.

– To co ja mam zrobić z tą margaryną, doktorze? – dopytywał się zatroskany Wiesiek.

– Najpierw lodówka.

– Czysta.

– Potem telewizor. Najlepiej pylnąć do piwnicy i niech czeka na złodzieja. Zyska pan trzy godziny dziennie i półtora metra kwadratowego w jadalni.

– W sypialni.

– Jeszcze lepiej – ucieszył się doktor Desperado, obwąchując kanapkę. – Jeden metr w sypialni potrafi zdziałać cuda.

– Ja już nawet nie potrafię sobie tych cudów wyobrazić – szepnął speszony Wiesiek.

– Ja również, powtarzam tylko za specami od feng shui – przyznał doktor, wracając do sposobów zakręcania kurka z margaryną. – Brukowce: nie podczytywać w tramwaju, nie pożyczać od sąsiadów. Omijać szerokim łukiem kioski. Radio: tylko stacje studenckie albo z muzyką klasyczną. Internet: żadnych serwisów informacyjnych, żadnych forów. Spam na wysypisko. I żadnego politykowania na osiedlowej ławce. Chyba że wolimy składać na dębową trumnę.

Kto woli, ten woli. Wiesiek nie woli wcale, więc od razu po wizycie u lekarza przestawił na ex-fm wszystkie cztery radia. Za to z telewizorem poniósł całkowitą porażkę. Żona Halina nie dała ruszyć nawet pilota. Próbował jej tłumaczyć, czym grozi nadmiar margaryny w mózgu, ale od razu chwyciła szponami lewą pierś i zaczęła się dusić niczym przerażony karp w świątecznej reklamówce. Niech jej będzie, uznał Wiesiek i postanowił odwiedzać sypialnię tylko po to, by nawodnić sukulenty albo wyszorować okna. Z osiedlową ławką poszło nad wyraz dobrze; sama znikła w noc świętojańską, drugiej zaś nie postawiono z braku środków. W brukowcach Wiesiek nigdy nie gustował, a na Internet go nie stać. Dzięki temu wypłukiwanie margaryny trwało krócej, niż przepowiedział doktor. Po miesiącu Wiesiek mógł już sobie beztrosko gwizdać na ptasią grypę i problemy Michaela Jacksona. A dziś, po roku intensywnego detoksu, nie wie nawet, kto rządzi krajem. I zupełnie go to nie obchodzi. Wie natomiast, jak zdobyć indeks na indianistykę, w którym klubie wystąpi zespół Hurt i gdzie załatwić bezpłatne warsztaty „Cień menedżera".

Teraz jednak wcale o tym nie myśli, bo naprawdę bardzo się śpieszy. Niby miał se na emeryturze odsapnąć, ale na razie nie ma kiedy, zupełnie. Pewnie przez ten czas, co śmiga niczym z górki, z każdym rokiem szybciej. Dlatego Wiesiek bardzo musi się sprężać, żeby załatwić wszystkie wyznaczone mu przez żonę Halinę zadania. Dziś poniedziałek rano, więc pora nastawić pralkę. Jasne, że Halina wolałaby prać jak każdy, w sobotnie przedpołudnia. W końcu po to ustanowiono soboty, żeby porządni ludzie mieli kiedy rozprawić się z brudami. Wywabić wstydliwe plamy, wymieść za okno kompromitujące kurze, głębiej schować rodzinne szkielety. Niestety podczas remontu blokowiska wyznaczony przez spółdzielnię elektryk tak pokombinował z kablami, że teraz Halina musi wybierać: pralka albo telewizor. Inaczej korki siadają na całym piętrze. O stratach w postaci naderwanych seriali szkoda nawet mówić. Po trzech przepłakanych weekendach i szczegółowej analizie programu w telegazecie Halina oznajmiła, że jedyna możliwa pora na wielkie pranie to poniedziałek, ósma trzydzieści do jedenastej. Akurat wystarczy na trzy pełne tury z wirowaniem.

A potem trzeba to wszystko rozwiesić. To znaczy nie wszystko, tylko wybrane elementy garderoby. Sprane gacie, poplamione koszule i dziurawe skarpety wylądują na suszarce w ciasnej sypialni. Ale nowe obrusy, śnieżnobiałe firany i satynowa pościel mają prawo dumnie powiewać na balkonowych sznurach. I tu już do akcji wkracza Wiesiek, bo Halina ma lęk wysokości. Wiesiek też ma, ale to się nie liczy, bo Halina ma większy. Nawet na stół nie wejdzie, żeby zasłony zmienić, a co dopiero na balkon, w dodatku pochyły. Z każdym rokiem balkon zapada się coraz bardziej i tylko patrzeć, kiedy runie z hukiem w dół. Ale na razie jeszcze wisi, więc Wiesiek łap za miednicę z praniem i do dzieła. Tylko migiem, bo następne zadanie już się nudzi, czekając od świtu w kolejce. Ledwo Wiesiek uspokoi roztrzęsione spacerem w chmurach kolana, już musi pędzić do Swoszowic po kozie mleko. Żona innego nie pije; po krowim ma zgagę.

– Po krowim mam zgagę – powtarza dziewiętnasty raz, ostentacyjnie siorbiąc uspokajające krople z walerianą. – Dlatego jedź już, Wiesiek, a nie tak się guzdrasz. Znowu Bednarczyki sprzątną ci sprzed nosa całe trzy litry i będę zmuszona pić krowie. A wiesz, co to oznacza? – Wiesiek wie, ale żona i tak mu przypomni. – Zgaga murowana. – O rozczarowaniu nie mówiąc, bo to dopada Halinę każdego dnia niezależnie od Wieśkowych starań.

– Już idę, idę – uspokaja ją mąż, rozglądając się za łubianką na truskawki. Po drodze kupiłby ze dwa kilo dukatów, to zawiezie córce. I przy okazji zje kilka sztuk, bo przy Halinie nie wypada; ma alergię na truskawki i od samego patrzenia swędzi ją skóra na łokciach.

– Chleb też weź w Swoszowicach, jaja od baby i koniecznie krzyżówki. Pamiętasz?

– I koniecznie krzyżówki, pamiętam. Jolki też?

– Mówiłam, że jolki kupię przy Hali Grzegórzeckiej. Jak ty nic nie słuchasz, Wiesiek, zupełnie nic – zamartwia się Halina, popijając herbatą rooibos trzeci apap. Po niedzieli zawsze ma migreny. Może dlatego, że w poniedziałek trzeba wziąć się w garść i żyć. A przynajmniej sprawiać takie wrażenie przed sąsiadami z przeciwka.

– Słucham, słucham. Kupię kozie, chleb staropolski, jaja od baby i krzyżówki, żadnych jolek. Coś jeszcze?

– Jak sobie przypomnę, to ci powiem.

– To idę.

– Au revoir – odpowiada płaczliwym głosem Halina, sięgając po obrazek Tadeusza Judy. Tego od dawno przegranych spraw i wyblakłych marzeń.

Wiesiek tymczasem odpala swojego sfatygowanego malucha w kolorze rdzy. Próba druga, dziewiąta, jedenasta. Nic, może zaskoczy wieczorem, a na razie – niezawodny składak. I dawaj, w stronę Zakopianki. Trzy uliczki, skrót przez tory. Kiedyś toby się Wiesiek krył, strwożony wypatrywał SOK-istów, ale dziś? Mógłby spacerować dziesięć metrów przed pędzącym pociągiem i nic. Żadnej kary, nawet upomnienia, bo podobno emerytom i rencistom już wolno. „Tylko patrzeć, jak będą mogli przechodzić Aleje Mickiewicza na czerwonym" – mruczy Wiesiek, całkiem zapominając, że i on jest emerytem. Już od dwóch lat. Z początku to sobie nie mógł znaleźć miejsca. Zupełnie. Kręcił się po różowym pokoju, przeszkadzając Halinie w porannym handelku ze świętymi. Spacerował w kółko po miniaturowej jadalni, analizując każdą roztrwonioną godzinę. Zastanawiał się, jak wyglądałoby jego życie, gdyby przed laty skoczył przez odpowiedni płot, gdyby nie dał się zastraszyć i nie utknął za chybotliwym biurkiem z okleiną w kolorze lipy. Czy zleciałoby równie szybko? Czy też by czegoś żałował?

Na rozmyślaniach zeszła mu złota jesień, a wraz z pierwszym śniegiem ogarnęło Wieśka przyjemne zobojętnienie, wspomagane przez seroxat i programy w telewizji. Wiesiek pochłaniał wszystko, co zaproponowała mu żona. Seriale komediowe, wyciszające zmysły telenowele, rzewne melodramaty. Słowem, baśnie, bajki i bajeczki, niekoniecznie autorstwa Tołstoja. I wszystko byłoby normalnie, gdyby w pewien chłodny, kwietniowy wieczór Halina nie usiadła na pilocie. Zamiast bezpiecznych bohaterów „Plebanii" Wiesiek ujrzał zapakowanych w drogie garnitury ekspertów od narodowego dobrobytu. Jeden z nich, zapytany o drogę dla Polski, odparł, że przede wszystkim, panie redaktorze, musi wymrzeć pokolenie skażone socjalizmem. Pokolenie pełne nieuzasadnionych pretensji i niezdolne zatroszczyć się o własne sprawy. Ci ludzie, usłyszał zawstydzony Wiesiek, wyciągają żebraczą łapę po nieswoje. Dopiero gdy odejdą na Drugą Stronę, razem ze swymi nawykami i chorymi żądaniami, w kraju nastanie Lepsze. Dalej Wiesiek już nie usłyszał, bo tak skoczyło mu ciśnienie, że jeszcze chwila, a przyczyniłby się do wzrostu narodowego dobrobytu. Na szczęście Halina zachowała zimną krew i po kwadransie Wiesiek był już pod czułą opieką doktora Desperado. A dwa tygodnie później ucięli sobie pogawędkę na temat margaryny. Wtedy właśnie dowiedział się, że margaryna informacyjna jest równie niebezpieczna, jak znane z reklam smarowidła do pieczywa.

– Gdzie tam, jeszcze gorsza! – wtrącił Marian Swoszowicki, właściciel trzech szczęśliwych kóz i zagorzały wróg margaryny w każdej postaci. – Pan sam zobaczy. Ile można zjeść takiej, na przykład, ramy. Łyżkę dziennie, półtorej? I już człowieka mdli, nie?

– Mnie to mdli na sam widok – wzdrygnął się Wiesiek.

– Mnie tym bardziej – zapewnił Marian, przelewając mleko do błyszczącej niebieską emalią kanki – ale my jesteśmy stare wyjadacze, czyli elegancko mówiąc, te no... smakosze wytrawne. A zwykły chłop, panie, to nie wybrzydza, tylko zmiata grzecznie, co mu baba upitrasi.

– Oj zmiata, zmiata – przyznał Wiesiek. Próbowałby pogrymasić. Całe szczęście, że Halina postawiła na zdrową kuchnię.

– Ale nawet zwykły chłop nie wciśnie w siebie więcej niż dwie łyżki margaryny, boby mu jelita poskręcało. A patrz pan teraz, ile litrów tałatajstwa wylewa się z mus-mediów. Tysiące! I to wszystko chłepczemy bez umiaru. Dzień po dniu, dzień po dniu. To co się dziwić, że potem człowiek otumaniony chodzi. Że nie myśli samodzielnie, tylko procedur szuka. A odstawiłby jeden z drugim ten klajster i od razu by mu wyobraźnia wróciła.

Wieśkowi też wróciła, nie wrócił natomiast optymizm. Może z powodu przedłużonej intoksykacji; margaryna zakleiła dysze z humorem, i kicha. A może Wiesiek już wykorzystał wszystkie zasoby? Wyrechotał co jego za młodu i teraz tylko raz na tydzień nieśmiało się uśmiechnie. A może czasy takie, że nie sprzyjają żywiołowej radości.

– E tam, zaraz czasy – oburzyła się baba od jaj. – Znasz pan takie, co sprzyjają? No właśnie. Dziesięć pięćdziesiąt się należy, razem z przepiórczymi. A sera pan nie chcesz świeżutkiego? Prosto od baby?

– Od was?

– Ja tylko jaja mam i nie jestem baba, a pani Jagiełło – sprostowała baba, nieco urażona. – To jak będzie z tym serem? Weźmiesz pan trochę na pierogi?

– Musiałbym z żoną skonsultować – wyjaśnił speszony Wiesiek. – Bo to ona decyduje o menu.

I ona trzyma w garści wszystkie karty, także tę do bankomatu, ale tego Jagiełłowej nie musi Wiesiek mówić. Już i tak uchodzi za mięczaka, przez co ma spore trudności z negocjowaniem cen. Chyba że włoży wybulone na kolanach tweedowe spodnie ze szmateksu. Wtedy babę, znaczy Jagiełłową, taka litość chwyta, że opuści z ceny, nawet i pięćdziesiąt groszy. Tyle że Wieśkowi potem strasznie głupio. Dlatego sztuczkę ze spodniami wykonuje tylko w listopadzie, żeby uskładać parę złotych na mikołajkowy drobiazg dla Haliny.

– Słyszałam: jin jang i te sprawy. A w brzuchu gwiżdże zimny wiatr?

Może, na początku, kiedy Halina, świeżo po warsztatach z makrobiotyki, uwierzyła, że łopian z umebosi sprawia cuda większe niż święta Agnieszka. Po latach piekących rozczarowań i uporczywych biegunek poszła na kompromis. Trzeba przyznać, że ów złoty środek bardzo Wieśkowi posmakował. A jak mu się zachce czegoś fikuśnego, to sobie przekartkuje „Kuchnie świata" i od razu ulga. Musi tylko uważać, żeby nie smakować fotografii zbyt żarłocznym wzrokiem, bo potem Halina narzeka, że nie może znaleźć którejś strony. Teraz też siedzi naburmuszona jakaś, może już odkryła zniknięcie przepisu na słowackie frykasy. Tak się Wiesiek starał nie narobić strat w nowiuśkim albumie, ale jak zobaczył fotkę bryndzowych haluszków polanych masełkiem, to mu nerwy od razu puściły. Dwa razy mrugnął, nawet ust nie otworzył i już było po wszystkim.

A może Halinie chodzi o jakieś grubsze sprawy, bo stopami tak pracuje, jakby na akord szyła w chińskiej fabryce majtek. Aż strach podchodzić do kanapy. Strach też udawać, że wszystko w porządku, bo wtedy dopiero można usłyszeć. O obojętności chłopskiego rodu, o samotności w blokach z betonu, o czekaniu na śmierć, która nie chce przyjść, okrutnica jedna. W takich trudnych dla małżeństwa chwilach najbezpieczniej czmychnąć do piwnicy albo na działkę, zostawiając rozbrajanie Haliny dzielnej Milagros. Już się miał Wiesiek ewakuować, kiedy dosięgło go łzawe spojrzenie żony, i cóż, musiał zapytać, o co chodzi, kochanie, i jak mogę pomóc?

– Patrycja dzwoniła, kompletnie załamana. Chce złożyć pozew o rozwód.

– Niemożliwe!

– Ja już od zaręczyn wiedziałam, że będą problemy.

– Jakby istniał związek, w którym problemów brak – rzekł Wiesiek, ale cichusieńko, żeby nie prowokować półgodzinnego monologu pod tytułem: „Nadajemy na innych falach, ot co". Lepiej jeśli Halina od razu przejdzie do utworu „Serce matki".

– Serce matki czuje takie rzeczy – zaczęła recytować Halina, Wiesiek zaś w milczeniu rozpakowywał zakupy. Kiedy wrócił z kuchni, Halina kończyła właśnie ostatnią zwrotkę. – I pomyśleć, że teść Patusi jest tak wspaniałym Mężczyzną.

– Mężczyzną przez duże M – mruknął do siebie Wiesiek, chowając łubiankę z truskawkami na dnie szafy w przedpokoju.

– Gdyby Łukasz wdał się w ojca... wszystko byłoby inaczej. Niestety, przemądrzałe jabłko wolało się poturlać na manowce. I teraz proszę, mamy tego skutki: pozew!

– Wieczorem do niej skoczę, bo teraz korki straszne. Całe szczęście, że nie wziąłem auta, bobym jeszcze stał na Wielickiej.

– Takie szczęście, jakie auto – prychnęła pogardliwie Halina, ale zaraz pogardę wyparł żal za te wszystkie zmarnowane lata. Bo nie dość, że trafiła na zahukanego minimalistę, to jeszcze dziś, właśnie dziś, spadły na jej obolałą głowę małżeńskie porażki jedynej córki. Co za los! Niby niczego Halinie nie obiecywał, a jednak w takich momentach czuje się okrutnie oszukana.

– A na dole spokojnie? – Wiesiek próbował zmienić temat.

– Ty mi tematu nie zmieniaj, jak poruszam ważne sprawy! I natychmiast dzwoń do Patrycji, że już jedziesz!

– Ale umówiłem się na czwartą z doktorem...

– Ten człowiek doprowadzi mnie do szału! – poskarżyła się Halina zatroskanej doktor Quinn. – Nie dość, że znowu zeżarł przepis na bryndzowe haluszki, to go jeszcze na kolanach trzeba prosić, właśnie teraz, kiedy świat wali mi się na głowę...

– Dzwonię, już dzwonię. – Zawstydzony wpadką z przepisem, Wiesiek posłusznie pomaszerował do telefonu. Oznajmił roztrzęsionej Patrycji, że dotrze na Górkę Narodową. jak tylko uda mu się przepchać przez zakorkowane z powodu niekończących się remontów rondo Mogilskiego. I co było robić? Wyszedł, zostawiając Halinę pod opiekuńczymi skrzydłami „Zbuntowanego anioła".

Wcześniej jednak podskoczył do osiedlowej budki telefonicznej, uprzedzić doktora Desperado, że nie może się stawić po południu, jak zwykle. Spotykali się co poniedziałek na działce Wieśka, żeby pokopać w kamienistej ziemi klasy VI a (poziom próchniczny około 15 cm. Urodzaje żyta i łubinu niskie). Pomysł wyszedł od doktora, pół roku po pierwszej wizycie kontrolnej. Wiesiek poskarżył się wtedy, że nie tylko margaryna go mierzi, ale również sztuczny miód, zupki chińskie i kit, niestety, nie pszczeli.

– Ostrzegałem, że tak będzie – przypomniał doktor, wyciągając z puszki po kawie ince zdezelowany ciśnieniomierz. – W czasie detoksu człowiek odzyskuje dawną wrażliwość i zaczyna dostrzegać coraz więcej plastiku, stearyny, a także trocin w miejscach, gdzie by się ich wcale nie spodziewał, na przykład w głowach najbliższych mu osób.

– I zupełnie nie wiadomo, co z tym zrobić – ciągnął zatroskany Wiesiek. – Bo nawet jeśli nieśmiało wyrazisz sprzeciw, to nafaszerowani całym tym świństwem znajomi zaraz ci przypomną znaczenie słowa „normalny", czyli...

– „W powszechnym użyciu i zgodny z prawami natury" – wyrecytowała obowiązującą w tym sezonie definicję pielęgniarka, która zajrzała do gabinetu pożyczyć bezprzewodowy czajnik oraz pięć gramów zwietrzałej herbaty assam.

– Dziękujemy za podpowiedź, siostro. Wydawałoby się zatem, że za normalne uznamy codzienne dłubanie w nosie. Zdarza się każdemu: dyrektorom, suwnicowym i gorylom, niekoniecznie w ludzkiej skórze.

– Podobnie jak masturbacja – wyrwało się Wieśkowi i aż się przestraszył własnej brawury.

– Tu byłbym ostrożny – wtrącił doktor. – Siostra Maria zapomniała bowiem dodać, że „normalne" nie powinno działać euforyzująco.

– A już szczególnie karygodne są przyjemności poniżej pasa – podkreśliła pielęgniarka, wracając po cukierniczkę. – Karygodne, obrzydliwe, po prostu fu!

– Wszystkim masturbatorom mówimy zatem zdecydowane NIE – skwitował doktor, stając na baczność.

– A pospolitym dłubaczom?

– No właśnie. Okazuje się, że mimo zgodności z definicją dłubanie również odpada. Za to jak najbardziej naturalne i normalne jest wywalanie plastikowych reklamówek przez kuchenne okno. Albo konsumpcja zakalców autorstwa tajemniczej kobiety, którą dwa razy w roku nazywamy „kochaną ciocią".

– Można by spróbować popracować nad zmianą definicji albo... otoczenia – nieśmiało zaproponował Wiesiek.

– Zużyłem na to siedem ostatnich lat i dziewięćdziesiąt procent zasobów mojego układu nerwowego. Pozostałe dziesięć wykorzystuję, by z godnością nosić etykietkę oszołoma i dziwaka.

– A ja się łudziłem, że nie wszystko stracone...

– Właściwie moglibyśmy coś zrobić – odezwał się doktor, ściszonym głosem. – Potrzebowałbym tylko porządnego rydla i z pięć arów nieużytków. Najlepiej z dala od centrum, żeby nikt nie widział, jak kopiemy.

– Nieużytki to by się nawet znalazły, tylko, że ja, doktorze, nie chciałbym spędzić reszty życia w ciasnej celi – wymamrotał Wiesiek. – Już w trzypokojowym Haliny miewam ostre ataki klaustrofobii, a to przecież całe czterdzieści sześć i dwie dziesiąte metra. Poza tym, wstyd się przyznać, ale marny ze mnie zabijaka. – Chyba że chodzi o marzenia Haliny. Te, zdaniem żony, Wiesiek depcze i morduje bez litości każdego dnia. – Obawiam się, że nie podołam...

– Spokojnie, nikogo nie będziemy likwidować – zapewnił doktor. – Chodziło mi raczej o świadectwo dla przyszłych pokoleń. List protestacyjny w butelce, ukryty głęboko pod ziemią. Napisalibyśmy, co myślimy o dzisiejszych czasach. O wojnach, bezrobociu, chamstwie, o wszechobecnej margarynie i procedurach, których nie sposób obejść. Żeby kiedyś, za sto, dwieście lat ludzie nie myśleli, że tu wszyscy bez wyjątku dali się znormalizować i z apetytem wcinali kisiel. To co? Próbujemy?

Wzięli się do kopania, jak tylko puściły mrozy. Najpierw szło im opornie, bo żwirowo-kamienista ziemia stanowi spore wyzwanie nawet dla pasjonatów ogrodnictwa ekstremalnego. Ale dwa miesiące, trzy łopaty i siedemnaście wiader potu później dotarli do warstwy bieluśkiego piachu (tzw. przepalczyska) i prace ruszyły pełną parą. A kiedy do drużyny dołączył pełen pozytywnej energii i zdrowego zapału znajomy Wieśka, Bogdan Prol, kopanie stało się prawdziwą przyjemnością. Wreszcie znaleźli czas, by pogadać i pożartować, a nawet wypić piwko albo dwa. Czemu nie. Tak im te poniedziałkowe wykopaliska przypasowały, że nawet nie zauważyli, kiedy przeszli na ty. Gdzieś tak koło dwunastego metra pewnie. A potem nagle z dwunastu zrobiło się dwadzieścia i trzeba było pomyśleć o detalach dotyczących samego listu. Co do formy Wiesiek z Bogdanem zostawili wolną rękę doktorowi. On już będzie wiedział, gdzie zastosować bolesny zastrzyk prawdy, a które miejsce znieczulić oparami subtelnej ironii. Jeśli zaś chodzi o nośnik, tu troszkę się poprztykali, ale niegroźnie. Bogdan uważał, że trzeba stawiać na nowoczesność. Wrzucić wszystko na płytkę, owinąć porządnie folią i zamknąć w plastikowym pudełeczku po krakersach.

– Wytrzyma trzysta lat jak nic – zapewnił, wysypując za Wieśkową altaną ostatnie wiadro drobnego jak krupczatka piachu.

– W teorii może i trzysta, ale boleśnie doświadczeni programiści powiadają, że większość płytek pada już po czterech. I potem to se je można co najwyżej pokręcić na środkowym palcu, w ramach relaksu – wtrącił doktor, dawniej Desperado, a od dwunastego metra Cienki Bolek. – Wiecie co, chłopaki? Ja bym jednak obstawiał tradycyjne kamienne tablice. Nie musimy się od razu szarpać na marmury, równie trwały i efektowny jest kremowy porfir.

Do tego śmiesznie tani, niestety całkiem inaczej niż robocizna. Okazało się bowiem, że za wygrawerowanie kilku stron listu musieliby zabulić tyle, co za dwuosobowy grobowiec z lastrika. Wobec tego Bolek ustąpił, stawiając na zwykłą tekturę i długopis, a jako przechowalnik wybrał szklaną butelkę po kefirze. Wiesiek zaś po długim namyśle wyznał, że przydałoby się jednak nagranie audio. A nuż potomkowie wrócą do kultury obrazkowej, i co wtedy? Będzie im się chciało zatrudniać deszyfrantów? Wątpliwe. Wobec różnicy zdań postanowili, że każdy wykona własną wersję listu, a wszystkie zamkną w szybkowarze podprowadzonym z piwnicy Haliny. Ceremonii zasypywania mieli dokonać za tydzień, a dziś – ostatnie prace przy wykopkach. Przesunięte z powodów rodzinnych. Więc wszystko znowu się opóźni, niestety.

Niestety, a może stety, Wiesiek sam już nie wie. Z jednej strony chętnie by dziś pogadał o problemie, który go męczy od tygodni. Nic wielkiego, właściwie pikuś, bo i o Pikusia tu chodzi, maleńkiego kundelka Tychnowych spod siódemki. „Cinowi" to nazwa robocza, wymyślona spontanicznie przez poirytowaną Halinę. Tak naprawdę nikt z sąsiadów nie zna ich nazwiska. I nikt dokładnie nie wie, kiedy zamieszkali w dwupokojowym na trzecim piętrze. Tu, na Osiedlu, ludzie wyglądają dziwnie tak samo. Ani za wysocy, ani za niscy. Ani szczególnie ładni, ani wyjątkowo szpetni. W podobnym wieku (wyłączając garstkę zawstydzonych tym faktem emerytów), podobnej tuszy i o podobnym wyrazie twarzy. Ani podejrzliwie radośni, ani niepokojąco smutni. Jeśli ubrani staranniej, to od razu wiadomo, że suną na niedzielny spacer do M1. Ale na co dzień – konfekcyjna bylejakość i szarzyzna, nawet jeśli miewa modny odcień amarantu. Więc trudno zauważyć, czy ktoś zajął czyjąś klitkę i kiedy. Poza tym nikogo to właściwie nie obchodzi. Mało to ma każdy własnych spraw?

Wiesiek spotkał Tychnowych, jak wchodzili do mieszkania, więc się domyślił, że lokatorzy. Powitał ich bezpretensjonalnym „dzień dobry", w odpowiedzi zatrzasnęli za sobą drzwi. Po dwóch nieśmiałych próbach nawiązania kontaktu zrezygnował. Odtąd mijali się bez słowa, niczym cienie na Polach Elizejskich. Na szczęście na tyle rzadko, że Wieśka owe spotkania specjalnie nie krępowały. Zresztą nigdy nie miał pewności, czy to Cinowi, czy jacyś Inni. Nie wiedziałby nawet, czy ktoś zamieszkuje dwupokojowe pod siódemką, gdyby nie pety wyrzucane przez balkonowe okno i hiphopolo budzące sąsiadów w każdą pierwszą sobotę miesiąca. Innych oznak wegetacji brak, czyli w zasadzie normalnie. Aż do zeszłego miesiąca, kiedy w mieszkaniu poniżej rozległ się skowyt. Potem drugi, trzeci i kolejne, tak przeraźliwe, że Wieśkowi zjeżyły się resztki dawnych blond loków.

– Co tam się dzieje? – mruknęła Halina, poirytowana, że ktoś przeszkadza jej w konsumpcji ulubionego teledrinka. – Co oni wyprawiają, Cinowi?

Najwyraźniej sprawili sobie psa doszedł do wniosku Wiesiek i właśnie omawiają zakres obowiązujących zasad. Nieco intensywnie, fakt, ale wzajemne docieranie bywa trudne. Zwłaszcza jeśli strona pozbawiona argumentów nie podwinie od razu ogonka. Jak trudne i bolesne, Wiesiek przekonał się równo po tygodniu, kiedy skowyty trwały z przerwami ponad kwadrans.

– Że też wstydu nie mają Cinowi, hałasować na całą klatkę – skwitowała Halina, podpinając do telewizora specjalne słuchawki, zapewniające komfort odbioru nawet w pobliżu pracującej na pełnych obrotach sokowirówki.

– Może powinniśmy sprawdzić, co tam się dzieje?

– To sprawdź – poleciła, zanurzając się w błękitnym „Oceanie marzeń".

Wiesiek ostrożnie wyjrzał na korytarz i nie musiał nawet schodzić na półpiętro, żeby usłyszeć, o co chodzi Tymnowym. Rozgniewana pani domu tłumaczyła pieskowi, czym zawinił. Mianowicie zrobił siku na nowiuśkich panelach z Obi. Jakby nie mógł wytrzymać głupich dziewięciu godzin. Półroczny pies powinien kontrolować swoją fizjologię, a ten co? Leje jak niemowlę. Wstyd i hańba. A żeby jeszcze było mało tych wybryków, to wredny kundel zagryzł skórzane kapcie pana domu. I to akurat te nowiuśkie, reprezentacyjne, prosto z Zakopanego. Wygrzebał z szafy i zamęczył, bez litości. Ale podobne okrucieństwo wobec kapci nie ujdzie mu na sucho. Nie w porządnym domu! By pokazać ogrom swego słusznego gniewu, pani Tanowa podkreślała każde zdanie uderzeniem smyczy, na co piesek odpowiadał rozpaczliwym skowytem. Wiesiek wytrzymał dziesięć razów i spanikowany uciekł do mieszkania.

– Pies? – zainteresowała się Halina, wysuwając lewe ucho zza słuchawki. – Jak się wabi?

Tego akurat Wiesiek zupełnie nie zapamiętał. A powinien był, powinien. Przecież Halina tyle razy mu powtarzała, że lubi wiedzieć takie rzeczy. Po co?

– Ty się, Wiesiek, nie pytaj, po co, tylko bardziej skup następnym razem.

Czyli trzy dni później, wczesnym wieczorkiem. Halina wcinała właśnie odsmażany teleturniej, kiedy w salonie Tychnowych rozległ się łomot, a chwilę później pisk. I jeszcze jeden, a potem głuche uderzenia i jak zwykle skowyty. Wiesiek od razu podbiegł do drzwi, by wyłapać imię winowajcy. Co nie było łatwe, bo pośród wielu razów padło niemało wymyślnych nazw. Zawszona Fleja, Durny Pikuś, Brudny Kundel, Kudłate Zero i parę innych, mocniejszych, świadczących o bogactwie językowym nowych mieszkańców siódemki. Wiedziony intuicją Wiesiek obstawił Pikusia. I słusznie, jak się okazało nazajutrz. Tym razem Pikuś dostał za szczeniackie zabawy na korytarzu. Dwanaście chlaśnięć skórzaną smyczą z powodu trzydziestu centymetrów winylowej tapety z Tesco. Po wymierzeniu zasłużonej kary zmachana pani Tanowa oznajmiła, że miałeś, Pikuś, szczęście, bo następnym razem... to zobaczysz, sukinsynu jeden. Buda!

– Pikuś – potwierdził Wiesiek, szukając w apteczce uspokajających kropli. – Dzisiaj oberwał za tapetę. W kolorze „niebiańskiego spokoju" – dodał szybko, czytając w myślach żony.

– Co to za ludzie, Cinowi? – zastanawiała się Halina. – Ty ich widziałeś?

Wiesiek wzruszył ramionami. Niby widział kilka razy, ale żeby tak ze szczegółami opisywać, to nie. Więc jak ich znowu spotkasz, to się przyjrzyj dokładniej. Od stóp do głów, poleciła Halina, wracając do pałaszowania telełakoci. To się przyjrzał, jeszcze w tym samym tygodniu. Wracał właśnie z osiedlowego spożywczaka. Tuż przed blokiem zauważył przysadzistą szatynkę szarpiącą miniaturowego kundelka, który usiłował obwąchać krzaczek róży. Tanowa, jak nic, uznał Wiesiek i przystąpił do szczegółowych obserwacji obiektu. Zaczął od stóp, zgodnie ze wskazówkami Haliny. Stopy jak stopy, przytwierdzone do masywnych nóg wbitych w przyciasne śnieżnobiałe biodrówki. Za czasów Wieśka takie spodnie wkładało się wyłącznie na mokro, zwykle pod prysznicem. Ale jak już wyschły na blachę, szczelnie oblepiając pośladki, nawet o siadaniu nie było mowy. Co najwyżej mógł się człowiek oprzeć o meblościankę i udawać intelektualistę, sfrustrowanego szeroko pojętym uciskiem. Oraz wynikającym z niego brakiem perspektyw. Na szczęście dżinsowe pancerze cnoty szybko trafiły do lamusa, a zabawy nabrały imponujących rumieńców. Ale jak widać, moda lubi akcenty masochistyczne, może dlatego, że tworzą ją prawdziwi dyktatorzy, skonstatował Wiesiek, przyglądając się biodrówkom opinającym rozłożysty kontrabas pani Tejnowej. Nad nimi zauważył mrozoodporny wałek, chętnie eksponowany zimą przez gorące dziewczęta z przedmieść. Nad wałkiem zaś – różową bluzeczkę z poliestru. Co do twarzy Wiesiek zwrócił uwagę na oczy. Puste spojrzenie bufetowej znużonej wydawaniem tysięcznej porcji ruskich ze skwarkami. Poza tym nic szczególnego. Grube policzki poznaczone bliznami po trądziku. Chropowaty od zaskórników nos, usta w perłową kreskę, brwi w niteczki. Włosy sfilcowane zabiegami w osiedlowym salonie fryzjerskim „Trendy Manuela". I to wszystko.

– Tylko tyle? – zdziwiła się Halina. A gdzie informacje na temat budowy szyi, rozmiaru biustu, kroju sandałów, ilości zębów, koloru plomb, tuszu i pasemek na włosach? Co z biżuterią i dodatkami, typu torebka?

– Miała tylko smycz.

– No a perfumy? Rozpoznałeś, czego używa, to przecież strasznie ważna wskazówka!

– Miałem ją obwąchiwać jak pies? Żebym dostał smyczą po głowie? – zdenerwował się Wiesiek. – Już wystarczy, że obrzuciła mnie spojrzeniem jak wygłodniałego boksera.

– Trzeba było się nie ślinić – poradziła Halina, starannie kamuflując wszelkie oznaki zazdrości.

– Takim perwersem to ja nie jestem, żeby dostawać ślinotoku na widok kawałka tłustego...

– Twoje perwersje zupełnie mnie nie interesują – przerwała mu Halina, nerwowo przerzucając kanały. – Interesuje mnie natomiast wrażenie, jakie robisz na mieszkańcach naszego Osiedla. Interesuje i niepokoi zarazem.

– A to czemu?

– Czemu, czemu. Powinieneś się domyślić, że jeśli pożerasz młodą kobietę wilczym wzrokiem, łatwo o niesmaczne skojarzenia. Potem ja wychodzę na Osiedle i muszę świecić oczami. – A baterie już nie takie jak za młodu. – Samotnie stawiać czoła obrzydliwym plotkom.

– Przecież kazałaś mi się przyjrzeć Tejnowej dokładnie, od stóp do głów – tłumaczył się Wiesiek.

– „Dokładnie" nie wyklucza dyskrecji. Następnym razem musisz być bardziej transparentny. Jak puder.

Następnym razem nawet się nie przyznam, że ich spotkałem, przysiągł sobie Wiesiek, wymykając się do kuchni, by ochłodzić ciało i umysł świeżym arbuzem. Wsunął trzy spore kęsy i już miał połknąć czwarty, kiedy jego uszy zaatakował nieludzki pisk. Że też Cinowi nie zadbają o dyskrecję, tylko ja się muszę bawić w partyzantkę, udawać niewidzialnego, sierdził się Wiesiek, nie zważając zupełnie na to, że za minutę, dwie kawałek arbuza skutecznie rozwiąże jego problemy z transparencją. Już, już miał opuścić znużone dzisiejszym upałem i latami stresów ciało, gdy do kuchni wkroczyła Halina. Palnęła w sine plecy Wieśka z ogromną mocą, uwalniając go od dziesięciu dekagramów arbuza, dwustu pęcherzyków płucnych i ostatniej, chwiejącej się siódemki (górna lewa, do ekstrakcji).

– To oszczędziliśmy na dentyście – oznajmiła, podnosząc ząb z podłogi. – Ale na przyszłość jadłbyś mniej zachłannie. Przecież cię nie głodzę ani nic. Nie wiem, skąd ta zwierzęca łapczywość.

– Musimy coś z tym zrobić – wykrztusił wreszcie Wiesiek, z trudem łapiąc oddech.

– Ty musisz. Bo przez te swoje akcje do grobu mnie

wpędzisz i wtedy zobaczysz, co to znaczy życie wdowca. Prawdziwe pasmo udręk, nie tylko w kuchni.

– Musimy coś zrobić z Tyminowymi – sprostował.

– Trzeba było myśleć dwadzieścia lat temu, kiedy inni dorabiali się willi za miastem. A teraz, tacy blokersi jak my, to mogą, co najwyżej o, tyle! – Halina pokazała Wieśkowi słynny gest trzech buddyjskich małpek i wróciła do pokoju, w sam raz na „Pierwszą miłość".

Niestety, Wiesiek nie jest buddyjską małpką, pewnie dlatego tak mu trudno zachować dystans. Po kolejnym koncercie smycz(k)owym Tychnowych postanowił poszukać sprzymierzeńca poza mieszkaniem. Zaczął od pana Tadeusza, znajomego z drugiej klatki. Może „znajomy" to za dużo powiedziane, ale co nieco ich jednak łączyło. Na przykład opadający balkon, tyle że u pana Tadeusza proces opadania zaczął się wcześniej, podobnie jak andropauza. Obu łączyło rozczarowanie z powodu emerytury, a już najbardziej – hippisowska i waleczna przeszłość, wspominana z rozrzewnieniem podczas przypadkowych spotkań w „Trendy Manuela".

– To były czasy, proszę pana... dziurawe kieszenie, za to w głowie barokowy przepych i fantazja. Na zewnątrz kraty, a w sercu powiew sierpnia. Dookoła szarzyzna, ale przed oczami różowe okulary. I te kobiety... Każda jak Telimena. A teraz? – rozkleił się pan Tadeusz. – Żeby człowiek wysmolił sagan gerovitalu, już nic nie będzie takie samo. Nawet prostata.

Tak, pan Tadeusz będzie idealnym powiernikiem, zdecydował Wiesiek. Wysłucha, zrozumie, może nawet sypnie garścią szczerego współczucia. I faktycznie sypnął, obficie.

– Źle pan trafił, panie....

– Wieśku – podpowiedział Wiesiek.

– Panie Wiesławie. Źle i tyle. Mnie też dopiekli, ci z dołu, wie pan. Prosiłem, żeby nie palili po północy na balkonie, bo cały dym wpada akurat do naszej sypialni. Ani okna otworzyć, a co dopiero porządnie przewietrzyć. Już nie chodzi o smród czy przyszarzałe firanki, ale ja na astmę choruję – zniżył głos, zawstydzony tym bolesnym zwierzeniem – i przez dym mam takie duszności, że strach nawet opowiadać. Jeszcze moja Zosia histerii dostaje. Piekło na ziemi. Po kolejnej wizycie pogotowia zaszedłem do nich i proszę, normalnie jak człowiek. Pokazuję recepty. Wie pan, co usłyszałem? Że są u siebie, na swoim własnym balkonie, więc mogą, cytuję: „nawet kupę walnąć, jak nas najdzie ochota".

– A pan może coś zrobić, poza kupą?

– To co i pan, panie Wiesławie. Czekać, aż nasze balkony runą wreszcie w dół. Mam tylko nadzieję, że moi kochani sąsiedzi będą wtedy w trakcie defekacji.

Zatem cała nadzieja w balkonie. Żebyśmy tylko z Pikusiem doczekali tej szczęśliwej chwili, pomyślał Wiesiek i na parę dni zaprzestał poszukiwań grupy wsparcia. Wytrzymał dwa, a potem poskarżył się Marianowi od szczęśliwych kóz.

– Niech mi pan nawet nie opowiada – przerwał mu Marian, odliczając resztę za mleko. – Wystarczy, że się naoglądam tego dziadostwa dookoła. Psy na metrowych łańcuchach albo w klatce jak dla królików. Bez budy zimą, bez wody latem. Zgroza. Dwutygodniowe kocięta wyrzucane w reklamówce na szosę. Prosto pod koła

TIR-ów. Kulejący koń, którego się zaprzęga do orki na dziesięć godzin. Tak zwane zdrowe chłopskie podejście.

– Ci z miasta też nie lepsi – dorzuciła swoje trzy grosze Jagiełłowa, wtedy jeszcze baba od jaj. – U sąsiadki była rodzina z Poznania. Eleganccy, odprasowani, buty na błysk, zęby powstawiane, a na twarzy nieustający uśmiech. Przez tydzień ani „kurde" nie powiedzieli. Tylko same zdrobnienia i zachwyty nad cudownymi okolicznościami przyrody. Przed wyjazdem wzięli sobie królika, bo się córeczce Eleganckich tak spodobał, że dostawała histeryj na myśl o rozstaniu z ukochanym Uszatkiem. Po miesiącu Uszatek urósł dwa razy, więc już nie był taki milusiński. No to trafił którejś niedzieli do piekarnika Eleganckich.

Nikt nie umknie przeznaczeniu, pomyślał Wiesiek, nawet królik. Choćby uciekł do samego Poznania.

– I zjedli go ot tak, po prostu? – zapytał z niedowierzaniem.

– Do ostatniej kosteczki, tak im posmakowało. Podobno dzięki niemieckim granulatom, którymi Uszatka przez miesiąc rozpieszczali.

– Nowoczesny recycling – skwitował Marian. – Córeczce też podeszła pieczeń z maskotki?

– Na początku trochę marudziła, ale tatuś jej obiecał po wakacjach świnkę peruwiańską.

– Bywa całkiem smaczna, tylko trzeba odpowiednio przyprawić – rzucił Marian, nie kryjąc ironii. – Jeszcze żeby psy jedli, toby się ich tyle po lesie nie błąkało.

– Z tymi psami to faktycznie masakra – przyznała Jagiełłowa przekładając swoje dorodne jajka do Wieśkowej torby. – Ja tam wrażliwa nie jestem, ale strach na jagody iść, bo co kilometr można się natknąć na jakąś bidę przywiązaną sznurkiem do drzewa. A jedna ładniejsza od drugiej. Nie wiadomo, którą wybrać. Zupełnie jak w hipermarkecie. Taki asortyment.

– Niemożliwe – wyszeptał wstrząśnięty Wiesiek.

– Przejdź się pan po okolicy. Tu połowa ludzi ma psy z odzysku. I same rasowe.

– Ja sama przygarnęłam dalmatyńczyka, a rok temu dwa husky. O, latają właśnie po obejściu. Jak waryjaty – Jagiełłowa wskazała dłonią swoje podwórko, po przeciwnej stronie wąskiej uliczki.

– Też bym tak latał, ze szczęścia – przyznał Wiesiek.

– Toteż o łańcuchu mowy nie ma, zwłaszcza że husky swoje musi wydreptać.

– Przynajmniej ze sześć kilometrów dziennie – Wiesiek pochwalił się wiedzą zdobytą podczas rozmów z Bogdanem Prolem, wielbicielem Discovery i książek Curwooda.

– A dostaje poza rodowodem duszną klitkę w bloku i dwie przepustki dziennie na tak zwane siku. Potem się dziwić, że pies świruje i trafia do lasu. Gdzie czeka na cud w postaci pani Jagiełłowej.

– E, daj pan spokój z tymi cudami – speszyła się Jagiełłowa. – Znalazłam, to wzięłam. A teraz mi się marzy jakiś kanapowiec. Pekińczyk albo sznaucer. Najlepiej pieprz z solą, coby pasował do kompletu wypoczynkowego w salonie.

– Elegancko – wtrącił Marian ze złośliwym uśmiechem.

– Elegancję, panie, to ja mam głęboko w poważaniu. O sierść mi się rozchodzi, żeby tyle sprzątania nie było. No ale nie mam odwagi iść do lasu, bo zaraz się natknę na pięć innych nieboraków. A przecież nie wywalę swoich na bruk, żeby nowym zrobić miejsce. Taka miastowa to ja nie jestem. Dziesięć pięćdziesiąt się należy, razem z przepiórczymi. Może być równa dycha – sprostowała Jagiełłowa widząc żałosną minę Wieśka. – I głowa do góry. Niejeden pies ma gorzej.

Znakomite pocieszenie. Jeśli boli cię ząb, pomyśl o trędowatym, któremu właśnie odpadły obie powieki. Jeśli narzekasz na wysokość swojej renciny, pogadaj z rumuńskim żebrakiem. Tylko wybierz właściwego, żebyś nie nabawił się kompleksów. Jeśli uważasz, że Pikuś z sąsiedztwa ma ciężkie życie, przejdź się na fermę lisów, albo porozmawiaj ze znajomą Jagiełłową. Od razu ci ulży. A jeśli nie? Zawsze można poszukać życzliwego ucha u własnych dzieci.

Tak też postąpił Wiesiek. Odstawił torbę z jajami do Haliny rąk własnych i popędził na Górkę, do Patrycji. Tam, w gabinecie pani domu, którego nie powstydziłby się Erich Fromm, wyznał wszystko, począwszy od pierwszego skowytu aż do porannych pisków „dziś o szóstej, dlatego taki niewyspany jestem" – wyjaśnił.

– Co to za ludzie, żeby tak hałasować! – oburzyła się Patrycja. – Jak oni w ogóle wyglądają? Ojciec im się przyjrzał?

– Niby próbowałem, ale... – Merci za takie próby, powiedziałaby Halina.

– No i jacy oni są, Cinowi?

W tym rzecz, że zupełnie przeciętni. Zwyklaki, jakich pełno na każdym osiedlu. Zresztą jakie znaczenie ma wygląd Tejnowej, odważył się zapytać Wiesiek. Czy

Pikuś cierpiałby mniej, dostając batem od seksbombowca w skórzanych stringach? Czy jego skowyt brzmiałby bardziej melodyjnie, gdyby ćwiczyła go dyrygentka Opery Wiedeńskiej?

– Wszystko ma znaczenie – zapewniła Patrycja. – Wygląd, zapach, grubość portfela, wystrój balkonu, kolor auta. Nawet ilość naukowych publikacji w prestiżowych pismach...

– To ciekawe – wtrącił Łukasz, mąż Patrycji i sezonowy frutarianin – bo mój wuj ma ich mnóstwo, a biczem strzelał częściej niż cyrkowy treser. Mistrz ciosów poniżej pasa, z tytułem doktora habilitowanego.

– Ważne, że „poniżej". A zwykły magazynier tłukłby po twarzy, nie zważając, czy wybił komuś górną dwójkę albo roztrzaskał nos.

– Przykre tylko, że za niedźwiedzia służyli wujowi jego ukochani synowie.

– Specjalnie im to nie zaszkodziło, skoro Albert dostał stypendium naukowe w Tokio, a Edmund obronił doktorat z chemii.

I nosy obaj mają proste jak od linijki, przyznał w duchu Wiesiek, ale nie śmiał się odzywać, by nie stać się zarzewiem rodzinnej kłótni.

– No to jak w końcu z Tąnową? – wróciła do tematu Patrycja. – Naprawdę nic szczególnego ojciec nie dostrzegł?

– Jeśli już to... chyba oczy.

– Chytre?

– Ani chytre, ani okrutne, tylko przerażająco puste. Jakby tam, pod filcową czapką autorstwa Manueli...

– Zainstalowano programator z automatycznej pralki? – dokończył Łukasz. – Dlatego kobieta pierze dokładnie wszystko, co nie spełnia standardów czystości...

– Ale najgorsze, że tu – Wiesiek stuknął się w pierś – tu niczego nie ma. Ani miligrama życzliwości czy współczucia dla słabszych. Android.

– I to starego typu, bo te nowe potrafią przynajmniej udawać.

– Więc sąsiedzka pogadanka nie ma najmniejszego sensu – orzekła Patrycja z miną eksperta.

Tego Wiesiek sam się domyślił już po trzeciej nieudanej próbie kontaktu. Trudno konwersować z ludźmi, którzy nie odpowiadają na sąsiedzkie pozdrowienia.

– A może bym tak zgłosił...

– To nie na ojca możliwości – oceniła błyskawicznie Patrycja. – Tu potrzeba gościa z ikrą, nie ślimaka. Kogoś zaradnego i z charyzmą, jak, dajmy na to... – Umilkła, szukając idealnego przykładu. – Mam: ojciec Łukasza. To jest dopiero Mężczyzna.

Przez duże M, słyszał to nieraz od Haliny, zachwyconej Maurycym Pucharem. Palnie pięścią jak należy, huknie kontrabasem, kiedy trzeba. Nie boi się zagrać va banque, bo i tak zawsze zgarnie całą pulę. A jaki ma potencjał, westchnęła, nie zdradzając, co zrobiło na niej szczególne wrażenie. Utytułowani znajomi, bogata biblioteczka, ambicje godne Billa Gatesa czy też imponujące drzewo genealogiczne, które Maurycy Puchar zaprezentował podczas pierwszego z trzech spotkań rodzinnych. A może znakomite geny, które pozwalają mu na beztroską konsumpcję przeterminowanych parówek z hipermarketu? Sam Wiesiek zapamiętał Maurycego jako nerwowego człowieczka o wyłupiastych oczach, który bez przerwy wydzwaniał do Stefana czy Wacka, nakazując mu zmienić kolor płytek w toalecie. Ale natychmiast, bez dyskusji! Przy tłustym rosole zaserwował obrzydliwy kawał o blondynkach, który jasnowłosa Halina przyjęła z uroczym uśmiechem. A kiedy bez szemrania przełknęła stek bzdur na temat zalet GMO, Wiesiek uznał, że to musi być człowiek z charyzmą. Albo hipnotyzer. Każdy inny zostałby zmiażdżony jak aluminiowa puszka.

– To jest dopiero Mężczyzna – zachwycała się dalej Patrycja. – On by załatwił sprawę Tychnowych w kilka godzin.

– Tylko że teraz jest bardzo zajęty...

– No właśnie, nie próżnuje! – wtrąciła Patrycja, rzucając ojcu znaczące spojrzenie.

– Jest zajęty dekorowaniem drzewa genealogicznego – wyjaśnił Łukasz, mocno zażenowany. – Skupuje jakieś monidła przedstawiające nieznajomych wąsaczy w przyciasnych kontuszach. Obwiesza salon porożem i szablami z Grzegórzek. A moim zdaniem powinien se powiesić łopatę albo gumiaki, wypchane owsianą słomą.

– Ty na ojca nie narzekaj – zgromiła go żona. – Ciężko pracuje, żeby wykreować wizerunek rodu. A mój? Nudzi się jak mops i z tych nudów tylko głupoty mu w głowie.

Uwagi jedynaczki ubodły Wieśka tak dotkliwie, że też postanowił upiększyć swoje skromne drzewko. Udał się nawet na targ staroci w poszukiwaniu odpowiednich błyskotek. Znalazł kilka przedwojennych lampek, dzięki którym wątłe gałązki prezentowałyby się bardziej intrygująco. Nie ma to jak odpowiednie oświetlenie, pomyślał Wiesiek i już wyjął portfel, już miał zacząć się targować, kiedy poczuł, jak mu płoną uszy. Jeszcze chwila i ogień zajmie resztki baków. Potem ogarnie policzki i dopiero wstyd. A najgorsze, że w tej pożodze Wiesiek może stracić twarz, i co wtedy? Niestety, musi się wycofać, bo zaraz spłonie. No i z dekorowania nici.

– Dobry retusz to podobno połowa sukcesu, ale znowu takie drzewo to nie byle plastikowa choinka, żeby je obwieszać świecidełkami – odezwał się Bogdan, wysłuchawszy tydzień później opowieści zawstydzonego własną niemocą Wieśka. – Zresztą po co?

– Tak zwana nekromania – wyjaśnił Bolek zajęty rozplątywaniem sznurkowej drabinki – bardzo poprawia samoocenę i pozwala zabłysnąć w towarzystwie.

– A nie lepiej zadbać o własną gałązkę? – spytał Bogdan, przygotowując szpadel do wielkiego kopa.

Zadbać o własną gałązkę, łatwo powiedzieć młodym, silnym, z perspektywami. A jeśli komuś brak odwagi i przede wszystkim czasu? Jeśli już za późno na wielkie czyny i można je co najwyżej wymyślić? Nie bez powodu to dziadkowie opowiadają najciekawsze bajki.

– Można również zmobilizować do działania własne dzieci – dodał Bolek, ofiara podobnych nacisków ze strony rodziny. – Ja, na przykład, miałem podbić świat jako drugi Jagger, i proszę – wskazał dłonią górę piachu. – Zresztą zrobisz, co zechcesz, Wiesiek. Każdy ma jakieś zboczenia. Jedni dorabiają nieboszczykom złote zbroje, a inni dla kilku słów prawdy kopią dwudziestometrowe doły.

Po tej rozmowie Wiesiek dał sobie spokój z lukrowaniem przeszłości i z ulgą odstawił drzewko do piwnicy. Właśnie – ulga. To jest to, czego nie czuł od paru tygodni. A wszystko przez sąsiadów spod siódemki. Dlatego chętnie by dziś opowiedział chłopakom o kłopotach z Tąnową. Zrzuciłby z wątroby parę kilo trosk, i może razem wymyśliliby jakieś zadowalające Pikusia wyjście. Ale znowu kiedy Wiesiek sobie uświadomi, że dzięki histerii Patrycji zyskuje kolejny tydzień, to mu jakoś cieplej na sercu. Bo na myśl o rychłym zakończeniu radosnej współpracy coś go chwyta za gardło i dusi. Zupełnie jak podczas słuchania smutnych ballad Nohavicy. Ale do tego w życiu się chłopakom nie przyzna; umarłby ze wstydu. Poza tym Wiesiek nie potrafi się narzucać, zupełnie. Woli już poczekać na inicjatywę odważniejszych, nawet jeśli ma świadomość, że czas śmiga coraz prędzej. Zatem cała nadzieja w Bolku i jego fantazji. Może się domyśli i zorganizuje kolejną akcję protestacyjną. W końcu ma wprawę jako rozgoryczony wyrobnik zdychającej od dekady służby zdrowia. Pożyjemy, zobaczymy, a tymczasem trzeba Wieśkowi biec do garażu, uruchomić schorowanego malucha. Potem cztery kwadranse w ulicznym smogu i wreszcie dowie się, o co chodzi z tym rozwodem Patrycji.

Wpadł do mieszkania córki nieco spóźniony, jak zwykle przez auto. Na Płaszowskiej dostało takiego ataku kaszlu, że już miał wzywać pogotowie techniczne.

– Ale w końcu atak minął i udało nam się doturlikać.

– Ojciec powinien z tym coś zrobić w końcu – przypomniała mu Patrycja, jak co tydzień od jesieni dziewięćdziesiątego ósmego, kiedy kaszlak zawiódł po raz pierwszy.

– Przecież parkuję na innym osiedlu, żebyś nie musiała się krępować – wyjaśnił Wiesiek, stawiając na konsolce w holu dwie łubianki z dukatami.

– Ja mówię o radykalnym rozwiązaniu, a ojciec jak zwykle półśrodki.

Wiesiek mógł powiedzieć, że na radykalizm chwilowo go nie stać, bo prawie wszystkie oszczędności życia wydał na gruntowny remont mieszkania córki, w tym imponujące wyposażenie jej kosmicznej kuchni i hiszpańskie flizy na taras, ale po co? Znowu usłyszy, że jest sknerusem, który wylicza własnemu dziecku każdy darowany grosz.

– Może zgłosimy malucha do programu „Stary, odpicuj mi brykę" – zaproponował Łukasz, podając teściowi grabę. – Jeny, ale truskawy. Tata wie, jak nam dogodzić.

– Ty się ojcu nie podlizuj – zgromiła go żona. – Nic ci nie pomoże.

– Aż tak nabroiłeś? – zdziwił się Wiesiek.

– Nabroił? – prychnęła zirytowana Patrycja. – Nie dość, że mnie wykańcza nerwowo, to nawet o sąsiadów już nie dba. Ma za nic ich opinie.

– A czemu miałbym dbać o zdanie buraków, którzy co wieczór wystawiają pękaty wór śmieci na wycieraczkę?! – zdenerwował się Łukasz.

– Głośniej, niech usłyszą, jak ich nazywasz!

– A niech usłyszą. Może częściej będą odwiedzać śmietnik, zamiast urządzać go na klatce!

– Ale co się właściwie stało? – dopytywał się Wiesiek.

– Niech sam opowie! Niech się pochwali, jak taki chojrak! No, proszę!

– Opowiem, choć uważam, że to sprawa nas dwojga, a nie...

– W naszej rodzinie nie ma sekretów – przypomniała zasady Patrycja. – Zresztą skoro nie wstydzisz się tak zwanej Opinii, to przed ojcem też nie musisz się krępować!

– Może lepiej, jeśli...

– Niech się ojciec nie wtrąca, tylko słucha!

– Więc chodzi o to, że...

– Chodzi o to – przerwała zniecierpliwiona Patrycja – że mój szanowny małżonek postanowił zostać naturystą. Więc od tygodnia chodzi nagi po mieszkaniu. W godzinach wieczornych, przy odsłoniętych żaluzjach!

– I?

– Co „i”? To mało jest? – wybuchła.

– No wiesz, gdyby to był obcy facet, ale własny mąż...

– Gdyby to był obcy facet, już dawno wezwałabym policję. A tak jestem bezbronna! Molestowana we własnym domu! – użalała się Patrycja, próbując wycisnąć kilka łez.

– Jak to, molestowana? Przecież nawet cię nie dotknąłem!

– Dotykasz mnie codziennie, paradując ze wszystkim na wierzchu!

– Przez siedem lat małżeństwa mogłaś się chyba przyzwyczaić do „tego wszystkiego”!

– Ty mi ze świństwami nie wyjeżdżaj, wstydu nie masz przy własnym teściu! – odparowała Patrycja.

– Z jakimi świństwami? – zainteresował się Wiesiek.

– Ja wiem, że to trudno sobie wyobrazić, bo za ojca czasów nie było mowy...

Oj, zdziwiłaby się Patrycja, gdyby jej ojciec opowiedział, o czym była mowa za jego czasów. Piątkowe szaleństwa między regałami w dziale kadr, rozbierany poker w archiwum, swawolne pląsy podczas Majowych Dni Hutnika w Kryspinowie, imponujący kankan pani Dziuni z mechanicznego i dużo innych rozrywek w kolorze pink. Może w kryzysie ludzie czasem udawali, że pracują, ale bawili się naprawdę i na całego. Było, minęło i jedyne, co zostało Wieśkowi z tamtych lat, to para przyciasnych dzwonów ukryta w garażu i czarnobiała, źle skadrowana fotka z sylwestra siedemdziesiąt cztery. Resztę zdjęć Halina podarła, argumentując, że tandetnie na nich wyszła, grubo i w ogóle bez sensu. Zresztą po co komu żałosne wypociny domorosłych fotografów? Nie dość, że robią niepotrzebny zamęt w głowie, to jeszcze zagracają szafę w wąskim jak kiszka przedpokoju.

– A to zaburza delikatną równowagę jin i jang, i potem się człowiek dziwi, skąd kłótnie oraz swary. Obwinia się halny albo żonę – pouczyła męża, drąc kolejne zdjęcie.

Ta jedna fotka ocalała całkiem przypadkowo. Przeleżała sobie spokojnie na dnie szuflady chybotliwego biurka z okleiną w kolorze lipy. Wiesiek natknął się na nią, przygotowując stanowisko pracy dla szczęśliwego następcy i zarazem szwagra kierownika działu. Wśród pożółkłych papierzysk i starych rachunków znalazł czarno-biały strzępek przeszłości. A na nim z trudem rozpoznał siebie i Halinę. Oboje roześmiani, w hippisowskich tunikach, z burzą blond loków sięgających ramion. Dwa pijane, źle ostrzyżone pudle, orzekłaby Halina, gdyby zdjęcie wpadło w jej nakremowane do połysku dłonie. Na szczęście Wiesiek dba o to, by nie wpadło, bo ów strzępek nie pozwala wyblaknąć wspomnieniom. Dzięki niemu Wieśkowi łatwiej uwierzyć w to, że kiedyś byli z Haliną radośni, beztroscy, a nawet zakochani.

– Sam ojciec widzi, co tu się wyprawia! – usłyszał z oddali Wiesiek i od raz runął z obłoków na chłodną terakotę w salonie córki. Chciał powiedzieć, że zna gorsze nieszczęścia niż naturyzm, ale nie będzie drażnił Patrycji, bo naprawdę się wścieknie i dopiero będzie. – Czysta pornografia!

– Zadziwiający oksymoron, zwłaszcza w twoich ustach – skwitował Łukasz, nerwowo obrywając szypułki z truskawek. – Poza tym, o ile mi wiadomo, pornografia służy seksualnej stymulacji. A ja tu nie widzę nikogo podnieconego!

– Ten człowiek mnie zabije! – ryknęła Patrycja, zapominając na chwilę o wrażliwych uszach sąsiadów.

„Ten człowiek". Ile zażartych kłótni potrzeba, by zastąpił dawnego Misia? Ile cichych dni i przepłakanych nocy? Ile drobnych jak igiełki szronu rozczarowań? Sto, dwieście, pięć tysięcy? Ale kiedy już zasiądzie na małżeńskiej kanapie, to zły znak. Bo z „tym człowiekiem" nie da się budować niczego głębszego, trudno o zaufanie, a jeszcze trudniej o wspólne marzenia. Można z nim najwyżej dzielić salon i cierpliwie spłacać raty. Nic więcej.

– Skoro nie potraficie się dogadać – wtrącił Wiesiek. – To może separacja? Pomieszkacie osobno, przemyślicie to i owo...

– Osobno, osobno?! – eksplodowała purpurową złością Patrycja. – Tyle forsy włożone w dębowe parkiety! Świeżo wymieniona wanna z hydromasażem, przesuwane szafy, dekoracyjne tynki w kuchni, hiszpańskie płytki na tarasie, niespłacone domowe kino, a ty mówisz o separacji! Ładny mi ojciec, co rozbija małżeństwo własnej córce!

– Przecież sama wspominałaś o pozwie! – poparł Wieśka zięć.

– Z rozpaczy! I liczyłam na to, że ojciec wesprze mnie w tej nierównej walce! Że stanie po mojej stronie, jak należy!

I co ma Wiesiek na to powiedzieć? Że od paru lat wolałby trzymać stronę Łukasza? Owszem kocha Patrycję, tylko... tylko coraz mniej ją rozumie jako człowieka. Nie, nie chodzi o zwykłe przepychanki rodzice kontra dzieci. Problem Wieśka polega na tym, że coraz częściej czuje się Patrycją zażenowany. Zawstydzają go jej poglądy i wybory, rozczarowują ludzie, których podziwia, i cele, ku którym pędzi bez zastanowienia. Jak to możliwe, że on, wielbiciel szeroko otwartych okien, wychował amatorkę przyciasnych szufladek z plastiku? Gdzie zawiódł i czego nie dopilnował? A może to nie rodzice wychowują, tylko okoliczności? Suma przypadków, z których składa się życie? Bo czy Wiesiek zostałby hipisem, gdyby nie spotkał w dziale kadr pięciu luzaków, hodujących konopie indyjskie na biurowym parapecie? Czy Halina zapuściłaby wąsy, gdyby jej małżonek nie roztrwonił całej ikry na bezsensowne szarpaniny ze strażnikami socjalizmu?

– Inny toby rękawy podwinął i pokazał zięciowi,

gdzie jego miejsce! – ciągnęła Patrycja, pokazując wnękę obok kaloryfera. – Ale mój ojciec, oczywiście, potępia przemoc. Pacyfista jeden!

– Przepraszam...

– „Przepraszam" nie wystarczy. Może kiedyś, za ojca czasów... ale dziś? Dziś liczą się konkrety, nie puste słowa.

Puste słowa. Przepraszam, dziękuję, proszę, kocham cię, tęsknię, zadzwonię, chętnie pomogę, możesz na mnie liczyć, będzie dobrze.

– To może już pójdę. – Wiesiek sięgnął po swoje zamszowe sandały z Tomexu, wstydliwie ukryte w szafce z tekowego drzewa, kupionej za jego oszczędności.

– No oczywiście! Najlepiej się obrazić i uciec. Niech sąsiedzi mają ubaw! Niech plotkują!

– To co mam zrobić? – Wiesiek poprosił o wytyczne.

– Chociaż herbaty by się mógł ojciec z nami napić, jak cywilizowany człowiek.

Wiesiek wprawdzie wolałby zwykłą zimną wodę, ale nie będzie grymasił. Pięć przegranych od rana potyczek w zupełności mu wystarczy. Po co prowokować następne? Zresztą Halina już mu wyjaśniła, że herbata, nawet gorąca, jest bardzo jin, więc, choć pozornie parzy gardło, to tak naprawdę porządnie wychładza. Zwłaszcza czarna, sztucznie aromatyzowana.

– Bardzo dobra – pochwalił Wiesiek, pracując nad międzypokoleniową zgodą.

– Świetna – zmęczony małżeńską wojenką Łukasz też postanowił wywiesić białą flagę. – O aromacie już nie wspomnę. Ty, Pati, powinnaś pracować jako kreatorka perfum.

– Daruj sobie – odparła żona, ale źdźiebko łagodniej. Każdy lubi gustownie zapakowane komplementy. A poza tym ileż można się pojedynkować w taki upał?

– A co u taty? – Łukasz szybko zmienił temat.

– Ot, taka wegetacja, byle do przodu – westchnął Wiesiek. – Dzień podobny do dnia, tyle że każdy kolejny coraz krótszy i... Nie, żebym narzekał – dodał, widząc minę córki. – Bo to grzech, a są tacy...

– Których nie stać na chleb z margaryną – przypomniała mu Patrycja.

– Właśnie. Dlatego w sumie... to mogę powiedzieć, że... jest całkiem, całkiem... – długo szukał odpowiedniego słowa – okej.

– A treserzy z dołu? Dalej trzaskają z bicza?

– Niestety.

– A teściowa... znaczy mama – poprawił się Łukasz – jak sobie radzi?

– Kupiła porządne słuchawki i ma spokój. A ja zupełnie nie wiem, co robić – przyznał się Wiesiek, blednąc na wspomnienie skowytów Pikusia.

– Ojcu to się naprawdę nudzi na tej emeryturze – zirytowała się Patrycja. – Zamiast wykorzystać ostatnie lata, cieszyć się życiem, to sobie szuka i szuka problemów. Ciągle coś jest nie tak, ciągle coś uwiera, gniecie, drażni. I potem się dziwić, że na Zachodzie mają nas, Polaków, za malkontentów. Takich, co to wiecznie marudzą, a nic nie zrobią.

– Mógłbym zawiadomić TOZ – bąknął Wiesiek.

– A widział tata tych inspektorów? – Wiesiek pokręcił głową. – Ale dawne księgowe z Kombinatu tata pamięta?

– Te w czapie z lisa, co się kiwały na krześle dłubiąc zapałką w złotej czwórce? Pewnie że pamiętam.

– Albo tę rudą z ZUS-u, co nam kazała czekać kwadrans, bo „kawę muszę skończyć, zanim mnie wystygnie". To ci inspektorzy mogliby robić za ich mężów. Ale trzeba przyznać, że są wyjątkowo uprzejmi dla petentów.

Wiesiek nic nie powiedział, bo i po co, skoro wszystko jasne. Dopił herbatę i zgarbiony opuścił gniazdko państwa Pucharów. Z tej bezsilności coś mu weszło w plecy za łopatkami, więc się umówił na ajurwedyjski masaż u Zygmunta Bancha Mung, znajomego sprzedawcy majtek, trenera karate i podobno osiedlowego mistrza zen.

– Oj, ciuję ogromny kamień – oznajmił Zygmunt, polewając ciepłym olejkiem zmęczone plecy Wieśka – Duzio problemu?

– Niby niedużo – westchnął Wiesiek.

– Wiesiek opowie wsistko, nie wstydzi, ja sporo rozumiem. A kamień znika bez śladu.

Zachęcony ciepłym głosem Zygmunta Wiesiek zaczął opowieść o psie sąsiadów i własnych, żałośnie nieudolnych próbach szukania pomocy. Wyrzucił z siebie lawinę trosk, a kiedy skończył, odetchnął z ulgą. Ale pięć sekund później napiął się znowu, zawstydzony własną wylewnością i rozmiarem problemu, który uwierał go bardziej niż słynne ziarenko grochu.

– Ja wiem, że robię z igły widły – tłumaczył się, speszony – a tyle jest prawdziwych nieszczęść na tej ziemi. Tylu bezdomnych w Indiach, tylu chorych na raka, w Azji huragany, Afryka wymiera, a w Brazylii...

– Wspominają karnawał i sikują nastepny – dokończył Zygmunt. – Pewnie, zie na świecie duzio zła, ale najbarciej boli to, co najbliziej.

– No. boli – przyznał Wiesiek. – Ale was to może śmieszyć.

– Niby ciemu?

– Bo ja tu o bzdurach gadam, a przecież wy, Wietnamczycy jecie podobno psy, a nawet koty.

Zygmunt zapewnił, że jeszcze nie skosztował żadnego. Nie wie też, jak smakują ciała innych zwierząt, bo wychował się w rodzinie buddystów. I jest wegetarianinem od poczęcia, a kto wie, może dłużej?

– Respekt dla zicia – wyjaśnił, rozmasowując energicznie Wieśkową łydkę.

– Ale i dystans do całego świata – skwitował Wiesiek, przypominając sobie trzy słynne buddyjskie małpki, które nie chcą widzieć, słyszeć ani tym bardziej protestować.

Dystans, pomyślał Zygmunt, to czasem jedyny sposób, żeby nie utonąć w morzu ludzkich cierpień i własnej rozpaczy. Ale żeby w pełni to pojąć, trzeba się urodzić nad Zatoką Tonkijską. Albo chociaż spędzić kilka dni na przedmieściach Kalkuty. Dystans jednak nie musi wcale oznaczać obojętności.

– Wiem, słyszałem o buddyjskiej zasadzie współczucia – pochwalił się Wiesiek informacjami od Bogdana Prola. Otóż Bogdan oglądał zimą cykl programów o religiach świata i natrafił na odcinek poświęcony buddyzmowi. Dowiedział się z niego, że wszystko jest cierpieniem, ale też wszystko przemija. Ból, choroba, rozpacz. Niestety, także radość, nawet ta wyższego sortu, uzyskana dzięki ascezie czy medytacji. By się wyrwać z zaklętego kręgu, trzeba zapomnieć o wszelkich pragnieniach. Jedyne, co nam wtedy zostaje, to współczucie. Dla ludzi, zwierząt, kamieni, deptanych źdźbeł trawy, nawet dla zeszłorocznego śniegu. Wszystkim po równo, co Wieśkowi jakoś dziwnie się kojarzy z obojętnością. Bo oto siedzisz sobie bezpiecznie w pozycji lotosu i z błogim uśmiechem obserwujesz szarpaninę na dole, współczując jednakowo udręczonym i dręczycielom. A jeśli nikogo nie wyróżniasz, czym jest wtedy współczucie?

Zygmunt przypomniał sobie, że już kiedyś zadano mu to pytanie, i nagle posmutniał.

– A jak pomyślę – ciągnął Wiesiek, napinając dopiero co rozmasowane barki – że mój „błogi uśmiech" niczego nie zmieni, nie zresocjalizuje Tychnowych i nie złagodzi cierpień Pikusia, to targa mną dziesięć razy bardziej.

– Zmieniając swoje nastawienie, osiągniesz spokój i...

– Gdybym szukał spokoju, kupiłbym stoppery i po sprawie – przerwał mu Wiesiek, rozsierdzony. – A ja w nosie mam spokój i nirwanę. Chcę pomóc Pikusiowi, tylko tyle!

– Nareście – odetchnął Zygmunt, wycierając tłuste od olejku sezamowego dłonie. – To teraz Wiesiek posłucha, ciemu Zigmunt wybrał waś kraj.

W osiemdziesiątym pierwszym Zygmunt Bancha Mung, wtedy jeszcze Phuoc Huu („Ten, który zasługuje na szczęście"), wygrał na loterii życia złoty los. Tuż po studiach technicznych skierowano go do fabryki w Ostrawie na całoroczny staż. Ach, jak się cieszył, wyobrażając sobie, co też go czeka w tej Ostrawie, mieście nowoczesności i dobrobytu. Aureoli z czarnych gwiazd, jak śpiewa Nohavica. Sprawne maszyny, czyste hale, wygodne dwuosobowe pokoje w hotelu pracowniczym, pyszne egzotyczne wypieki, i międzynarodowy zespół złożony z samych specjalistów. Na samą myśl, że wreszcie zobaczy z bliska autentycznego Europejczyka, szybciej biło mu serce. Ci podrabiani, z Moskwy, składali czasem niezapowiedziane wizyty kontrolne w jego wzorcowym zakładzie, w Thanh Hoa. Widział też, w dzieciństwie, kilku Amerykanów, ale zawsze z daleka i niekoniecznie na żywo. Teraz zaś Phuoc Huu ma niepowtarzalną szansę na pełnowartościowy kontakt z bogatą europejską cywilizacją. Bliskie spotkania trzeciego stopnia przy fabrycznej taśmie w hali numer 7.

Zaraz na drugi dzień po przyjeździe z Pragi Phuoc Huu stawił się, wraz z dwudziestką rodaków wybrańców, przed bramami fabryki w Ostrawie. Ogromny strażnik zaprowadził ich do działu przyjęć dla obcokrajowców, gdzie wszyscy otrzymali jednakowe, nieco przyduże ubrania robocze, z dopiętymi do kieszonek identyfikatorami. Na każdym kod, pewnie zamiast zdjęcia, domyślił się Phuoc Huu, a pod kodem kilka zabawnych obrazków. Trójkącik musi oznaczać płeć; identyczny widział na drzwiach toalety męskiej, w hotelu robotniczym. Pojemnik z wodą – przybysza zza mórz, zaś nad resztą znaczków nie miał czasu się zastanawiać, bo zaraz rozdzielono ich na podgrupy i zapędzono do różnych hal. Phuoc Huu trafił do najlepszej, gdzie pracowali cudzoziemcy z całej Europy, a nawet Kuby. Wreszcie zobaczył z bliska: Jugosławianina, Słowaka, Rumuna, Niemca z NRD, Węgra, dwóch Bułgarów i całe mnóstwo Czechów. A wszyscy podobni do siebie kubek w kubek. I tacy roześmiani, zwłaszcza na jego widok. Bardzo przyjaźni ci Europejczycy, ucieszył się Phuoc Huu i zajął swoje miejsce przy taśmie pełnej śrubek. Pięć godzin później w hali zabrzmiał dzwonek, taśma zatrzymała się, a wtedy wszyscy wstali, by udać się na obiad do pobliskiej stołówki. Zygmunt nabrał sobie na talerz dużo pszenicznej kaszy, mięso oddając Bułgarowi, za co ten przyjaźnie poklepał go po ramieniu. Znalazł wolny stół i ledwie usiadł, zaraz dołączyli do niego dwaj Czesi, Niemiec z NRD, Węgier i Albańczyk. Wszyscy roześmiani. Phuoc Huu odpowiedział uśmiechem i zajął się pałaszowaniem pęczaku. Już prawie kończył, kiedy do stołu podszedł ponury Polak. Przywitał wszystkich, postawił talerz dymiącej zupy tuż obok miski Phuoc Huu, a potem podał mu pełną szram i zadziorów, żylastą dłoń.

– Kościelniak, Zygmunt – rzucił, czujnie obserwując egzotycznego sąsiada. Obmacał go nieufnym wzrokiem od stóp do głów i jeszcze raz, zaczynając od niebieskoczarnej czupryny. A potem, wskazując dłonią na serce nowego, zwrócił się z pretensjami do współbiesiadników. Ci odpowiedzieli chichotem. Rozsierdzony Polak chwycił za identyfikator Phuoc Huu, zerwał go jednym ruchem i rzucił po chamsku na stół, niemal trafiając w talerz Węgra.

– Paciemu? – zdołał wydukać przerażony niezasłużonym aktem agresji Phuoc Huu.

– Patamu, szto eta abyćnaja tykietka. Tykietka! Panimajesz?

Chłopak panimał wsjo. Od tej pory dreptał za ponurym Zygmuntem jak oswojona pekińska kaczka. Oddawał mu swoją porcję mięsa z sosem i robił masaż stóp, którego nauczyła go babcia. Zygmunt zaś długo mu tłumaczył, dlaczego warto walczyć do końca, nawet jeśli nie ma już nadziei. I że błogi uśmiech najlepiej wygląda w trumnie. Uczył go też podstaw polskiego. Wyjaśnił znaczenie trudnych słów: odwaga, niezależność i wolność wyboru. A kiedy przeszli do przyjaźni, w połowie grudnia osiemdziesiąt jeden wszystkich polskich robotników odesłano w trybie natychmiastowym do ojczyzny. Ktoś musiał ich zastąpić, więc przedłużono staże Wietnamczykom. Cieszyli się jak małe dzieci, tylko on jeden przesiedział cały wieczór w hotelowym pokoju, nie zapalając nawet nocnej lampki. Wtedy pomyślał sobie, że za szczęściem jednych kryją się łzy i przegrana innych. Tamtej nocy postanowił też, że koniecznie musi odwiedzić kraj, gdzie mieszkają ludzie równie dzielni i uczciwi jak Zygmunt.

Co udało mu się prawie osiem wiosen później. Podczas zawieruchy w osiemdziesiątym dziewiątym Phuoc Huu przedarł się do Polski przez zieloną granicę. Pięć dni później dotarł do Krakowa, gdzie znalazł gościnę u dalekiego kuzyna, spotkanego przypadkiem na jednym z targowisk. Kuzyn ułatwił mu kupno fałszywych dokumentów i karty stałego pobytu, z zezwoleniem na pracę.

– Jak chciałbyś się teraz nazywać? – zapytał, przeliczając swoją dolę.

– Zygmunt – odparł Phuoc Huu. – Bo to znaczy Odważny Tygrys.

Zamieszkał w trzyosobowym pokoju na Płaszowie i zajął się sprzedażą wietnamskiej bielizny. A w wolnym czasie szlifował ciosy karate i wymowę zgłosek zwartoszczelinowych. To ostatnie sprawiało mu więcej trudności niż dotarcie do czwartego dan. Próbował też odszukać Zygmunta. Niestety nie zapisał sobie jego nazwiska, a podczas prezentacji w stołówce był zbyt przerażony, by zapamiętać choćby pierwszą literę. A w ostrawskiej fabryce nie chciano mu ujawnić listy polskich robotników, okazało się bowiem, że nakłaniali do strajków resztę ekipy. Zygmunt postanowił cierpliwie przeczesywać osiedle po osiedlu, a kiedy wreszcie odnajdzie przyjaciela, podziękuje mu za wszystko. Ale najbardziej za ten jeden gest na stołówce, od którego wszystko się zaczęło.

A od czego ja mam zacząć, chciał zapytać Wiesiek, ale nagle uświadomił sobie, że już wie.

Wtorek

Jeden z tych rześkich styczniowych poranków, kiedy szpiki zamarzają w nosie, a palce stóp drętwieją, jakby je nażelowano lignokainą. Do przystanku podjeżdża emkaes efektownie wysrebrzony przez Dziadka Mroza. Połyka trzydzieści napchanych farszem z homo sapiens puchowych kurtek i leniwie toczy się dalej, po kolejną porcję mrożonego.

– Proszę jeden, studencki. – W stronę kierowcy wędruje czerwona łapka z przymarzniętą do kciuka dychą.

– Nie mam wydać. Niech rozmieni u podróżnych albo trzeba będzie wysiąść na następnym i kupić w kiosku.

– Czy ktoś z państwa ma rozmienić dziesięć złotych? – Cisza. – A może ktoś mógłby sprzedać mi bilet? – Wreszcie spośród kapturów, szalików i czapek wyłania się ludzka twarz.

– Słuchaj, ja ci mogę dać na bilet. No, nie rób takiej miny, to tyle co trzy bułki. Masz, trzymaj.

– Strasznie dziękuję – bąka właścicielka czerwonej łapy i jeszcze czerwieńszych policzków, i podaje kierowcy trzy parzące monety. – To ja poproszę ten bilet, ulgowy.

– Brakuje dziesięciu groszy.

– Jak to?

– Normalnie. Dopłata jest za dokonanie zakupu w pojeździe.

– Ale nie mógłby pan...

– Nie mogę, przepisy.

– Doniosłabym te dziesięć groszy do bazy zaraz po egzaminie, bo teraz bardzo się śpieszę...

– Ze swoich nie dołożę.

– Mógłby pan okazać okazać odrobinę empatii – prosi ludzka twarz.

– Nie wiem, co to znaczy.

– Dobrze, to ja wysiądę. Dziękuję za pomoc. – Łapka oddaje monety.

– Ty, nie bądź głupia – podpowiada szeptem sprytny. – Żaden kanar nie wyściubi dzioba w taki mróz.

– A nawet jeśli, to kucniesz i nie ma szans, żeby cię wyłuskał – dodaje inny.

– Przejedziesz zadekowana między puchówkami i zdążysz na egzamin z palcem w dupie.

– Ale ja nawet nie pomyślałam o kanarach. Ani przez chwilę.

– To już zupełnie nie rozumiem. Co ci da ten gest?

– Może nic.

– Słuchaj, znalazłam jeszcze dwadzieścia groszy – odzywa się ludzka twarz. – Możesz spokojnie kupić ten bilet i dojechać...

– Nie, dziękuję. – Czerwona łapka odpycha delikatnie bladą dłoń. – Już postanowiłam.

– Ale dlaczego?

– Czasem warto wysiąść w porę, zanim będzie za późno.

by nie wysiadła. Już wie, że to był błąd. Zamiast trwonić energię na efektowne gesty, powinna była stopić się z tłumem i spokojnie dojechać na egzamin. Z palcem w dupie, jak jej radził pewien mądry człowiek. Przez ostatnie siedem lat Irena Heron (pseudonim operacyjny Inka) sporo się nauczyła. Potrafi, na przykład, akceptować zmiany, na które nie ma wpływu. Umie nawet nadać im pewien sens. Pamięta też, by nie podchodzić zbyt blisko ognia. Optymalna odległość od centrum pożogi to dziesięć minut i jedenaście sekund. Nie ma ryzyka, że dotkną cię parzące słowa albo zajmiesz się od iskier i niepotrzebnie spłoniesz. A widoczność niemal doskonała, pod warunkiem, że się odpowiednio usadowisz. Niekoniecznie w pierwszych rzędach, za to odrobinę wyżej, wtedy obejmiesz wzrokiem całe widowisko. Naprawdę całe, bez wdawania się w jubilerskie szczegóły. Dopiero z dystansu możesz podjąć decyzję, czy warto zrobić krok bliżej. Zwykle nie warto, to też Inka wie.

Oczywiście takich umiejętności nie uczą na ekskluzywnych uczelniach Zjednoczonej Europy. Nie nabędziesz ich również, studiując mądre księgi ryżowych mistrzów. Żeby zdobyć ową cenną wiedzę, musisz wyjść między ludzi i nadstawić tyłek. Jednym wystarczy dwieście kopniaków, uparciuchom potrzeba pięć tysięcy. Inka, wyjątkowo pojętna już od szkoły, załapała reguły gry po kopniaku numer sześćdziesiąt sześć. Trzy następne nauczyły ją przyjmować porażki. Podobnie jak sukcesy: z pokorą i uśmiechem. Siedemdziesiąty zaś utwierdził w przekonaniu, że warto utrzymać dystans. A nawet zwiększyć go o jedenaście sekund. I nigdy nie mieszać spraw służbowych z osobistymi.

Zaczęło się od tego, że Pan T. miał problem z wyborem miejsca odpoczynku. Bali odpada; po tej strasznej tragedii nie mógłby beztrosko wylegiwać się na plaży. Nepal zwiedził, na Indie jeszcze nie jest duchowo przygotowany. Egipt go męczy, Zimbabwe nudzi, Indonezja przeraża tsunami, na Tajwanie groźne wirusy, a w Kolumbii porywają biznesmanów. Wygląda zatem, że zostaje tylko Dominikana, ewentualnie Meksyk. Bo Seszele to banalne wysepki dla panienek walczących o nic nieznaczący tytuł.

– A co pani myśli o Dominikanie? – zapytał Inkę, do niedawna stażystkę w dziale promocji i marketingu.

– Cóż, panie dyrektorze... – odparła, grzecznie się uśmiechając. – Trudno mi doradzać, bo ani ja, ani żaden z moich znajomych nie odwiedził JESZCZE Dominikany.

Pan T. natychmiast zrozumiał, że Inka nie należy do naiwnych, które łatwo zaczarować byle zaklęciem. A powinien się domyślić wcześniej; jako jedyna ze stu praktykantek dostała roczny angaż. Całe szczęście, że nie pośpieszył się z monologiem „Cudownie".

„Cudownie byłoby oglądać z panią wschód słońca na Manhattanie. A potem pójść na cappuccino z croissantem do tej maleńkiej cukierenki na rogu. Wie pani, tej z czerwonymi markizami. Szkoda, że nie możemy polecieć tam właśnie teraz, kiedy kwitną żonkile... ale może chociaż Wenecja? Też ma swój urok. Zwłaszcza w połączeniu z kieliszkiem doskonałego chardonnay. Ale wyłącznie ze szczepów z okolic Mâcon; inne zupełnie nie pasują do atmosfery Canale Grande. To jak?".

Normalna dwudziestolatka z prowincji padłaby ogłuszona już po informacji o czerwonych markizach, ale Inka? Pewnie zgasiłaby go samym spojrzeniem. Jak taniego podrywacza, który zaczyna tokowanie od tekstu: „Czy myśmy się już kiedyś nie spotkali?". Byłby wstyd, a tej emocji Pan T. wyjątkowo nie znosi. Odłożył zatem monolog na całkiem inną, ciemnoblond okazję, sięgając po następny pod intrygującym tytułem: „Przepraszam za swój egoizm".

– Przepraszam – wyszeptał, spuszczając na chwilę wzrok.

– Za co? – zdziwiła się Inka.

– Że zanudzam panią swoimi sztucznymi, wydumanymi problemami.

– Dlaczego sztucznymi?

– Bo przecież tylu ludzi nie ma dziś pracy, a ja tu rozprawiam o wakacjach na Dominikanie, zamiast...

– Martwić się dwudziestoprocentowym bezrobociem?

– No właśnie – westchnął.

– Wydaje mi się – zaczęła Inka – że zamartwianie się bezrobociem to byłby dopiero sztuczny problem.

– A to czemu?

– Bo dyrektorzy koncernów mają przecież mnóstwo pracy, czyż nie? – uśmiechnęła się i wyszła z gabinetu, dokładając Panu T. kolejny problem.

Pamiętajmy jednak, że dyrektorzy koncernów, choć niezwykle zapracowani, potrafią się zmobilizować, kiedy wymaga tego sytuacja. I nie rezygnują równie szybko jak zwykli śmiertelnicy. Pan T. podjął zatem kolejną próbę oszołomienia Ireny H. Tym razem postanowił pomajstrować przy guziku uruchamiającym instynkt opiekuńczy, ponoć obecny u każdej normalnej kobiety. Przez tydzień udawał rozbitego na atomy, prosząc Inkę a to o piątą kawę (choć cztery inne, ledwie tknięte, stały na biurku), a to o kopię umów, którą dostał zaledwie godzinę wcześniej, a to o przełożenie kolacji z kontrahentem („Nie mam teraz głowy do prowadzenia rozmów"). Kiedy wreszcie na jej subtelnej twarzy dostrzegł ślad współczucia, zapytał, czy mogłaby mu towarzyszyć w ważnym spotkaniu na Kazimierzu. Jako tłumaczka, asystentka i w ogóle. Inkę zastanowiła ta ostatnia funkcja. Zwykle chodziło o czarujący słowiański uśmiech, którym miała rozmiękczać anglosaskich gburów, ale tym razem sprawa wydawała się poważna. I rzeczywiście.

– Jestem ostatnio tak rozkojarzony – wyznał Pan T., rozmasowując obolałe skronie – że bez pani pomocy nie trafiłbym nawet na Szeroką. Zupełnie się pogubiłem, we wszystkim... Może to panią śmieszy, ale cóż, nawet dyrektorzy potrzebują czasem wsparcia.

Inka odparła, że sytuacja wcale jej nie śmieszy (a nawet smuci, bo już miała kupiony bilet na irańskie „Kolory raju" – o czym, rzecz jasna, nie powiadomiła zagubionego Pana T.). Obiecała, że zrobi, co tylko się da, by dyrektor trafił tam, gdzie powinien, i w następny wieczór przeistoczyła się w idealnego psa przewodnika. No prawie, bo nie mogła radośnie pomachać ogonem, otrzymując miskę karmy w najlepszym gatunku (smakowity surogat zapłaty za nadgodziny). Odegrawszy koncertowo swoją rolę, podziękowała za możliwość kontaktów z wielkim światem tajwańskiego biznesu oraz pyszną karmę, i już miała pobiec do „ósemki", kiedy Pan T. zaprosił ją na piwo do Singera. Przyszło jej do głowy, żeby się wykręcić przedwiosennym zmęczeniem, ale przypomniała sobie starą koncernową prawdę, że dyrektorom rzadko się odmawia. I warto wtedy zaprezentować naprawdę ważkie argumenty. Te zaś Inka woli oszczędzać na decydujące starcie (zwane przez ludowych mędrców „czarną godziną").

Poszli więc, i usiedli w trzeciej, pustej o tej porze tygodnia, sali. Pan T. zamówił dwa piwa i przy płomieniu świec zaczął opowiadać o swym nieudanym życiu. Co z tego, że ma wspaniały dom urządzony w ekletycznym stylu, japoński ogród z oczkiem wodnym, eksponowane stanowisko w firmie i cudownie wyszkolonego psa Cezara (rasy doberman, rodzice – medaliści, rodzeństwo zaś uśpiono po nieudanym zabiegu kopiowania uszu. Powstały brzydkie zrosty uniemożliwiające występy na międzynarodowych pokazach). Co z tego, że stać go na te wszystkie modne drobiazgi, które tak podniecają gadżeciarzy.

– Czyli tych, którzy zwykle je kupują – wtrąciła Inka, ale Pan T. był tak smutny, że zignorował zaczepkę. Gładko wrócił do opowieści o swym życiu, pełnym niepotrzebnych przedmiotów, które tylko uświadamiają mu ogrom wewnętrznej pustki.

„Proszę je podarować potrzebującym" – chciała zaproponować Inka, ale przypomniało jej się, że chociaż wszyscy ludzie są sobie równi (jako rzecze konstytucja), to jednak dyrektor regionu jest równy dwóm tysiącom swych podwładnych. Poza tym dopiero co dostała roczną umowę o pracę. Bezpieczniej wysunąć spod włosów życzliwe ucho i wysłuchać żałosnej melorecytacji Pana T.

– Co z tego – ciągnął strapiony – że zwiedziłem kilka kontynentów i najlepsze muzea świata, że mam basen, saunę, osobistą trenerkę tai chi i znakomicie wykonane kopie impresjonistów. Co z tego, jeśli czuję się taki samotny.

„Samotny w tłumie dwóch tysięcy osobistych służących", skwitowała Inka, ukrywając paskudne myśli pod elegancką maseczką współczucia.

– Zapewne istnieje jakiś powód...

– Jestem w separacji – wyznał Pan T., zaciskając szczęki.

– Żona o tym wie? – wyrwało się Ince.

– Domyślam się, że życie boleśnie panią doświadczyło, stąd ta nieufność.

Inka miała ochotę zapytać, czy dyrektorzy reagują na bolesne zranienia inaczej niż plebs, mianowicie wzrostem zaufania, ale w porę ugryzła się w język. Delikatnie oczywiście, żeby nie przysporzyć sobie dodatkowego bólu. Już wystarczy sześćdziesiąt dziewięć kopniaków. Przez ułamek sekundy zastanawiała się, czy nie wyjaśnić, przeprosić, sprostować, doszła jednak do wniosku, że najlepiej, jeśli nie powie nic. Ani słowa. Milczenie pobudza wyobraźnię, szczególnie jeśli towarzyszą mu chybotliwe płomienie świec i mroczna andaluzyjska muzyka.

„Musiała przeżyć bardzo ciężkie chwile – domyślił się Pan T. – Tak traumatyczne, że na pewno chciałaby się komuś wyżalić. Trzeba tylko wcisnąć odpowiedni guzik, a zwierzenia trysną obfitym strumieniem". Na początek uznał, że Irenę przeprosi. Tego nigdy nie za wiele w dzisiejszych barbarzyńskich, schamiałych czasach.

– Przepraszam – wyszeptał. – Przepraszam za ten obcesowy tekst o bolesnych doświadczeniach. Nie miałem prawa pani oceniać, nie poznawszy bolesnej prawdy...

Umilkł, czekając na reakcję Inki. Irytująca cisza.

– Być może ma pani ochotę o tym opowiedzieć. Nie, nie dziś. Kiedyś, za tydzień, miesiąc, może rok. Proszę tylko pamiętać, że ja zawsze chętnie wysłucham. I na pewno zrozumiem. Sam nie raz doświadczałem kopniaków od losu.

– Naprawdę? – No proszę, proszę!

– Naprawdę – przyznał Pan T., nie dostrzegając złośliwości w pytaniu Inki. – Wielu kopniaków, o których nie mogę teraz mówić. To zbyt bolesne... – I żenujące, zwłaszcza dla urodzonego zwycięzcy. – Może kiedyś, kiedy się lepiej poznamy. Proszę jednak pamiętać, że zawsze chętnie wysłucham pani bolesnych historii.

Inka obiecała, że się zastanowi, i wróciła do codziennych zajęć. Pan T. przeczekał Wielki Tydzień, a tuż po Wielkanocy postanowił przyśpieszyć bieg wydarzeń. Dobiegający czterdziestki dyrektorzy nie lubią trwonić swojego czasu. Co innego cudzy, ale własnym rozporządzają wyjątkowo efektywnie. Nie bez powodu awansowali tak wcześnie. Dlatego w pewien deszczowy czwartek Pan T. zaprosił Inkę do „Kolorów" i po smakowitym deserze z mrożonych jeżyn wyłożył kawę na ławę.

– Mam dosyć tych dziecinnych gierek – zaczął po dyrektorsku. – Więc powiem wprost. Bardzo panią polubiłem, od samego początku. Zupełnie nie wiem, dlaczego i za co. Możliwe, że za nic. Może sympatia pojawia się ot tak, sama z siebie, a my, wielce cywilizowani, dopisujemy odpowiednio eleganckie i głębokie powody.

W każdym razie proszę pamiętać, że ma pani we mnie sprzymierzeńca i przyjaciela. Nie chcę nic w zamian.

– Zupełnie nic? – Inka zdziwiła się tak, że zapomniała dosmaczyć pytanie szczyptą piekącej ironii.

– A co takiego mogłaby mi pani dać?

No właśnie. Przecież Pan T. ma już wszystko: piękną willę i ogromny skórzany fotel. Nowe mondeo, domowe spa i te wszystkie gadżety, których zazdroszczą mu gorzej wyposażeni. Ma też zapewne żonę, dwójkę dzieci. I może nawet wiernych przyjaciół, kto wie.

– Chociaż... – odezwał się, nieco zakłopotany prośbą. – Jest coś, co mogłaby mi pani podarować. Nie z wdzięczności czy poczucia obowiązku. Ale ot tak, po prostu. – I zanim Inka zapytała, o jaki podarunek chodzi, wyjaśnił: – Byłoby mi miło, gdybyśmy się mogli czasem spotkać, na godzinkę, może dwie i pogadać przy piwie lub herbacie. Nie jak dyrektor z podwładnym, ale jak człowiek z człowiekiem. Normalnie. Rozumie pani?

Oczywiście że Inka rozumie. Doświadczona poprzednimi kopniakami wie także, jak wyglądają podobne kontakty. Niby równość, szczerość i braterstwo, ale lepiej za bardzo nie swawolić, żeby nie skończyło się jak w bajce Krasickiego. („Owca, widząc, że [lew] kontent, gdy liszka ganiła, rzekła »Okrutnyś, żarłok, tyran«... już nie żyła"). Inka chętnie przystała na piwo i (pozornie) głębokie rozmowy o życiu, postanowiła jednak nie zapominać, że lew to lew. Nawet jeśli zostawił wielką grzywę w szatni.

Odtąd spotykali się

dwa razy w tygodniu. Pan T. nie opowiadał głodnych kawałków o nieudanym małżeństwie, nie przechwalał się swoimi podróżami ani japońskim stawem. Za to cierpliwie słuchał, a trzeba przyznać, że był w tym mistrzem, podobnie jak w zadawaniu pytań. Zaczął wprawdzie niezbyt fortunnie, bo od spraw służbowych:

– Musiała pani być znakomitą stażystką, skoro udało się pokonać tak liczną konkurencję...

– Dobrze wypadłam na rozmowie – odparła zdawkowo, sięgając po kufel z grzańcem.

– Sama rozmowa to za mało, proszę mi wierzyć.

– I prawidłowo wypełniłam firmowe papiery – uśmiechnęła się Inka, upiwszy najpierw kilka łyków gorącego piwa. – Według właściwego klucza.

– Nie chciałbym być wścibski...

– Och, to żadna tajemnica... – O czym wiedzą oboje. Wystarczy, że Pan T. poprosi personalną o dokumenty Ireny H. – W rubryczce „stan cywilny" napisałam, że jestem les.

– Kim?

– Lesbijką. – I wszystko jasne. CONCERN nie ryzykuje strat z powodu niechcianej ciąży, ryzykuje za to procesem o dyskryminację.

– A jest pani? – spytał, nie kryjąc zaskoczenia.

– A jak pan myśli? – odparła Irena, robiąc minę pensjonarki z przedwojennego filmu.

– Podobno – tu Pan T. wsparł się opiniami amerykańskich naukowców – wiele przypadków homoseksualizmu to efekt mody lub presji społecznej. Co oznaczałoby możliwość przeorientowania...

– Nie wiem, czy to takie konieczne. – Rzuciła mu kokieteryjne spojrzenie spod króciutkiej grzywki. – Zresztą dla pana moja orientacja nie powinna mieć większego znaczenia. W końcu chodzi o czystą sympatię, prawda?

Pan T. pojął, że musi natychmiast wprowadzić korekty do przygotowanego wcześniej zestawu pytań. Inaczej straci kolejny miesiąc. Już i tak cała ta zabawa nieco się przedłuża, westchnął, patrząc na zegarek. Gdyby sięgnął po normalną przedstawicielkę pokolenia Inki, mieliby za sobą dwa gorące weekendy w solankach Szigetvár. A tu? – cholerne dreptanie w kółko i żadnej pewności, co będzie pojutrze. Nawet nie może sobie zaplanować wakacji, po raz pierwszy od... dziesięciu lat! Szczyty! Pan T. chętnie rzuciłby Irenę i pogmerał przy którejś z jej bardziej domyślnych koleżanek, ale nie może. Jako dyrektor regionu wymaga czegoś więcej niż zwykły posiadacz gładko wydepilowanej klaty. Nie wystarcza mu erotyczny fastfood. Szuka frykasów i głębszych doznań. Poza tym jest człowiekiem niezwykle ambitnym, dlatego dba o nieustanny rozwój, co roku podnosząc poprzeczkę.

Tak brzmi wersja oficjalna, wszechwiedzący zaś (i niedyskretny) narrator chętnie zdradzi najważniejszy powód dyrektorskiej niemocy. Otóż Pan T. ma ogromne trudności z akceptacją porażek. Mówiąc wprost, zupełnie nie umie przegrywać. Zwłaszcza odkąd awansował na bossa regionu. Nie pomaga mu ani tai chi, ani stado pochlebców, ani nawet cotygodniowe sesje psychoanalizy i terapia „oczyszczającego oddechu". Dlatego musi, po prostu musi, rozwiązać problem Inki, i to rozwiązać pozytywnie, inaczej... no właśnie, co? – na samą myśl o przegranej Panu T. zrobiło się słabo. Wykorzystał więc złotą zasadę mistrzów negocjacji („Idź na galerię") i, wymigawszy się pilnym telefonem (do przyjaciela), pomaszerował do łazienki, by podpompować zwiędnięte ego. Oczywiście zgodnie z procedurami wdrukowanymi podczas terapii dla menadżerów wyższego szczebla. „Teodorze – wydał sobie komendę – spójrz w lustro! Słyszysz? Uspokój rozbiegany wzrok i spójrz w lustro! Kogo tam widzisz? Prawdziwego Wojownika. Urodzonego po to, by wygrywać wojny. Dlatego nie myśl o potknięciach, te zdarzają się największym. Myśl wyłącznie o celu. Słyszysz, Teodorze? Powtarzam, skup się na celu, nie wyobrażając sobie czegoś, co nie ma prawa się wydarzyć. Pamiętaj, że jesteś Urodzonym Zwycięzcą. W twoim życiu nie ma miejsca na porażki. To oznacza, że dasz radę, jak zawsze. DASZ RADĘ! A teraz weź pięć głębokich oczyszczających oddechów. Dobrze, wyjdź z łazienki i walcz. Z uśmiechem na twarzy".

– Czemu właśnie Inka? – zapytał, siadłszy przy stoliku Ireny, kwadrans później.

– Bo pozornie ciemna – zażartowała, wskazując swoje przefarbowane na kawowy brąz włosy. – Miała stanowić erzac, ale szybko stała się jakością samą w sobie. Może nawet zdrowszą niż oryginał. Zwłaszcza jeśli chodzi o serce.

– Erzac czego?

– Kogo – poprawiła. – Irka, mojego starszego brata. Wyjechał do Chicago, tuż po zdaniu wstępnych na fizykę. Chciał się rozejrzeć po świecie, zanim zatopi nos w książkach. A że akurat dostał wizę, rzekomo na wesele chrzestnej, to śmignął zaraz pod koniec lipca siedemdziesiątego siódmego.

Miał wrócić w październiku, ale zadzwonił wczesną jesienią, informując rodziców, że zostaje. Wuj załatwił mu świetną posadę u lakiernika. Płatne całe sześć dolców za godzinę. Fortuna. Świetnie rozumie, że studia, rodzice, ambitne plany, ale nie wiadomo, kiedy znowu wydadzą mu wizę i paszport. Zresztą, jakie to ma znaczenie, że zrobi w Polsce magistra, choćby z pierwszą lokatą, skoro i tak ostatecznie trafi do zakładu lakierniczego, tuż pod Chicago. Tyle że pięć lat później. Wiecie, ile to kasy do tyłu? A studia zawsze można zrobić, nawet tam.

Rodzice Inki rozpaczali aż do następnej wiosny, w kwietniu zaś postanowili uwić gniazdko po raz ostatni. Tak się śpieszyli, że nawet Inka poczuła presję i wyskoczyła w ręce położnej grubo przed terminem. Spędziła ponad miesiąc w inkubatorze, a następne osiemnaście lat pod szklanym koszem. Rodzice, skupieni na urządzaniu owego klosza, nawet nie zauważyli, kiedy do Lublina wtoczyły się radzieckie czołgi. Stan wojenny zirytował ich o tyle, że nie mogli otrzymywać paczek od syna, które bardzo podwyższały standard domowej cieplarni. Ale po roku wszystko się unormowało i mała Inka znowu mogła chrupać amerykańskie batony, rozmiar XXL.

– Dzięki temu miałam osiem kilo nadwagi, próchnicę i chmarę koleżanek. Za to żadnej prawdziwej przyjaciółki. – O czym dowiedziała się dopiero w liceum. Pierwszy porządny kopniak.

– Musiało strasznie boleć...

– Zwłaszcza wizyty u dentysty, bo co do reszty... to nie bardzo. Pewnie dzięki grubej szybie klosza – wyjaśniła po chwili.

– Nie wierzę, że zupełnie to po pani spłynęło – drążył Pan T., usłyszawszy wahanie w głosie Inki. – Takie przeżycia zawsze zostawiają ślady, nawet na najtwardszej skale.

– Powiedzmy, że zostawiły – zgodziła się Inka, nie wyjaśniając, o jaki rodzaj śladów chodzi.

Bo i sama nie wie, co o tym myśleć. W pewnym wieku wszystko wydaje się takie naturalne. Nie zastanawiasz się, czy Aśka z zerówki lubi cię dlatego, że masz nową lalkę, czy dlatego, że obie zapuszczacie włosy do Komunii. Nie analizujesz komplementów, nie czytasz między słowami. Nie próbujesz zmienić zastanego porządku rzeczy. Nie znasz przecież innego. Dopiero gdzieś w połowie podstawówki uświadamiasz sobie, że istnieją inne światy, czasem dużo ciekawsze od twojego. Inka, schowana pod kloszem z bardzo grubego i kolorowego szkła, dostrzegła je dopiero w liceum. Wcześniej myślała, że ma po prostu mnóstwo fajnych koleżanek. Cieszyło ją, że może się bawić w dobrą wróżkę i obdzielać łakociami co bardziej zasłużone wielbicielki. Rodzice nigdy nie wyprowadzali jej z błędu; chcieli, by ich słoneczko jak najdłużej zamieszkiwało słodką krainę dzieciństwa. Aż tu nagle, w pierwszej liceum, Inka odkryła straszną prawdę. Nie sama; z pomocą poznanej na kółku teatralnym koleżanki. Wracały właśnie z zajęć, mijając jeden z licznie otwieranych wtedy sklepików „ze wszystkim i niczym".

– Patrz, jakie stosy czekolad – odezwała się Anita, wskazując palcem wystawę. – Do wyboru do koloru. I to za grosze. A jeszcze kilka lat temu dałabym się pokroić za batona z Pewexu.

– Poważnie? – zdziwiła się Inka.

– Ba, pół naszej klasy poniżało się dla głupiego snickersa albo pepsi. I to przed kim! Przed jakąś zarozumiałą, tłustą krową, która miała to szczęście, że jej ciotka wyjechała do Kanady. Wlewaliśmy w nią tony tanich pochlebstw, a ona łykała, ze smakiem. Pewnie dlatego była taka gruba – zachichotała Anita, nie kryjąc pogardy. – Gruba i głupia.

– Dlaczego głupia?

– Bo nawet nie przyszło jej do głowy, że gdyby nie te wszystkie zagraniczne delicje, nikt nie podałby jej ręki.

– Ciekawe, co teraz robi...

– Mam nadzieję, że myje przypalone gary gdzieś w Vancouver i waży co najmniej dwieście kilo – wyrzuciła ze złością Anita. – A wy, co? Nie mieliście żadnej dojnej krowy? Niemożliwe!

– Była taka jedna – przyznała Inka, zasłaniając szalikiem blade policzki. – Ale słabo się znałyśmy, bo ciągle chorowałam. I praktycznie nie było mnie w szkole.

– Szczęściara.

– Powiedzmy – uśmiechnęła się Inka. – Przez te choróbska miałam marny kontakt z całą klasą. Wiesz, życie pod kloszem.

– To dlatego jesteś taka... eteryczna. – Obrzuciła Inkę zawistnym wzrokiem. – Mnie przydałoby się schudnąć ze cztery kilo. Inaczej nie spotkam miłości życia na Walentynki, tak czytałam w „Bravo Girl". A tobie co wyszło? I spod jakiego jesteś znaku?

Tak oto Inka dowiedziała się o istnieniu całkiem innego świata. Świata, w którym ona była zarozumiałą tłustą krową, reszta klasy zaś – stadem pachołków zmuszonych do odgrywania trudnej roli czopka z wazeliny. A dziś już nie wie, który z tych światów był prawdziwy. Może oba? Czasem, jak ma dobry humor, obstawia ten pierwszy, a jak wszystko idzie jej po grudzie i za oknem wawelski smog, to przypomina sobie ze złością tamtą bezmyślną krowę. Ale na ogół uważa, że było fajnie. Życie pod kloszem miewa bardzo dużo zalet.

Wtedy jednak czuła, że musi się uwolnić. Bo jej duszno, ciasno i w ogóle, jak w celi. W pierwszym odruchu wyładowała złość na budowniczych klosza.

– Tak zwany młodzieńczy bunt. – Rzuciła Panu T. sztuczny uśmiech. Bo jeszcze dziś jej głupio na wspomnienie tamtych miesięcy. Pyskówki z byle powodu, złośliwe uwagi i oczywiście wór pretensji. O to, że zupa za tłusta, że ojciec zaraz przetnie talerz na pół, tak piłuje nożem ten sznycel. A w ogóle jak można tyle jeść? Nic, tylko żarcie. I przestań, mama, z tym szalikiem. Nie będę nosić takiej wiochy, już wystarczy, że robiłam za pośmiewisko w podstawówce!

Ale dalej siedziała pod zakurzonym kloszem. Naburmuszona i wściekła na cały ten wredny świat. Na samą siebie także, bo zamiast złapać za plecak i uciec na koniec świata, tkwi w więzieniu i daje się tuczyć niczym głupia gęś.

– Po maturze złożyłam papiery do Krakowa, licząc, że w ten sposób szybciej uwolnię się od klosza. Zdałam, pojechałam i... – W ciągu miesiąca dostała trzy kopniaki. Tak bolesne, że najchętniej schowałaby się pod kryształową maselniczką babci. Ale tyle razy powtarzała rodzicom, że sobie poradzi, iż o powrocie nie było nawet mowy. Zaciśnie zęby i pokaże. Mamie, tacie i reszcie wrednego świata.

– No i? – dopytywał się Pan T.

– Na początku było ciężko. Potem zachłysnęłam się wolnością. Na czwartym roku zrozumiałam, że nikomu nic nie muszę udowadniać. Ani pokazywać. A dalej poszło jak po maśle. – Co oznacza, że kolejne kopniaki trafiały się coraz rzadziej.

– Nie tęskni pani za kloszem?

– Czasami, jak wyłączą ogrzewanie – zażartowała. – Ale coraz bardziej cenię świeże powietrze. Poza tym rodzice już dawno wynieśli klosz do piwnicy. I chyba nie żałują.

Dzięki temu naprawdę lubi do nich jeździć, bo mogą sobie wreszcie normalnie pogadać. Prawie jak równy z równym.

– Oczywiście mamie wyrwie się czasem, że znowu zmarniałam, a to wszystko „przez brak czapki i porządnych reform", ale w sumie jest naprawdę fajnie.

Także dlatego, że obie strony nauczyły się słuchać swoich racji i nie reagują obrazą majestatu z byle powodu. To znaczy Inka nie reaguje, bo rodzice nigdy nie należeli do obrażalskich. Za to lubili zadawać podchwytliwe pytania. I dalej lubią, tylko Inka inaczej je traktuje. Nie jako atak dywanowy, ale jako cenną uwagę. Ostatnio, na przykład, ojciec zapytał, co dokładnie produkują w ich CONCERNIE.

– Takie małe fikuśne gówienka – odparła zgodnie z prawdą.

– Za moich czasów produkowano buble. To się czymś różni?

– Nasze gówienka owijamy w śliczne kolorowe papierki.

– Nie ma to jak efektowne opakowanie – skwitował ojciec i zaraz zapytał córkę, czy chce trochę surówki z prawdziwej marchwi, czy też woli gorący kubek.

Kiedyś Inka od razu by się nabzdyczyła, a teraz... przyznała mu rację. Tak, opakowanie gra niezwykle ważną rolę. Nie tylko w sklepie, ale wszędzie. W domu, w pracy. Nawet w łóżku, czyli tam, gdzie, wydawałoby się, na ma miejsca na kolorowe papierki.

– Właśnie tam jest – doinformowała Inkę zaprawiona w damsko-męskich bojach znajoma. – Inaczej romans nie trwa nawet dziewięć i pół tygodnia.

Papierki to ważna rzecz. No i marketingowe sztuczki. Z ich pomocą można wcisnąć klientowi niemal wszystko: fikuśne gówienka, markowe ciuchy szyte w Chinach, kolejny brukowiec, podróbki perfum, czarodziejskie usługi, bawarski dowcip, własne ciało i całą resztę. Tej prawdy jednak nie ujawniła rodzicom. Są zbyt...

– No właśnie, jacy? – zapytał Pan T. jakiś tydzień później.

– Trochę wycofani, jak to na emeryturze bywa. Odrobinę naiwni, czasem zagubieni i chyba dosyć... poczciwi – dodała nieco zakłopotana, bo „poczciwość" to takie zardzewiałe słowo.

– To znaczy? – dopytywał się Pan T., bo jeszcze nie spotkał poczciwych ludzi. Psa owszem, ale homo sapiens?

– Na przykład nie mogli załapać idei przyjęć „prezentacyjnych". Wie pan, niby wszyscy fajnie się bawimy, ale gospodarze główkują, jak wcisnąć koleżance ohydny garnek albo wciągnąć kumpla do budowania piramidy. A oni myśleli, że są zapraszani z czystej sympatii. Dotarło do nich, kiedy im wyjaśniłam, że to stara amerykańska zabawa. I przestali chodzić na przyjęcia.

– Żadnych rozrywek?

– Czasem muzeum albo kino, ale wolą dokarmiać jemiołuszki. Mniej kosztuje, a znacznie bardziej cieszy. Sanatorium raz w roku i wycieczka do Lwowa. Na więcej ich nie stać.

– Próbują dorobić?

– Raczej skupili się na cięciu kosztów. – Inka użyła firmowego żargonu; to zawsze nadaje najprostszym czynnościom profesjonalną otoczkę.

– Czyli?

– Hodują warzywa i owoce. Szyją pościel, kapy i firanki, robią swetry, szydełkują. Co tylko się da, robią sami. Nawet remont.

– Złote rączki – odezwał się Pan T., nie kryjąc podziwu. Jego umiejętności manualne ograniczały się bowiem do sprawnego naciskania właściwych guzików.

– Zamiennik złotych pierścionków – odparła Inka i zmarkotniała. Nagle dotarło do niej, ile kosztów ponieśli rodzice, by zbudować jej wygodne igloo. Same witraże musiały kosztować majątek. A dziesięć lat temu dostrzegała tylko zakurzone, matowe szybki.

Pan T. już miał pocieszyć Inkę mądrym tekstem o tym, że przedmioty zawsze można kupić, a złote ręce są bezcenne. Zrozumiał jednak, że w wielu przypadkach jest dokładnie na odwrót.

– Dokonali znakomitej zamiany – odezwał się po długiej chwili, patrząc Ince prosto w oczy.

Podczas następnego spotkania

Pan T. znowu poruszył temat rodziny Inki. Nie, nie dlatego że dostrzegł w państwu H. coś ciekawego. W głębi serca uznał, że określenie „poczciwy" pasuje do nich równie dobrze jak do podstarzałego mieszańca bernardyna. A on, no cóż, od dawna woli rasowe psy akcji (jak jego Cezar). Zauważył jednak, że Inkę łączy z rodzicami szczególna więź. Ludzie uwielbiają opowiadać o tych, którzy budzą w nich silne emocje, nieważne: dobre czy złe. I lubią, gdy ktoś cierpliwie słucha ich skarg lub wynurzeń. Postanowił więc zabawić się terapeutę i zyskać u dziewczyny kolejne sto punktów. Ostatnie pięćdziesiąt dostał za wizytę w schronisku dla zwierząt, gdzie zostawił cztery wory karmy kupionej w selgrosie. Obiecał też, że za tydzień przywiezie kolejne. Znowu pięćdziesiąt punktów. Pytanie tylko, ile potrzeba, żeby rozbić bank? A jeśli pięć milionów? Nie, to niemożliwe, już widzi pierwsze oznaki rozmiękczenia Ireny. Na przykład skończyła z tym służbowym uśmiechem stewardesy. Będzie dobrze, pomyślał Pan T., delikatnie otwierając szufladkę z napisem „Irek".

– Mieszka w Stanach do dziś. Ma drugą żonę z Puerto Rico, córkę Eyreen, własny zakład lakierniczy i zieloną kartę. Dzwoni do nas co miesiąc, regularnie wysyła paczki i sto dolców dwa razy w roku. Dzięki temu rodziców stać na szaleństwa w sanatorium. A ja nie muszę wydawać forsy na kolorowe bluzy i sportowe buty – uśmiechnęła się, nieco złośliwie.

– Nigdy nie przyjechał?

– Chyba boi się spotkania twarzą w twarz. – Co innego wysłać swoje zdjęcie na tle domku z sidingiem równie olśniewającym jak uśmiech (świeżo po remoncie), a co innego popatrzeć rodzicom prosto w zmęczone oczy.

– Brakuje pani brata?

– To jest tak jak ze skrzydłami. – Zdziwiony podniósł wzrok, więc wyjaśniła. – Czasem człowiek ma uczucie, jakby nagle wyrosły mu u ramion – Po niespodziewanym telefonie lub długim, szczerym liście. – Ale zwykle o nich nie myśli. Co więcej, gdyby pojawiły się na stałe, pewnie uwierałyby jak cholera. I zaraz człowiek by marudził, że za ciężkie albo...

– Że za mało piór, które można by napuszyć przed sąsiadami?

– Nie ma przed kim się puszyć. Trafiła nam się wyjątkowo normalna klatka – przyznała Inka, zaraz zwracając uwagę na słówko „nam". Dziwne. Mieszka w Krakowie ponad sześć lat. Zna to miasto jak własną kieszeń, chce tu zostać i jak tylko nabierze zdolności kredytowej, szarpnie się na jakąś dziuplę blisko Rynku Dębnickiego. A jednak zawsze, gdy mowa o domu, ma przed oczami trzypokojowe na Bursakach. W dużym pokoju rośnie pomarańczowe drzewko zasadzone przez nią tuż po Komunii. Dostała wtedy od brata paczkę cytrusów. Połowa po drodze spleśniała., ale Ince udało się wyłuskać kilka pestek, które zasadziła, licząc na obfite plony. Przyjęły się trzy: dwie cytrynki i pomarańcza. Kiedy odjechała na studia, jedna z cytrynek uschła. Drugą rodzice przenieśli do jej dawnego pokoju (zamieniony w warsztat „terapii zajęciowej" i czytelnię). Stanęła obok ściany ozdobionej jej dawnymi zdjęciami. A fotki Irka, oprawione w ramki produkcji taty, poustawiali na komodzie swojej lawendowej sypialni.

– Tęsknią?

– Tylko trudno powiedzieć, do kogo. Bo dla nich Irek to nadal zahukany maturzysta w wytartych dżinsach. Nie pomagają kolejne zdjęcia z polaroidu ani nawet nagrania wideo. – W których występuje jakiś opalony facet z obcym akcentem i uzębieniem gwiazdora.

– To i tak nieźle – przyznał Pan T. – Moja mama ciągle widzi we mnie tłuściutkiego pięciolatka bawiącego się klockami na dywanie. Nie dociera do niej, że skończyłem szkołę, i to niejedną.

– Może każdy potrzebuje złudzeń. My również...

– Tylko wydaje nam się, że patrzymy dalej niż inni – rzucił Pan T., przekonany, że kto jak to, ale akurat on ma naprawdę sokoli wzrok.

– A jeśli nawet dotrze do nas, że nosimy klapki na oczach, to zaraz przekonujemy samych siebie, że nasze są znacznie mniejsze...

– A już na pewno mają bardziej modny krój – dodał, Inka poczuła wtedy, że lubi te spotkania przy piwie. Może nawet lubi samego Pana T.

Jej sympatia mocno wzrosła,
kiedy koleżanka z działu personalnego potwierdziła informacje o rozpadzie małżeństwa dyrektora. Żona Pana T., usłyszała Inka, nie tylko wie o separacji, ale nawet złożyła pozew rozwodowy.

– Pół roku temu. A mieszkają osobno przynajmniej dwa lata – dorzuciła szeptem koleżanka, rozglądając się na boki, czy nikt nie podsłuchuje.

Okazało się również, że dyrektor nie ma żadnych dzieci. Przynajmniej nikomu w dziale nic o tym nie wiadomo. Pies owszem, trzy karasie i kapryśne bonsai, ale żadnego potomstwa. Żadnych alimentów, bo księgowa już by dawno wypaplała w całym dziale. Dopiero wtedy Ince naprawdę ulżyło. Przyjaźń przyjaźnią, ale nie chciałaby pozbawiać jakiegoś małolata należnych mu godzin z ojcem. A wiadomo, jak niewiele owych godzin ma zapracowany dyrektor CONCERNU. Z lekkim sercem (mimo że szczelnie wypełnionym sympatią do Pana T.) wyraziła zgodę na kolację przy świecach. A potem na kolejne, podczas których Pan T. (teraz już drogi T. albo po prostu T., w skrócie P.T.) dowiedział się o jej niesprecyzowanych planach na przyszłość i bardzo konkretnych obawach z powodu marniusieńkich perspektyw.

– Mogłabym wyjechać, jak wszyscy moi znajomi. Istna fala... nawet nie sposób się z kimkolwiek zaprzyjaźnić, bo zanim zdążę polubić człowieka, ten pakuje walizy i leci do Auckland.

– A ty?

– A ja siedzę na dupie i zastanawiam się, czy też nie polecieć z innymi. Niby mogłabym dołączyć do brata, znowu mi wysłał zaproszenie – oznajmiła, a P.T. na dwie sekundy stanęło serce. Tyle zainwestował, a tu wystarczy jeden głupi papierek i po zawodach. – Ale obiecałam sobie, że nie wywinę rodzicom numeru tak jak Irek. Owszem, wakacje czy krótki staż za granicą, ale nic poza tym.

– Zabraniają?

– Nic nie muszą mówić, wystarczy, że zrobią takie oczy jak... – „Ty przed chwilą", chciała dodać, ale po co tak obnażać drogiego T. Ważne, że ona wie i jeszcze bardziej go za to lubi.

– Jednak jakieś okruchy klosza zostały.

– Jeśli już, to we mnie. Oni sami nigdy nie zabraniali mi wyjazdów. Ale wiem, co przeżyli z Irkiem, i nie chcę dodawać im stresów. Zresztą mam bliskiego kumpla, który pracował tu i tam, i mówi, że wszędzie jest podobnie. Pierwsze tygodnie euforia, a potem wyłażą robale.

– Nie da się uciec przed samym sobą, coś o tym wiem. – P.T. opuścił głowę, a Inka miała ochotę zmierzwić mu włosy. Kumpel zawsze w ten sposób próbuje jej poprawić humor. Pierwszy raz zastosował ten prosty, ale skuteczny sposób półtora roku temu. Inka siedziała w kącie stancji niczym zakochany kundel. Nieszczęśliwie, bo właśnie dostała SMS, że „jednak się pomyliłem i wracam do Anki. Było fajnie. Pa!". Więc siedziała skulona, a tu kumpel łap za włosy i w pięć sekund zrobił jej na głowie wronie gniazdo, wypłaszając przy okazji wszystkie smutne myśli. Może powinna zrobić to samo z czupryną pana T. Ale nie wie, czy pokryte modelującą gumą włosy da się tak efektownie potargać. A jak je połamie? Może ograniczyć się do muśnięcia albo pogłaskać P.T. po opalonej dłoni. W tej samej samej chwili zaświergotała jej komórka.

– Kumpel – oznajmiła, poirytowana, że Stefan musiał dzwonić właśnie teraz. Jak zwykle żadnego wyczucia. A mówiła mu chyba z dziesięć razy, że idzie na ważne spotkanie.

– Tylko kumpel czy coś więcej?

– Ja się bardzo trudno zaprzyjaźniam.

– To zupełnie tak jak ja – zapewnił P.T. – Za to na całe życie.

Nie wiadomo, jak dalej potoczyłyby się losy obojga, gdyby nie grom z samej Góry. Uderzył niespodziewanie w drogiego T., kiedy ten szykował się do ważnej kolacji z Inką. Wklepywał właśnie korektor w sińce, kiedy w przedniej kieszeni dżinsów poczuł delikatne wibrowanie. Telefon. Przekonany, że to Inka, natychmiast odebrał i usłyszał sekretarkę Najwyższego, zatrudnioną do przekazywania dobrych nowin (złe przychodziły mailem). Otóż, powiadomiła sekretarka, wiceprezesa Alfę powalił rozległy wylew i już nie radzi sobie z zadaniami tak dobrze jak kiedyś. Potrzebny jest natychmiastowy zastrzyk świeżej, ale sprawdzonej krwi. Padło na dyrektora T., ze względu na jego dotychczasowe osiągnięcia (w tym przeniesienie głównej fabryki gówienek do Yinchuan, dzięki czemu bardzo spadły koszty produkcji. A smak pozostał ten sam).

– Dziękuję za wspaniałą wiadomość – wyjąkał zaskoczony P.T. – To nobilitacja, doceniam pokładane we mnie zaufanie, zrobię wszystko, żeby go nie zawieść. – Krótko mówiąc: spasiba, obrigado i mersi.

Odłożył telefon i już miał podskoczyć z radości pod kryształowy żyrandol, kiedy przypomniał sobie o Ince. Prawie rozłożona na łopaty, a tu proszę – pilny wyjazd. Już za trzy dni. Wtedy właśnie P.T. postanowił zagrać va banque.

Przyszedł na kolację spóźniony ponad kwadrans. Rozchełstany, z intrygująco bladą (nadmiar korektora) twarzą.

– Coś się stało? – zaniepokoiła się Inka.

– Dzwonili z Centrali. Przenoszą mnie do Warszawy, mam zastąpić wiceprezesa.

– Kiedy?

– Od poniedziałku. Już przygotowali apartament. – I wyczyścili biuro na błysk, usuwając wszelkie krępujące ślady po wiceprezesie Alfa.

– To... gratuluję – wyjąkała Inka, równie blada jak drogi T.

– Jedź ze mną – rzucił, podenerwowany.

– Jak to?

– Wynająłbym ci mieszkanie blisko siebie i... byłoby jak dawniej. – Tylko trochę lepiej.

– Musiałabym się zastanowić.

– Nie wiem, jak zniosę nasze rozstanie – jęknął P.T., przerażony myślą o porażce.

– Mógłbyś przyjeżdżać na weekendy...

– To nie to samo. Poza tym pewnie przywalą mi mnóstwo nadgodzin! – gorączkował się P.T. – Zwariuję tam bez ciebie, Inka. Zgódź się. Jesteś moim jedynym przyjacielem. Jedynym, jakiego mam. – W tej chwili zupełnie zapomniał o wiernym Cezarze.

– To taka zmiana, ogromna zmiana – zastanawiała się Inka, nerwowo szlifując zębem paznokieć lewego kciuka. – Zaczęłam kurs angielskiego. No i co z pracą?

Drogi T. zapewnił, że pracę ma jak w banku. Zawsze można dostawić biurko w którymś z działów promocji albo reklamy. Ewentualnie załatwi jej coś na boku. No i jest gotów pokrywać wszystkie koszty. Za kursy języków, masaże, basen, i oczywiście mieszkanie. Przyjaźń to przyjaźń. Inka już prawie się zgodziła (skuszona zwłaszcza kursami), ale przypomniała sobie złotą radę amerykańskich mistrzów negocjacji: „Odczekaj cztery dni".

– Wstępnie mogę powiedzieć że chyba tak, ale... muszę to jeszcze przemyśleć. Pozamykać pewne sprawy, odwołać inne. No, sam wiesz. Zadzwonię za jakieś cztery dni i ustalimy konkrety.

– Będę czekał dzień i noc – zapewnił P.T., zacierając w myślach swoje wydepilowane (ale nadal intrygująco męskie) dłonie.

Następnego wieczora Inka przedyskutowała całą sprawę z kumplem od irytujących telefonów. Tym bez wyczucia. Mogłaby wprawdzie pogadać z rodzicami, ale podejrzewała, że jej nie zrozumieją. W pewnych sprawach są tacy niedzisiejsi. A ona potrzebuje rady kogoś... praktycznego. Kto nie będzie zadawał naiwnych pytań, tylko wysłucha, chwilę pomyśli (robiąc przy tym miny jak piesek Leszek), a potem powie, co można zrobić z całym tym bajzlem. Gdzie wrzucić kartongips, a gdzie wyłożyć flizy, co zaszpachlować, a które miejsca skuć aż do gołej cegły, na co machnąć ręką i poszukać innej okazji. Prawdziwy spec od remontów.

– Opłaciłby też kursy językowe. Bo chce zadbać o mój wszechstronny rozwój...

– Zacne panisko!

– No i oczywiście mieszkanie.

– Oczywiście – uśmiechnął się kumpel. – Wjesz, ja tam niemam nic do sponsoringu...

– Sponsoring odpada. Zupełnie – odparła Inka, krzywiąc się na wspomnienie epizodu sprzed czterech lat. Wyplątała się w tydzień, ale do dziś jej niedobrze, kiedy mowa o sponsorach.

– Tylko nie muw, że sie zabójałaś – przeraził się kumpel.

– Też coś – prychnęła. – Po prostu... polubiłam faceta i, nie wiem czemu, ale jakoś mu ufam.

– Ja tesz nie wiem czemu.

– Spotykamy się już ponad pół roku.

– I?

– Co „i"? – zaperzyła się Inka.

– Byłaś u niego w domu? Raz podeszłaś do bramy, acha. Wienc nie rozmawialas z wiernym ogrodnikiem? Ani z sonsiadami? Głaskałaś jego psa. Brawo! Wzioł cie na impreze albo przedstawił rodzicom? Kumplom tesz nie? W pracy równiesz cichosza? Nie chcieliscie plotek... Pokazał ci jakieś albumy albo zdjeńcia? Tylko puchary i dyplomy ze studiów? To co ty o nim wjesz, poza tym, że jest twoim szefem, ma super góst i bardzo chce cie rozwinońć?

– Powiedział, że jestem jego jedynym przyjacielem.

– Inez, ten facet nie ma przyjaciół. A przyjaciółki tylko miewa. Kómasz?

– Przyznał mi się do swoich wad.

– To jusz coś – odezwał się z uznaniem kumpel. – A do jakich? Że jest zbyt pracowity, zbyt uczciwy i zbyt powarznie potchodzi do małżeństwa?

– Na przykład umówił się z prostytutką – rzuciła wyzywająco Inka.

– Na spacer czy do kina?

– Przecież wiesz, Stefan.

– To nie umuwił sie, a zamowił se panienke do hotelu.

– Niech ci będzie. Zamówił, a nawet skorzystał.

– Tylko raz i na pewno tego rzałował?

– Parę razy i bardzo tego żałował – poprawiła. – Żałował, bo zrozumiał, że potrzebuje...

– Czegoś głembszego? – Kumpel wzniósł oczy do góry i z natchnioną miną wyrecytował. – „Pragnie pełnej relacji z wartościowom dziewczyną, nie pustych zabaw z wynajentym gadrzetem”?

– Tak – odparła Inka, zastanawiając się, skąd Stefan to wszystko wie.

– I że po tym bolesnym doświjadczeniu uświjadomił sobie, jak warzna jest miłość? A muwił morze ile czasu mu zajęło załapanie tej prostej prawdy? Ponad puł roku regularnych shadzek, raz w tygodniu. Co znaczy, że gościu poczebował tszydziestu stosunkuw z prostytutkom, żeby docenić prawdziwe uczócia.

– Skąd wiesz?

– Bo znam panne, ktura robila za ten gadrzet. Nazywa sie Blądi i tańczyła na rurach w Hiszpani. Pare razy wyszliśmy na normalne tańce i przy okazji opowjedziała mi o pracy u Pana T.. Bzykali sie co tydzień w hotelowych pokojach. Zawsze innych, rzeby nie było plotek. A potem podziekował za usugi, bo niby szuka czegoś głembszego, a tak na prawde namjerzył nowy lepszy model. Czeba przyznać, ze zahował sie po pansku, bo dodal ekstra bonus. Morze za cenne lekcje na temat miłości.

– Co mam zrobić? – zapytała wreszcie Inka, tak biała jak ściany w mieszkaniu Stefana.

– Chcesz sie rozwinońc?

– Mam w dupie taki rozwój! – wybuchnęła.

– To karz mu wynajońć mjeszkanie.

– Ale...

– Posuchaj do konca. Karz mu wynajońć mjeszkanie. Dwa pokoje, Stary Mokotów. Najlepjej po remońcie, w końcu chcial sie o ciebje troszczyć, nie? Objecaj, że sie przeprowadzisz do połowy września.

– Mamy czwarty.

– Pietnastego zadzwonisz i powjesz, ze masz pare dni obsówy, bo nagle odwjedziła cie dawna dziewczyna. I nie morzesz jej olać, conie? On zapyta:

– Jaka dziewczyna?

– No przecież mówiłam, że jestem gejszą.

– Kim? – zdziwił się P.T.

– Damska wersja geja. Nie wiedziałeś?

– Mówiłaś tylko, że wpisałaś do firmowych papierów...

– Myślisz, że okłamywałabym własny CONCERN? I ty jako wiceprezes zgodziłbyś się tolerować takie oszustwo? – Inka nie kryła zdziwienia. Oj, nie kryła.

– No... szczerze mówiąc, twoja orientacja... twoja orientacja – plątał się T. – była mi zupełnie obojętna. Przecież chodziło wyłącznie o przyjaźń.

– A coś się zmieniło?

– Absolutnie nic – skłamał. – Dalej bardzo cię lubię i nie mogę się doczekać...

– Ja też nie mogę – przyznała Inka. – To zróbmy tak. Blondi będzie u mnie do soboty.

– Tak się nazywa?

– Nie, to jej pseudonim artystyczny. Kiedy rozeszły się nasze drogi, Blondi trochę rozpaczała i żeby zapomnieć, rzuciła się w wir eksperymentów z facetami. Wiesz, te wszystkie płytkie zabawy. Czasem nawet płatny seks, niestety. W dodatku trafiała na samych cieniasów.

– Straszna historia – rzekł T., nie mogąc opanować drżenia w głosie. W tym momencie poczuł się, jak Inka podczas owej felernej rozmowy z Anitą. Myślał, że jest super bykiem, specjalistą od jazdy po bandzie. A tu nagle się okazało, że jest tłustą, zarozumiałą krową, która dała się wydoić na maksa. Cholerna dziwka, jeszcze dał jej napiwek.

– Ale już porzuciła pozycję horyzontalną – pocieszyła go Inka. – I nawet nieźle sobie radzi w tak zwanym pionie. Reszta konkretów, jak się spotkamy.

– We trójkę?

– Byłoby miło. Pomyślałam, że mógłbyś dojechać w piątek, zjedlibyśmy razem kolację i w ogóle. No a w niedzielę zabrałabym się z tobą do Warszawy. Jestem już spakowana.

– Powinienem wynająć ciężarówkę? – zapytał P.T., poirytowany wizją spotkania na szczycie.

– Bez obaw, to tylko dwa plecaki. Spokojnie zmieszczą się w twoim hummerze. Cieszysz się?

– Tak że nie umiem tego opisać.

Obiecał, że zadzwoni, by dopieścić szczegóły sobotniego spotkania. W piątek rano Inka dostała telefon od nowej sekretarki drogiego T., która oznajmiła, że pan wiceprezes musiał nagle wyjechać do Rygi. Jak tylko wróci, „natychmiast się z panią skontaktuje". Nie zadzwonił nigdy więcej. Nie wysłał listu ani nawet maila z jakimkolwiek wyjaśnieniem.

Jak Pan T. zniósł tę straszliwą porażkę? Spojrzał na nią z innej perspektywy, dzięki pomocy nowego terapeuty (spadek po wiceprezesie Alfa). Prawdziwemu wojownikowi nie wolno używać słowa „porażka", jeśli już, to „lekcja życia" lub „wzbogacające doświadczenie". Terapeuta wolałby jednak, by podobne... hmm... epizody nazywać „szansami". Tak właśnie, ponieważ pozwalają nam, wojownikom, pełniej się rozwinąć. I wbrew pozorom wcale nie osłabiają ego. Wręcz przeciwnie.

– To co nas nie zabije, musi nas wzmocnić – przypomniał, parafrazując Nietzschego.

– Jak szczepionka?

– Doskonałe porównanie! – zaklaskał terapeuta i przeszedł do wyliczania korzyści, jakie dało Panu T. rozstanie z podrzędną pracownicą H. – Jeśli mógłbym coś zasugerować, proszę skupić się teraz wyłącznie na sobie. To doskonały moment, by wzbogacić własne wnętrze. Wcześniej jednak musimy dokonać rytualnego oczyszczenia.

Najlepiej z dala od źródła negatywnych emocji. Co najmniej pięć tysięcy mil. Kierując się intuicjami terapeuty, Pan T. poleciał na urlop do Bombaju. Dwa tygodnie później wrócił uwolniony od złych wspomnień, wzbogacony wewnętrznie, uszlachetniony patyną cudzego cierpienia i gotowy na nowe eksperymenty.

Oczywiście, cały proces zdrowienia trwałby dłużej, gdyby to Pan T. został porzucony przez Inkę. Ale przecież właśnie on podjął decyzję o rozstaniu, prawda? Czasem tylko, medytując w jacuzzi, zastanawia się, czy wtedy, we wrześniu, mógł zadecydować inaczej. Ale szybko odstrasza ową natrętną myśl sprajem przygotowanym przez terapeutę. Oczywiście, że mógł, ale czy było warto? Po co trwonić cenny potencjał wojownika na niepotrzebne konfrontacje? Znacznie lepiej zająć się tym, co tu i teraz. Lub planowaniem świetlanej przyszłości.

Dociekliwego Czytelnika interesuje pewnie, czy Pan T. choć przez chwilę traktował Inkę inaczej niż zadanie do rozwiązania. Czy poczuł do niej coś głębszego poza niekłamaną sympatią? Owszem, ale uczucia Pana T. były tak subtelne, że Narrator nie potrafi znaleźć odpowiednio lekkich słów, by je uchwycić.

A jak zniosła rozstanie Inka? Wyjątkowo dzielnie, zważywszy brak profesjonalnego wsparcia w postaci terapeuty i orientalnych masażystek, które wycisnęłyby z niej przykre wspomnienia. A miałyby co wyciskać, bo kopniak numer siedemdziesiąt okazał się zaskakująco bolesny. Bolesny nie dlatego, że podeptano jej naiwne marzenia o dozgonnej miłości (podeptał je ktoś inny, lata temu). Ani dlatego, że Inka uwierzyła w możliwość przyjaźni z własnym dyrektorem (odrobinkę uwierzyła, do czego nie potrafi się przyznać). Najbardziej zabolało ją, że to wszystko skończyło się... tak nagle. A przecież od początku wiedziała, że znajomość z Panem T. należy do tych, które rozsądni ludzie określają mianem „beznadziejny przypadek". Ani przez moment nie liczyła na to, że wzajemna sympatia przerodzi się w coś głębszego. I wcale tego nie chciała. Czułaby się skrępowana, gdyby Pan T. wyznał jej miłość; nie byłaby gotowa jej odwzajemnić, nie wtedy.

Po co zatem zgodziła się na spotkania? Sama nie wie. Może potrzebowała odrobiny życzliwości na wiosnę. Bo to zdecydowanie nie jest jej ulubiona pora roku. Wiatr, od którego łzawią oczy. Ostre jak brzytwa słońce, które zamiast rozgrzewać, bezlitośnie obnaża wszystkie brudy i usterki, ukryte dotąd pod litościwym śniegiem, szalikami lub grubą warstwą korektora. A dookoła morze błota i góry śmieci. Inka od razu czuje chłód i najchętniej znalazłaby sobie jakiś bezpieczny klosz. Zaszyłaby się pod nim godzinkę lub dwie, oczywiście cały czas pamiętając, że to tylko klosz, a prawdziwy świat jest tam, za szybą. Możliwe że znajomość z panem T. była takim kolorowym kloszem. Kloszem, który (wiedziała to od początku) pęknie w najmniej oczekiwanym momencie, niczym mydlana bańka. Pyk i po wszystkim. Inka wiedziała również, że nie padną wtedy żadne wyjaśnienia. Żadnego ckliwego „Żegnaj". Co najwyżej „Będziemy w kontakcie" albo telefon od sekretarki, że „Pan T. jest obecnie bardzo zapracowany". A potem głucha cisza.

A może w telewizji nie leciało wtedy nic ciekawego, więc zgodziła się na kilka odcinków pilotowych. Z czasem przywykła do stałych pór emisji: wtorek i piątek o dwudziestej. A potem wciągnęła się w fabułę i zaczęła traktować znajomość z Panem T. jak serial, fascynujący właśnie dlatego, że może się zakończyć w każdej chwili. Bez zapowiedzi i bez happy endu jak w bajkach. To się musi źle skończyć, powtarzała sobie Inka, śpiesząc na kolejny odcinek.

Ale kiedy wreszcie serial dobiegł końca, poczuła piekący ból. Spodziewała się, że będzie jej smutno, może nawet uroni łzę, ale nie spodziewała się czegoś tak obezwładniającego. Nie aż tak. Przecież nie stało się nic wielkiego. Skończyło się coś, co miało i musiało się skończyć. Dokładnie tak, jak to sobie wyobrażała dziesiątki razy. Co więcej ona sama doprowadziła Pana T. do wyboru opcji z „automatyczną sekretarką". Niczym Inki nie zaskoczono, niczego jej nie zabrano, nie odarto ze złudzeń. Więc skąd te wszystkie piekące rany? Może za bardzo wciągnęła się w fabułę? Czasem tak trudno zachować emocjonalny dystans. A może dziesięć minut od centrum to za mało? Właśnie wtedy Inka zwiększyła odległość o całe jedenaście sekund. I postanowiła nie mieszać więcej spraw służbowych z osobistymi.

Niestety w tym samym miesiącu
w ich CONCERNIE zaczęła się moda na Wielkie Miksowanie. A to za sprawą amerykańskich naukowców, którzy ogłosili zacofanemu światu Meganowinę. Otóż zespół zintegrowany, oznajmili, pracuje szybciej i efektywniej niż skłócone stado. Zarząd CONCERNU od razu pojął, co to oznacza. Zgrana drużyna może zapakować, wypromować i sprzedać więcej małych fikuśnych gówienek (bo produkcja, jak pamiętamy, należała do zgranych od pokoleń drużyn z regionu Ningxia). Czysty ZYSK. Zaczęto więc wysyłać na szkolenia integracyjne całe grupy, tłumacząc, że chodzi przede wszystkim o poprawę warunków pracy. Dzięki pełnej integracji, drogi pracowniku X., odnajdziesz w zakamarkach swego biura kolegów, o jakich nie śmiałbyś nawet pomarzyć. Ludzi godnych zaufania, nie krwiożerczych rywali. Dopiero wtedy poczujesz się naprawdę komfortowo, a nam będzie przyjemnie, że z taką radością biegniesz co rano do firmy. Na tym właśnie polega rodzinna atmosfera.

I rzeczywiście, wracali z pierwszych szkoleń przekonani, że stanowią jedność. Wcześniej nawet nie podejrzewali, że mają wokół siebie tyle życzliwych im osób. Tylu przyjaciół, na których mogą polegać... dopóki jakiś nie opuścił firmy. Wtedy natychmiast znikał z listy adresowej (nie tylko elektronicznej) poczty i komórek.

Także szarych. Ale na początku owych zniknięć było śmiesznie mało (kto chciałby opuszczać tak przyjazną pracownikowi firmę?), więc nie zawracano sobie głowy wymazywaniem danych. Wszyscy byli zachwyceni. No, może prawie wszyscy.

Inka, właśnie w trakcie archiwizacji bolesnych wspomnień, nieufnie podeszła do zabawy w „Wielkie Kumplowanie". Ale i ona prawie dała się nabrać podczas pierwszego dnia warsztatów. Kiedy wspólnie rysowali wioskę marzeń, poczuła się jak w cudownej, kochającej się rodzinie, gdzie każdy może liczyć na drugiego. Na jego troskę, sympatię i szczerą życzliwość. Każdy też ma swoje miejsce, gdzie może zbudować dom, jaki tylko zechce. Nie patrząc na sąsiada, nie prosząc o zezwolenie i nie podlizując się miejscowym VIP-om. Pełny luz. Inka namalowała od razu igloo, kojarzyło jej się bowiem z kloszem, pod którym spędziła tyle miłych chwil. No a poza tym lubi zimę.

– Ktoś się tu strasznie izoluje – usłyszała nagle. – Mamy w grupie zmarzniętego Eskimosa.

Chciała wyjaśnić, że igloo sprzyja bliskości, a nawet do niej zmusza. Zupełnie inaczej niż przestronne wille, gdzie można zgubić wśród pokoi własne dzieci. Ale zaraz ją zakrzyczano. Igloo jest zimne, trupiobiałe, trudno się do niego wczołgać, i w ogóle budzi same złe skojarzenia. Inaczej niż chata kryta strzechą albo staropolski dworek.

– Moi drodzy – wtrącił psycholog prowadzący trening. – Nie mieliśmy krytykować, tylko sprawić, by każdy czuł się dobrze w naszej wiosce marzeń. Co zatem powinniśmy zrobić?

Padło mnóstwo propozycji. Jedni zaprosili Inkę do swoich klimatyzowanych willi albo pod strzechy, inni ozdobili jej smutne igloo kwiatkami w kolorze neonowego różu i elektrycznej pomarańczy. Ktoś dorysował wielki komin, a parę osób zaczęło „budować" Ince całkiem nowy, dużo wygodniejszy dom, z otwartymi na oścież drzwiami, za to bez dziurki na klucz. Nikt tylko nie zapytał, czego potrzebuje sama Inka. Od czego jednak są psycholodzy?

– Kochani! – jeden z nich zwrócił się do zajętej „pracami budowlanymi" grupy. – Cieszę się, że tak chętnie zaoferowaliście pomoc. Pamiętajmy jednak, że problem nie tkwi w samym budynku. Nie o to chodzi, by uszczęśliwić koleżankę ślicznym domkiem z piernika. – „Wreszcie", odetchnęła z ulgą Inka. – Chodzi o to, by dobrze czuła się tu, razem z nami. Żeby nie musiała się izolować. Co zatem można zrobić ze zmarzniętym Eskimosem? Jak mu pomóc? – Pełna rozterka. Nakarmić wędzoną rybą? Podpiec na stosie? Pożyczyć kożuch? – Zmarźlucha musimy ogrzać. Wszyscy razem. Żeby poczuł bijące od grupy ciepło. No, to raz dwa, kochani – zaklaskał, budząc zamyślonych grafików z trzeciego piętra. – Wstajemy! I do dzieła!

Otoczyli zdezorientowaną Inkę ciasnym kręgiem, tworząc „kulę", niczym piłkarze uradowani efektownym golem. A potem zaczęło się wzajemne tulenie, ściskanie, klepanie po łopatkach i nie tylko. „Cieplej niż w igloo", przyznała Inka poddając się końskim pieszczotom kolegów z biura. „Może właśnie tego było mi trzeba. Mnóstwa głasków".

Ostatniego dnia znowu coś rysowali. Tym razem płot. „Jaki tylko chcecie, moi drodzy. Pełna dowolność kształtów i kolorów. Tylko proszę nie podpisywać obrazków, żebyśmy przy interpretacji nie sugerowali się osobą autora". Kiedy skończyli, prowadzący zebrał kartki, a potem wyjaśnił grupie, że ów płot pokazuje stosunek do ludzi.

– Czyli otwartość lub jej brak – dodał, bacznie przyglądając się uczestnikom. – A teraz, zgodnie z zapowiedzią, będziemy analizować każdy rysunek.

Pokazał pierwszy: parkan z jednakowych sztachet ustawionych jedna obok drugiej jak klawisze pianina albo boazeria. Tak zwany płot od linijki.

– No i jak myślicie? Kto stosuje tak oszczędne formy?

Wiadomo, kto. Człowiek zablokowany, purytanin odmawiający sobie batonika nawet w karnawale. Autor rysunku boi się przyjemności i na pewno drażnią go barokowe kształty.

– A spójrzcie, jak zbudowano parkan? – podpowiedział prowadzący.

No oczywiście, jak mogli nie zauważyć. Ciasno ułożone „belki" świadczą o tym, że autor nie dopuszcza do siebie nikogo. Zbudował wysoki płot, za którym może schować się przed ludźmi. Zabarykadować i odciąć od świata. Co oznacza, że izoluje się od grupy jeszcze bardziej niż Eskimos (tu spojrzenie w stronę budowniczej nieszczęsnego igloo). A przecież mieliśmy się integrować, prawda? Trzeba będzie mu pomóc i staranować parkan, wdzierając się do środka. A potem zagłaszczemy biedaka na śmierć. W tym momencie autor rysunku nie wytrzymał i wyjaśnił, że to nie ze strachu przed grupą, ale z lenistwa. I dlatego, że zupełnie nie umie rysować.

– Pamiętacie moją wczorajszą chatę? Kwadrat jak z pustaka! Teraz też wybrałem możliwie najprostszy wariant. Wcale nie chcę się od was odcinać, od nikogo nie chcę i... i naprawdę bardzo lubię batony. Nawet w wielkim poście!

Grupa jednak nie dała się przekonać. Przecież wszystko wyszło na rysunku. Taki płot malują purytanie, introwertycy i outsiderzy. Słowem: OBCY.

– A może jednak przyjąć wersję Jarka. – Inka stanęła w obronie kumpla przerażonego wizją grupowych pieszczot. – Dlaczego miałby nas okłamywać? Przecież tak się lubimy, ufamy sobie...

W grupie nastąpiła konsternacja, ale zaraz do akcji wkroczył prowadzący.

– A może Jarek nas nie oszukuje. Okłamuje wyłącznie siebie...

– Jak to? – wyjąkał Jarek.

– Po prostu tłumisz niewygodne prawdy na swój temat. Wypychasz je poza „obszar świadomy". Dopiero rysunek pokazuje, co kryje się w twoim wnętrzu. Czyli w podświadomości.

– Trochę mi to przypomina sytuację – nie poddawała się Inka – kiedy dziecko w przedszkolu rysuje dom czarną kredką, bo tylko taką ma do dyspozycji. A potem pedagog wypisuje w dokumentach bzdury, jakież to traumy musiał przeżywać biedny malec. Na pewno bardzo krzywdzą go rodzice, a może, kto wie, molestuje któryś z wujków.

– Należałoby zapytać, gdzie podziały się inne kredki – zagruchał łagodnie prowadzący.

– Nieważne.

– Bardzo ważne, tylko dyletant ignoruje takie informacje – zganił Inkę.

– Powiedzmy, że młody rozdał najlepsze kredki swoim kolegom. Albo nie zdążył wybrać TEJ WŁAŚCIWEJ, bo inni go ubiegli. A może innych kredek wcale nie było, bo to biedne przedszkole i tnie koszty! – wybuchnęła Inka. – Albo dzieciak po prostu lubi czarny kolor. Tak ma!

– Żadne dziecko nie lubi czerni – odezwała się księgowa, matka czwórki tak zwanych „pociech", a zaraz potem Inkę zakrzyczeli inni.

– Parkan mówi wszystko! I my, jako grupa wiemy, że Jarek ma trudności z nawiązaniem bliskich relacji. A ty, Inka, bronisz go tak zażarcie, ponieważ masz podobny problem. Pamiętamy wszyscy igloo, prawda?

Inka położyła uszy po sobie i na przyszłość postanowiła nie wychodzić przed orkiestrę. Grupa nie może się mylić. Mylą się tylko jednostki.

– To mi przypomina czasy mojej pracy – odezwał się pan H., kiedy córka streściła mu przez telefon przebieg warsztatów integracyjnych. – Też siedzieliśmy cicho. Każdy skulony za własnym biurkiem. No i słynne jedenaste przykazanie. „Nie wychylaj się, bo stracisz głowę i nie wydadzą ci paszportu", pamiętasz?

Jak mogłaby zapomnieć. Strasznie ją wtedy drażniło, że takie zachowawcze i przestarzałe. A przecież socjalizmu już nie ma, powtarzała rodzicom. Nie ma od dobrych paru lat. Socjalizm umarł i wreszcie można mówić prawdę, iść do przodu, odważnie robić swoje, a nie chować się za tłumem jak przestraszony szarak. Miała wtedy siedemnaście lat i drażnił ją każdy klosz.

Biały, różowy czy krwistoczerwony. Jak flaga dawnego Brata.

– Wiesz? – wtrącił tato. – Wtedy wydawało mi się, że to wina systemu. Człowiek nie ufał człowiekowi ze strachu przed donosem i milicyjną pałką. Ale teraz, kiedy nastała wolność i już można otworzyć usta? W dodatku w nowoczesnym międzynarodowym CONCERNIE, gdzie nie ma miejsca na socjalistyczne nawyki? Zupełnie nie rozumiem. To co się właściwie zmieniło?

No jak to? Mnóstwo. Jest wolność i można powiedzieć wszystko. Tylko czy warto...

Inkę zaniepokoiła jeszcze jedna rzecz. Właściwie drobiazg. Kiedy próbowała bronić swojego igloo, ktoś wykorzystał informację, którą zdradziła podczas zabawy w czteroosobowych podgrupach.

– Skoro kochasz „szklane domki" – usłyszała – to czemu było ci tak duszno pod kloszem, w którym więzili cię rodzice? Czemu się buntowałaś i chciałaś uciec na koniec świata?

Inka tak się zdziwiła nieoczekiwanym „przeciekiem informacji", że nawet nie pomyślała, by sprostować kłamstwo o rzekomym więzieniu. Dopiero po powrocie do Krakowa uświadomiła sobie, że nie tylko ujawniono coś, co miało „zostać tylko między nami", ale co gorsza dokonano niepokojącego retuszu. Na przyszłość postanowiła ostrożniej dobierać słowa. Co nie znaczy, że ma milczeć lub udawać niedostępną. Absolutnie nie! Tylko ściągnęłaby na siebie podejrzenia i niechęć tych bardziej otwartych. Wszystko ma wyglądać naturalnie. Jeśli zatem padnie pytanie o rodziców, Inka odpowie zgodnie z prawdą, że są na emeryturze, ale jako osoby niezwykle czynne, znaleźli sobie hobby. Oczywiście hobby w bardzo dobrym stylu.

– Slow food i rękodzieło artystyczne. Tato rzeźbi, mama szyje patchworkowe narzuty i haftuje obrazki. Tak, wystawiają, ale rzadko. Nie zależy im na rozgłosie ani medalach. W końcu chodzi przede wszystkim o pasję. Czy coś zarabiają? Niestety nie tyle, żebym mogła rzucić pracę i zostać rentierką – zażartowała. – Ale starcza im na drobne przyjemności i mogą sobie pozwolić na porządne narzędzia. A to kosztuje. Same dłutka, sprowadzane z Niemiec, to prawie jedna emerytura taty, nie mówiąc o cenach pędzli.

– Poważna sprawa.

– Mnie najbardziej cieszy, że się nie wycofali jak wielu innych, na emeryturze.

– A brat?

– Też sobie radzi. W tej chwili mieszka za granicą, ale myśli o powrocie do kraju. Chce założyć kancelarię prawną z wujem. Mówiłam wam, że wujek jest adwokatem? – skłamała. – Nie??? Rzadko o tym wspominam, bo nie znoszę truć i zanudzać opowieściami o swojej rodzinie.

– Nie trujesz – odparł prowadzący. – Chętnie posłuchamy.

– Taki wuj to skarb – dodał kierowca szefa. – Można bezkarnie łamać przepisy.

– Bezkarni są tylko gangsterzy. Zresztą wuj zajmuje się całkiem inną działką. Prawa pracownicze, nieuzasadnione zwolnienia, takie tam nudziarstwa – rzuciła, ukradkiem obserwując grupę. Przekażą, gdzie trzeba. I o to chodzi. Diabeł tkwi w szczegółach.

Ważne jednak, by za dużo się nie przechwalać. Wady mile widziane, ale wyłącznie te na czasie. Ot, bałagan w mieszkaniu, słabość do gorzkiej czekolady i ciuchów z przeceny. Słowem żwirek, żadnych ostrych skał, które zagrażałyby bezpieczeństwu grupy. Jeśli zaś stado samo dostrzeże jakąś wadę, należy przyznać mu rację. Nie, nie od razu (zbyt podejrzane). Najpierw należy pokręcić nosem, wysunąć parę kontrargumentów, zastanowić się przez chwilę i wreszcie oświadczyć, robiąc przy tym duże, naiwne oczy albo marszcząc czoło: „Faktycznie, o tym nie pomyślałam", „Tu mnie złapaliście", „Rzeczywiście, coś w tym jest". I obiecać poprawę lub okazać skruchę (kierując się tzw. czujem). Należy też unikać drażliwych tematów. Można ponarzekać na politykę (ale bez wdawania się w szczegóły), na stan kultury (zwłaszcza poziom polskiego kina), ale nic poza tym. Żadnych uwag na temat kierownictwa, nawet średniego szczebla, żadnych żartów z najgłupszych nawet zarządzeń. I ani słowa na temat składu (a co za tym idzie, smaku) małych fikuśnych gówienek.

Przygotowawszy odpowiednią zbroję, Inka świetnie znosiła kolejne integracyjne potyczki. Może „świetnie" to za dużo powiedziane, zdarzały się bowiem pewne przykrości. Lepkie łapy personalnej, krowi chuch kierownika z parteru, raz nawet padł zarzut, że:

– Ty, Inka, wydajesz mi się jakaś taka, no... za fajna. Zbyt doskonała. Żadnych zadziorów.

– To już masz się czego czepić: tego „zbyt" – odparowała niby żartem, a na przyszłość postanowiła wykonać parę pokazowych potknięć (żeby uspokoić mniej doskonałą resztę stada). No i musi pamiętać, żeby nie stawać naprzeciwko kierownika z parteru. Personalną jakoś zniesie.

Po dziesięciu wyjazdach wszyscy byli tak zintegrowani, że kolejne warsztaty nie miały najmniejszego sensu. Wypłakano wszystkie gorzkie łzy, dopieszczono Eskimosów, wyściskano i zagłaskano paru purytan. A nieedukowalni opuścili CONCERN. Czasem za porozumieniem stron, ale zwykle na własną prośbę. W firmie zapanowała nuda. Coś wisi w powietrzu, kwękali meteoropaci. Taki zastój nie może długo trwać. Będzie burza, może nawet gradobicie, oznajmił firmowy tetryk, nacierając maścią zreumatyzowane kolana. I rzeczywiście.

Na początku następnego roku
ogólnokrajowy kryzys ogarnął również CONCERN. Okazało się, że spauperyzowane społeczeństwo nie kupuje już tylu małych fikuśnych gówienek co kiedyś. Nawet w nowych złotych papierkach. Nawet po promocyjnej cenie (w zestawie z książką). Co tu, kurde, zrobić? I wtedy, w marcu, jeden z wiceprezesów wpadł na genialny pomysł: „Tniemy koszty".

– Ale jak to możliwe!? – oburzyli się pozostali, mniej genialni. – Przecież koszty produkcji ograniczyliśmy do minimum cztery lata temu. Już i tak padają zarzuty, że w jednej z fabryk zatrudniamy więźniów politycznych. I małe dzieci.

– Jak wszyscy liczący się na światowym rynku – wiceprezes T. machnął lekceważąco dłonią.

– W składzie gówienek też już wiele nie da się namieszać – dodał główny technolog. – Styropian podskoczył w górę, a jeśli dodamy więcej plasteliny, nie pomoże żaden wzmacniacz smaku i zapachu. Żaden glutaminian czy inny umami. Już teraz ludzie narzekają, że tego nie da się jeść.

– A czego oczekują za taką cenę? Tortu dobosz? – parsknął dyrektor handlowy. – Przynajmniej nie ma obaw, że dostaną alergii. – Bo produkt nie zawiera nawet śladowych ilości mleka czy orzeszków ziemnych jak inne.

– Może wrócić do dawnego składu? Postawić na jakość, choćby kosztem papierków... – nieśmiało zaproponował jeden z kierowników, pan Naiwny, człowiek bardzo starej daty.

– A skąd wtedy weźmiemy fundusze na reklamę? – odezwał się szef działu promocji.

– Jakość sama się obroni...

Odpowiedziały mu salwy śmiechu.

– Panowie, nie mamy wyjścia. Tniemy koszty – ogłosił wiceprezes T., przechodząc do prezentacji planu strategicznego cięcia. – Jak można obniżyć koszty? Zwalniając pracowników. Masowe redukcje mogą jednak doprowadzić do strajków, i stoimy.

– Leżymy nawet – przyznał dyrektor finansowy. – Już nie mówię o fortunie, którą trzeba byłoby wydać na odprawy dla zwalnianych.

– Więc wymyśliłem inny patent. Otóż zaniepokojeni słabymi wynikami zorganizujemy audyt zakończony testem przydatności zawodowej danego pracownika. Oceny wystawią niezależni eksperci spoza firmy, żeby wszystko wyglądało jak należy. Ci z pracowników, którzy otrzymają dwóje, dostaną wypowiedzenia. Logiczne?

– Pytanie, skąd wziąć fundusze. Wszystkie środki wyczerpaliśmy na integrowanie zespołów – przypomniał szef działu księgowości.

– Ukryjemy audyt pod płaszczykiem szkoleń dla osób szczególnie zagrożonych bezrobociem. Mamy wtedy szanse na dofinansowanie z funduszy unijnych.

– Wobec tego trzeba by wysłać dolne szczeble...

– Wyślemy, a jakże. Sprzątaczki, portierów, woźnego, panie z szatni i tak dalej. Wymieszamy zagrożonych z szarakami do odstrzału, wmawiając wszystkim, że taki koktajl działa stymulująco na kreatywność. Bo działa. – Tu wiceprezes zacytował odpowiedni fragment podręcznika do treningu twórczego myślenia.

– A kogo trzeba przetrzebić? – zainteresował się szef logistyki, zapalony myśliwy.

– Pierdzistołki od papierowej roboty. Nic nie robią, a licznik bije – wyjaśnił dyrektor personalny.

– Dziękuję, kolego. Wracając do tematu. Źródło drugie dofinansowania: fundusze unijne na ochronę zabytków. Jak się do nich dobrać? Niby wykupując noclegi w jakimś rozpadającym się dworku, którego właściciel ma fundację na rzecz ratowania rodowych ruin.

– Co znaczy „niby"? – zapytał kierownik Naiwny.

– My wpłacamy na jego fundację forsę otrzymaną z funduszy, a on udostępnia kilka zagrzybionych sal. Trzeba tylko znaleźć desperatów chętnych do podobnej wymiany. Zima była ostra, panowie, dachy przeciekają, więc liczę że szybko znajdziemy właściwe obiekty – zwrócił się do szefa logistyki. – Pozostaje tylko właściwie wypełnić papiery i czekać na decyzje...

– Sprytnie – pochwalił sam PREZES.

– A to jeszcze nie koniec. Reklama! Tu również możemy sporo zaoszczędzić.

– Ciekawe jak? – burknął dyrektor od promocji, zaniepokojony rewolucyjnymi pomysłami wiceprezesa.

– Krok pierwszy: „Le Qmotr" – firma zajmująca się głównie organizacją kampanii społecznych. Robią trochę komercyjnych rzeczy, ale samą drobnicę. I ostatnio nie mieli żadnych zleceń. Wiadomo, zastój jak wszędzie. Niestety, liczyli na fart i przechlapali wszystkie fundusze już w lutym. A do jesieni muszą zrobić wielką akcję przeciw przemocy w rodzinie. Inaczej posypią się kapuściane głowy. Ciśnienie musi być straszne, bo nękają potencjalnych sponsorów, gdzie tylko się da. Mnie namierzyli na polu golfowym.

– A to ci! – przypomniał sobie dyrektor handlowy. – Faktycznie zdesperowani. Mnie próbowali dopaść w centrum SPA, ale Martyna, znaczy sekretarka moja, dała im odpór.

– Ja byłem sam. Tak mnie zirytowali, że najpierw odmówiłem, ale wieczorem przemyślałem sprawę na spokojnie i wstępnie zaproponowałem wymianę. My im sypniemy groszem na akcję, a oni nam za to machną billboardy reklamowe. Skąd weźmiemy pieniądze na sponsoring?

– Fundusze unijne.

– Bingo! Na razie rzuciłem tylko luźną propozycję, ale już przebierają nogami. Jak będziemy wiedzieć, ile przyznano nam środków i na co, ustalimy szczegóły. Więc, kolego – zwrócił się do speca od formularzy – proszę się postarać i wypełnić wszystko jak trzeba. Bo z biurokracją nie ma żartów.

– Ale w takich firmach odwalają amatorszczyznę – zaczął grymasić dyrektor działu promocji. Do tej pory reklamy robił jego szwagier. A tu pstryk, i po zleceniu. Jak to wytłumaczy szwagrowi? Właśnie teraz, kiedy chłopina zaczął budowę domu?

– I bardzo dobrze – odparł wiceprezes T., przechodząc do omówienia kroku numer dwa. – Koniec z blichtrem, który tylko irytuje sfrustrowane społeczeństwo.

– I na który nas nie stać – przypomniał szef działu księgowości.

– Dlatego postawimy na przaśność i tak zwany real. Zamiast bulić pół miliona na sezonową kometę z plastikowym biustem, wykorzystamy naszych własnych pracowników.

– Myślałem, że już ich wykorzystujemy – odezwał się kierownik Naiwny, człowiek bardzo starej daty. Wiceprezes T. postanowił sprawdzić, czy nie można by go wysłać na jakąś wcześniejszą emeryturę. Dostałby odprawę, ładny dyplom i wszyscy mieliby święty spokój.

– Zatrudniamy – sprostował, uśmiechając się aż po zęby mądrości. Nadal nieusunięte, pewnie dlatego jest taką kopalnią genialnych pomysłów. – I znowu ich zatrudnimy, by odegrali rolę zadowolonych konsumentów. Nawet nie tyle odegrali, co nimi byli. Bo przecież są, prawda? Wszyscy lubimy przekąsić małe fikuśne gówienka.

– Ja jestem na diecie – chrząknął dyrektor personalny.

– Ja również, ale czasem się skuszę. Choćby po to, by sprawdzić, czy trzymamy standardy – skłamał wiceprezes T. – Więc w reklamie wystąpiliby nasi ludzie. Otrzymaliby oczywiście stosowne wynagrodzenie, za nadgodziny. A my mielibyśmy wiarygodną reklamę. Inną niż wszystkie i na czasie, bo blichtr jest passé.

– Dlaczego wiarygodną? – dopytywał kierownik Naiwny. – Przecież wiadomo, że reklama kłamie.

– Tylko koloryzuje. A w naszej nie będzie nawet tego. Będą prawdziwe zwyklaki, jakich pan czy ja mijamy codziennie w tramwaju, jadąc do firmy – wyjaśnił wiceprezes, zapominając, że on mija wyłącznie inne auta. Z prędkością sto dwadzieścia na godzinę, bo zawsze bardzo się śpieszy.

– Tramwajowe baby? – skrzywił się szef logistyki.

– Bez przesady, panie kolego. Zwykli, ale jednak nieco podrasowani. Wyselekcjonujemy grupę pracowników o miłych, gładkich twarzach, szczerym uśmiechu i... bez nadwagi, rzecz jasna.

– Zdrowie, krzepa i zgrabne nogi?

– Właśnie. I teraz wyobraźcie sobie taki billboard. Miła pani Jola w różowym sweterku zwraca się do targetu ze słowami: „Kochani, to ja pakuję MFG w złote papierki. Wiem, co pakuję, i dlatego nie kupuję innych gówienek. Wolę jeść to, co znam. Sprawdzone i bezpieczne MFG". Co pomyśli odbiorca takiego komunikatu? Że MFG muszą być w porządku, inaczej pani Jola, wtajemniczona w proces produkcji, wsuwałaby wafelki kokosowe od konkurencji.

– A jeśli ktoś odmówi udziału w reklamie?

– W tym już głowa naszych specjalistów od treningów. – Skinął na personalnego. – Niech pokombinują tak, żeby pomysł reklamy padł podczas burzy mózgów. Grupa przyjmie go entuzjastycznie, dobierzemy modeli. I od czerwca start.

W maju wyjaśniło się, co z funduszami. Udało im się wyszarpać ponad połowę deklarowanej sumy. I tak nieźle, oświadczył wiceprezes T., zważywszy plagę węży, które zaatakowały kieszenie europejskich decydentów.

– No to zaczynamy.

Miesiąc później wysłano pierwsze grupy na eksperymentalne warsztaty. Pracowników powiadomiono, że chodzi o trening twórczego myślenia, zakończony oceną przydatności do pracy w firmie. Prawdziwa rewolucja. Bo niby przyjemnie (noclegi w zabytkowym dworku!) i rozwojowo, a z drugiej strony stres, czy zdam, przynajmniej na trójkę z plusem. Nikt oczywiście nie wiedział, że oceny ustawiono już przed egzaminem. Personalny zapewnił bowiem wszystkich, że skład poszczególnych zespołów został dobrany losowo. Losowania zaś dokonał komputer. A wiadomo, że maszyna nie kieruje się uprzedzeniami. Jest beztronna, beznamiętna, full profesjonalizm.

Personalny nie wspomniał jednak, że wcześniej uczestników podzielono na cztery grupy: szaraki, ocaleni, szczeble i modele. Nie dodał też, że wyboru dokonał sam zarząd, kierując się jak najbardziej ludzkimi pobudkami. A czasem wybierając na chybił trafił („wrzućmy tego Stasiaka, bo już nie mam pomysłu, kogo"). Wszystkie dane wklepano do komputera i ten dokonał ostatecznego losowania, kierując się wytycznymi od nadwornego programisty. Dzięki temu każda drużyna miała podobne proporcje (4:3:2:1). Inka trafiła do zespołu numer 3 (szkolenia trzydniowe, w okolicach Rabki). Wraz z nią pojechało dwunastu szaraków, dziewięciu ocalonych, sześć dolnych szczebli i trzy modelki. Oczywiście każdy nieświadomy przypisanej mu roli. Także Inka, którą zakwalifikowano jako potencjalną „twarz" MFG. Wyboru dokonał sam wiceprezes T. Najpierw przedstawiono mu zdjęcia co atrakcyjniejszych pracownic z prośbą o sugestie. Od razu trafił na legitymacyjną fotkę Ireny H. „Kiedyś wydawała mi się dużo ładniejsza, dziwne" – pomyślał, sięgając drżącą dłonią po fotografie innych kandydatek. Niedbale przerzucił wszystkie i znowu wrócił do tamtej, cholernej fotki. Ciekawe, czy się zmieniła. To już prawie dwa lata. Tyle czasu, tyle naskórkowych relacji i coraz piękniejszych kobiet. A wszystkie szeroko uśmiechnięte. Owszem, próbuje się ustatkować, ale przy takim wyborze trudno podjąć decyzję raz na zawsze. Zwłaszcza, że już kiedyś podjął i cóż... trafił na niewypał. Sprawa o podział domu wraz z kosztownościami ciągnie się od roku. Na razie ustalili, że Cezara dostanie Pan T., bonsai zaś jego była. A o karasie walczą. Zatrudnili nawet mediatora, więc może dojdą wreszcie do porozumienia. W tak trudnej sytuacji Pan T. zupełnie nie ma głowy ani serca do poważnych związków.

Umawia się się wprawdzie z taką jedną. Też po przejściach, ale z bardzo dobrej familii, z tradycjami. Pełna klasa, doskonałe maniery i ogólnie piątka z plusem, tylko jemu trudno się jakoś określić. Zdeklarować. Gdyby chociaż się zakochał, ale właściwie co to dziś znaczy? Chęć bycia lepszym? Dla kogo? Dla siebie już jest najlepszy. A dla drugiej strony, znaczy Klaudii, wcale nie musi. Wystarczy, że dostosuje się do pewnych reguł. Raz w tygodniu elegancka kolacja przy świecach, czasem teatr, częściej zaproszenie na promocję. Premiera nowych perfum lub otwarcie modnego klubu. No i koniecznie pąsowe róże albo pudełko belgijskich czekoladek. Wręczane zupełnie bez okazji, dwa razy w tygodniu (zwykle we wtorki i piątki). Klaudia bardzo ceni romantyzm proceduralny, Pan T. zaś ceni sobie wygodę. Przy obecnych problemach z firmą nie ma czasu na wymyślanie nowych kroków w ich miłosnej rumbie. Nie ma też motywacji, więc na razie tańczą sprawdzone układy. I wszystko gra. Ale jak już Pan T. rozwiąże problem karasi i wyprowadzi firmę na prostą, pomyśli o zmianie. Najpierw jednak selekcja.

– Ta jest możliwa – przyznał dyrektor handlowy, stukając paznokciem w zdjęcie Ireny. – Tylko straszna cwaniara. Jednego grafika tak omamiła, że do dziś się facet nie pozbierał.

– Myślałem, że jest...

– Lezbą? Cholera ją wie! – rzucił, ale zaraz dodał, dla poprawności. – Ja tam nic do nich nie mam. Nawet lubię se obejrzeć dwie panienki na Polsacie – wyznał, rzucając Panu T. porozumiewawcze spojrzenie. Swój chłop. – To co, dajemy na billboard?

– Dajemy – zdecydował wiceprezes, udowadniając całemu światu (a przede wszystkim sobie), że potrafi podejść do zadania profesjonalnie. Nie kierując się resentymentami. Zresztą o jakich bolesnych wspomnieniach tu mowa? Przecież sprawa Ireny H. została definitywnie zamknięta dwadzieścia miesięcy temu. – I jeszcze dorzućmy te cztery. – Wyjął ze stosu kilka przypadkowych fotek.

– No, ale ta jest z dolnych szczebli, wie prezes? Znaczy szatniarka.

– I bardzo dobrze, nie będziemy posądzani o dyskryminację tylnych szeregów.

W ten sposób w grupie Ireny znalazły się cztery „modelki" i zarazem sześć najniższych szczebli. Zliczając do kupy, trzydziestu niepewnych swego (ustalonego z Góry) losu zwyklaków.

– We wtorek wszystko się wyjaśni – powiadomiła tatę. Zadzwonił pod koniec czerwca, żeby dopytać o szczegóły szkoleń. I pocieszyć zdenerwowaną Inkę. – Możliwe, że wrócę z wypowiedzeniem. Ale bez obaw, nie ucieknę wam do Stanów.

– Wcale się nie boimy. Jeśli tam będzie ci lepiej, to jedź.

– No co ty – zdziwiła się Inka. – A Irek?

– Zaskoczył nas, to prawda. No i strasznie baliśmy się, że go te Stany zmienią. Że zapomni i zniknie jak wielu innych. Na szczęście nasze obawy okazały się zupełnie bezpodstawne. – Nie ma to jak stare, dobre złudzenia. – Szkoda tylko że nie skończył studiów, ale poza tym to dalej nasz kochany Irek. Trochę zagubiony, trochę roztrzepany i pewnie stąd te rozwody...

Inka nie odezwała się słowem. Nie będzie zrywać klapek z oczu własnego ojca. Nie jest aż tak okrutna. Zresztą może rodzice mają trochę racji. Może patrzą głębiej niż ona, nie zatrzymując się na takich detalach jak obcy akcent czy efektownie wykonane zęby. Ważne, że dla nich pozostał kochanym Irkiem. Mimo odległości i czasu.

– Poza tym już inaczej podchodzimy do pewnych spraw. Tyle się zmieniło. Wreszcie jesteśmy w Europie. Zatarły się pewne granice i teraz taki wyjazd to jak dawniej ze wsi do dużego miasta.

– I jak zawsze powód jest ten sam – ucieczka przed biedą.

– Może lepiej uciec niż przechlapać najlepsze lata za biurkiem. – Ojciec umilkł na chwilę. – Widzisz, właściwie prawie niczego w życiu nie żałuję. Ale jedno bym zmienił... gdyby tylko dało się cofnąć czas. Byłbym znacznie odważniejszy. Więcej bym ryzykował, nawet kosztem kopniaków. Ale teraz... teraz to już trochę, trochę za późno na rewolucyjne zmiany. Za to przed tobą, Irenka, całe życie i... i jakby to ująć... – Przełknął ślinę, szukając odpowiednio mocnych słów. – Do góry uszy, a reszta sama ruszy!

Lipcowy wtorek,

jeden z tych cudownych letnich poranków, kiedy pot leje się po plecach już o ósmej rano. A klimatyzacji brak, bo to przecież zabytkowy dwór. Jest za to chłodna woda (ciepłej brak), więc proszę bez narzekania. Odrobinę szacunku dla przeszłości, kochani. Doceńcie niepowtarzalną okazję nocowania w trzystuletnich komnatach (pokrytych dwudziestoletnim grzybem), skosztowania staropolskich posiłków (kompot z rozgotowanych mirabelek i pęcak wymieszany z żylastym mięsem koguta, pamiętającego upadek Muru Berlińskiego), zwiedzenia zabytkowej łazienki (prowizoryczny prysznic i inne... „wygódki" w baraku za dworem). Znieśliście dwie doby, zniesiecie jeden duszny dzień. Ochłoniecie po burzy mózgów.

– A już zupełnie po ogłoszeniu wyników końcowych – uspokoił grupę trener rozwoju osobistego i mag w dziesiątym pokoleniu, magister Kwasica, polecając atrakcyjnej asystentce eM (absolwentka pedagogiki specjalnej. Uwielbia to, co robi), by ustawiła krzesła w duży krąg (sprzyja bliskości). Sam zaś zajął się szeroko pojętym relaksem przed czekającą go harówką. Bo trening twórczości to nie przelewki. Zwłaszcza taki, w którym trzeba sztywno trzymać się zadanych tematów. I dojść do wytyczonych przez zarząd rozwiązań.

– No dobrze, moi drodzy, zaczynamy. Na początek krótka zabawa – kiwnął na asystentkę, by rozdała materiały. – A teraz macie pięć minut, żeby ułożyć cztery trójkąty z sześciu zapałek.

Dwadzieścia osiem osób błyskawicznie wykonało zadanie (dwie nie brały udziału w zajęciach, powalone ciężką biegunką po spożyciu sznycli z niewiadomoczego). Z czterech zapałek powstał kwadracik, a dwie posłużyły jako przekątne. I proszę, gotowe.

– Znakomicie – pochwalił trener Kwasica. – Ale zapomniałem dodać, że zapałki muszą się stykać końcami. I nie wolno łamać – zgromił sekretarkę Alę. – Wszystkie zapałki mają być tej samej długości. Czas, start!

Zadanie poprawnie rozwiązały dwie osoby: Inka (widziała już podobne w którejś książce) i szatniarka Marlena X. Reszta grupy poległa z kretesem.

– Skąd wiedziałaś? – zapytał zawistnym szeptem magazynier.

– Tak mi się jakoś skojarzyło. Miałam kiedyś podobne kolczyki i może z tego – zamyśliła się Marlena.

– A! I przecież śpiewałaś o piramidach – przypomniał sobie nagle magazynier. – „Że piramidy, wielkie piramidy, każdy Polak dziś zobaczyć chce".

– O rany! – wykrzyknęła nagle sekretarka Ala. – To ty śpiewałaś ten wielki przebój?

– No ja, ale dawno temu i nieprawda, jak mawiają kaukazcy pasterze.

Nagle w grupie zapanowała euforia. Wszyscy przypomnieli sobie dawną gwiazdę discopolo: Słodką Marlenę. Prawie tak sławną jak Shazza albo Milano.

– To ty? Naprawdę ty? – Przez jedenaście lat, które upłynęły od wydania ostatniej płyty, Marlena mocno wyblakła. Poza tym sceniczny kostium też robił swoje. A powiadają, że nie szata zdobi człowieka.

– No ja, tylko bez tych wszystkich impregnatów.

– I to właśnie ty śpiewałaś polską wersję „Lambady"? – nie dowierzała Karina z działu umów.

– „Lambady" i nie tylko. Różne rzeczy się wtedy miksowało.

– Nic nam nam wcześniej nie wspomniałaś o swojej przygodzie ze sceną – wtrącił trener, nie ukrywając dezaprobaty.

– Bo mnie nikt nie pytał. Poza tym nie ma się czym chwalić.

– Jak to nie ma!?

– A sprawił sobie ktoś moją płytę? Jedną z dziesięciu? Był na koncercie albo chociaż przegrał se od kumpla kasetę? – Wszyscy umilkli, jedni spuścili głowy, inni zaczęli rozglądać się po kątach lub ścierać tusz z dłoni. – No, to wszystko jasne.

– Ale przecież ustaliliśmy zasady, że w grupie nie ma tajemnic – przypomniał trener belferskim tonem. – Inaczej trudno mówić o pełnej integracji.

– Nie ma tajemnic? To może mi magister zdradzi swój telefon do domu?

– Ja jako prowadzący pełnię całkiem inną rolę...

– Tak, wiemy, nadzorcy.

– Ująłbym to inaczej – odparł spokojnie, rozglądając się za asystentką.

– Niech będzie: policjanta. Też chadza w parze z kumplem – zażartowała Marlena i zanim trener zdążył się roześmiać, zwróciła się do grupy. – Dobra, wiadomo, że władza nie może się ujawniać, ale wy, koledzy i koleżanki, możecie mi podać swój domowy telefon. Albo chociaż adres zamieszkania. Samą ulicę... Nie? To nie mam więcej pytań.

Zapadła krępująca cisza i wtedy do akcji wkroczył trener. Dał kilka znaków asystentce eM (Ince zaraz przypomniały się występy cyrkowych prestidigitatorów) i szybko przywrócili porządek.

– Moi drodzy, czas biegnie. – Kwasica wymownie zerknął na swoją omegę. – A my przecież mamy tyle do zrobienia. Zadanie następne. Rozwijamy wyobraźnię. – Pstryknięciem włączył asystentkę i ta poleciła uczestnikom, by sobie wyobrazili, jak wyglądałby świat, gdyby doba miała czterdzieści osiem godzin.

„Przywalono by nam trzy razy więcej papierkowej roboty", pomyślała Inka, ale zachowała tę refleksję dla siebie. W końcu poza treningiem bierze udział w Wielkim Ważnym Teście.

– Mielibyśmy o połowę mniej wolnego czasu – rzuciła Marlena, a zapytana czemu, odparła, że również dla niej to wielka tajemnica. Ale tak właśnie jest. Im dłużej trwa dzień, tym człowiek ma mniej czasu dla siebie. – Może nasz kochany specjalista wyjaśniłby, dlaczego tak się dzieje?

– A ty, Alu, jak sądzisz? – Specjalista zignorował sugestię.

– Może dlatego mniej, że pędzimy coraz szybciej i szybciej. I niby mamy coraz więcej czasu dzięki rozmaitym urządzeniom biurowym, ale i tak to ciągle za mało... – plątała się sekretarka, znana ze swego spóźnialstwa.

– Ja pytałam, co by było, gdyby doba miała czterdzieści osiem godzin. – Asystentka eM starała się nie okazać poirytowania. Bezskutecznie.

– Aha, to... no to miałabym podwójny etat – ucieszyła się pani Ala, ale zaraz posmutniała. – Bo pewnie za te same pieniądze.

– A ty, Jarku, co myślisz?

– Wreszcie miałbym święty spokój...

– Mógłbyś rozwinąć tę myśl?

– Teraz wszystkich dziwi, że śpię dwanaście godzin na dobę. I ciągle się muszę tłumaczyć. A gdyby doba była dłuższa, wszyscy spaliby po czternaście. Więc nikt by się już nie czepiał. Miałbym święty spokój.

– Aha. To może teraz inne zadanie.

I ruszyli z kolejnymi zabawami, ujawniającymi (lub nie) głęboko ukryte pokłady kreatywności. Na początku szło opornie, bo pracownicy zestresowani audytem starali się udzielać odpowiedzi jedynie słusznych (bacznie przy tym obserwując prowadzącego). Po godzinie udało się jednak tych i owych rozruszać, a nawet rozweselić. Trener Kwasica uznał więc, że pora przejść do reklam. Zapytał grupę, jakie spoty wyjątkowo ich drażnią i dlaczego. Padły różne odpowiedzi i najróżniejsze argumentacje. Wybrał tę, której udzieliła Inka.

– Nie chcę fundować Jennnifer Lopez kolejnego futra. Dlatego wolę kreskówki albo...

– Skupmy się może na Jennifer – przerwał trener. – Drażni nas, bo jest zbyt idealna, zbyt bogata, niedostępna. Nigdy nie będziemy tacy jak ona.

– Ja bym nie chciał – zażartował Jarek, ale grupa zignorowała jego wyborny dowcip.

– Drażni nas również dlatego – dodała asystentka eM – że panna Lopez zapewne nigdy nie użyłaby reklamowanej przez siebie szminku czy kremu.

– Wciska nam kit! – uniósł się magazynier.

– Właśnie! A teraz pomyślmy, jakiemu nadawcy bylibyśmy skłonni uwierzyć?

– Komuś prawdziwemu... – nieśmiało wyszeptała pani Ala.

– Świetnie.

– Komuś podobnemu do nas, a nie zarozumiałym królewnom – dodał goniec Marek.

– Znakomicie! – pochwalił trener.

– Na pewno osobie, która nie ma interesu w tym, by zachwalać daną rzecz – odezwała się Inka.

– Czyli komuś, kto nie zarabia kroci – sprostował trener.

– I oczywiście ekspertom – wtrącił Jarek. – Ja, na przykład, zawsze pytam swojego szewca, które buty by kupił. On na to, że cokolwiek bym wybrał i tak po roku trafię do niego. Bo teraz specjalnie się robi taki trefny towar, żeby napędzać konsum...

– Dziękujemy ci, Jarku, za cenne uwagi na temat butów, ale wróćmy do meritum. Czy zaufalibyście pracownikom, którzy rekomendują produkowany przez siebie towar?

– Co znaczy rekomendują? – szeptem zapytał sąsiadkę magazynier.

– Zachwalają – przetłumaczyła asystentka eM. – Mówiąc na przykład: Ja, Zenek K., używam wyłącznie śrubek produkowanych w moim zakładzie.

– Aha. I zachwalają pod własnym nazwiskiem? Nie tak jak ci udawani specе z reklamy proszków do prania?

– Pod własnym. Byliby to prawdziwi pracownicy – zapewnił trener. – Nie dyrekcja czy prezesi, którzy znają technologię z raportów, ale ludzie mający bezpośredni kontakt...

– Tacy jak my? – zapytała Inka.

– Dokładnie. Czy uwierzylibyście komuś takiemu?

– Pewnie, czemu miałby kłamać – odparł goniec Marek.

– A jak myślicie, czy warto byłoby wystąpić w takiej reklamie?

– Zależy... – zastanawiała się pani Ala. – W sumie to prawie jak okładka w „Gali".

– Byłybyśmy na billboardach – rozmarzyła się dziewczyna z grupy szaraków. – Można by się pochwalić sąsiadom albo rodzinie...

– I warto pamiętać o tym, że byłby to dowód lojalności wobec firmy, prawda? – podsunęła asystentka eM.

– Ja bym na pewno nie wystąpiła – odezwała się Marlena, nawet nie wiedząc, że właśnie ją wybrano do prezentacji małych fikuśnych gówienek. I że wyboru dokonał sam wiceprezes T. Co prawda sięgnął po fotkę Marleny całkiem przypadkowo, ale od tak ważnej decyzji nie ma odwołania.

– Nie chciałabyś zostać ambasadorem marki?

– Kim???

– Twarzą MFG – wyjaśniła asystentka eM.

– Chyba dupą – zaśmiała się Marlena, ale dostrzegłszy mars na czole Kwasicy, stłumiła chichot. – Sorry, wymskło mi się. Wracając do pytania, ujmę to tak. Nie zostałabym ambasadorem ani tą, no – parsknęła znowu – ...twarzą MFG.

– A to czemu? – zaniepokoił się trener.

– Bo nie jadam tego świństwa.

– Jak to nie jadasz? – udała oburzenie Karina z działu umów, a Inka pomyślała, że jeszcze chwila i wtrąci swoje trzy grosze na temat gównianego smaku MFG.

– Bo mi nie smakuje. I co? Wywalicie mnie z tego powodu z szatni?

– Spokojnie. Nikt tu nie mówi o zwolnieniach – wtrącił się trener. – Pytałem tylko, z jakiego powodu nie wystąpiłabyś w reklamie MFG?

– Bo nie mogę wciskać ludziom czegoś, czego sama nie wzięłabym do ust. Proste?

Trener Kwasica zamyślił się, szukając odpowiednich sznurków, którymi mógłby doprowadzić Marlenę do porządku.

– Bardzo doceniam twoją uczciwość. To ogromnie istotna cecha. Tu jednak chodzi o coś więcej. Tobie MFG nie smakują i masz prawo do własnych preferencji. Skąd jednak pewność, że nie posmakują tysiącom innych konsumentów?

– Ale dlaczego ma namawiać tych innych do czegoś, co uważa za paskudztwo? – wsparła zdezorientowaną Marlenę Inka.

– Na przykład po to, by okazać uzasadnioną lojalność swojemu pracodawcy.

– W takim wypadku trudno mówić o bezstronnym nadawcy komunikatu reklamowego – odcięła się Inka, uświadamiając sobie, że te słowa mogą ją drogo kosztować.

– Poruszymy ten temat za chwilę, Irenko – uśmiechnął się trener. – Teraz chciałbym jeszcze porozmawiać z Marleną, dobrze?

– Słucham.

– Rozumiem, że cenisz sobie szczerość, ale jako artystka...

– Powiedzmy...

– Jako artystka – powtórzył z naciskiem trener – rozumiesz, czym jest kreacja. Piosenkarze, aktorzy, wielcy malarze produkują złudzenia. Można powiedzieć, że wprowadzają nas w bajkowy świat, za co jesteśmy im wdzięczni. Pytanie zatem, dlaczego odmawiasz odrobiny, odrobiny...

– Ściemy – podpowiedziała mu Marlena.

– Kreacji, po to, by twoja firma, firma, która dała ci pracę, mogła nadal ci tę pracę zapewniać. I to nie tylko tobie, ale tysiącom innych. Ojcom rodzin wielodzietnych. Samotnym matkom. Zwykłym uczciwym ludziom, którzy wylądują na bruku, jeśli...

– Poprawcie skład tego gówna, to chętnie je zareklamuję całym ciałem.

– Zaraz, zaraz – trener zmienił front. – Mówisz o gównie, a jako piosenkarka discopolo...

– Już nie artystka?

– Pani Ireno, ja bardzo proszę! – zirytował się trener.

Zapadła cisza, a potem Kwasica znowu zaczął dociskać Marlenę. – Więc jako podrzędna wykonawczyni mało ambitnego repertuaru powinnaś świetnie rozumieć pewne mechanizmy...

– I rozumiem. Świetnie rozumiem. Przerabiałam to i już więcej nie będę nikomu wciskać żadnego gówna. Nawet w platynowych papierkach. Dosyć.

– Więc odmawiasz udziału w reklamie? A zdajesz sobie sprawę z konsekwencji?

– Czasem lepiej wyskoczyć w porę, niż kiedy będzie za późno.

– I co grupa na tę godną pożałowania niesubordynację koleżanki Marleny? – trener zwrócił się do zdenerwowanych uczestników eksperymentu.

Inka przypomniała sobie pewien rześki styczniowy wtorek i podniosła palce do góry.

– To ja też wysiadam.

Środa

Poniedziałki są do kitu, ale wtorki to dopiero masakra, orzekła Mariola (znak zodiaku Ryby, wymiary 90-68-93. No dobra, w biodrach aż 98, ale do jesieni je wyrzeźbi). Wydaje się, że we wtorek już nic człowieka nie spotka. Ani dobrego, ani złego. Czas stanął w miejscu i kicha.

Na szczęście przychodzi środa i można odetchnąć.

Bo w środę o siedemnastej trzydzieści już wiadomo, że weekend jednak nadejdzie. A wraz z nim targ na Kleparzu, drobne zakupy w Plazie (albo chociaż spacer z firmową reklamówką), zaś wieczorem grill u szwagra. Biała kiełbasa, precle z makiem i soczyste kawały o blondynkach, popijane mocnym ciemnym. W niedzielę giełda staroci na Grzegórzkach lub pirackich płytek w Bronowicach, suma w Mariackim i pieczona kura u teściów. A co dalej? Jak to co? Najpierw nudny poniedziałek, koszmarny wtorek, kiedy czas staje w miejscu, a potem środa. I znowu, i znowu. I dokąd tak?

– I dokąd tak? – wyrzuciła z siebie Angelina Jolie (dla rodziny i znajomych Andżela Król, z domu Ładna).

Jak to dokąd? Po co w ogóle takie pytanie? Czy komukolwiek poprawiło humor? No, to się ciesz, że już środa, za chwilę gorący weekend i biała kiełbasa u szwagra. Więc Andżela daje spokój i tylko patrzy martwym wzrokiem na szary piasek osiedlowej piaskownicy. Ale myśleć nie przestaje, choć wolałaby nie wybiegać w przyszłość dalej niż data ważności na jogurcie truskawkowym z Biedronki. Wolałaby, jak Dominika z parteru, wyobrażać sobie, w co się ubierze na przechadzkę po Carrefourze, jak wyeksponuje zgrabne nogi i zdobytą nad Bagrami opaleniznę. Ale zamiast tych przyjemnych wyobrażeń w jej głowie krąży bolesne „dokąd tak i po co?". A mówili w technikum, że myślenie nie boli. To dlaczego tak się Andżela męczy, napręża mięśnie, narażając twarz na przedwczesne zmarszczki? A w głowie ciągle jej huczy: „Dokąd tak i po co? I po co?".

Raz zadała to pytanie matce. Lepiły właśnie uszka przed Wigilią. Trzysta dziewiętnaście zgrabnych pierożków z grzybowym nadzieniem. Oj, będzie co jeść przez całe święta. A może zostanie kilka na Nowy Rok, kto wie? Jak się ojciec nie rozpędzi, to styknie.

– A potem? – odważyła się zapytać Andżela, odgarniając umączoną dłonią wilgotny od pary kosmyk.

Potem będzie bigos i sylwestrowa pieczeń. I zlecą święta.

– A dalej?

– Dalej? – zdziwiła się matka. – Trzech Króli, karnawał. No coś ty, Andżela, taka wczorajsza? Kalendarza nie znasz?

Mruknęła wtedy, że nie o kalendarz chodzi, ale dalej to już zabrakło jej odwagi. Nie będzie dręczyć starszej w święta. Dokładać jej drzazg do dębowego krzyża, który dźwiga z pokorą od czterdziestu ośmiu długich lat. Zresztą co taka matka jest winna? Źle jej przecież nie życzyła. Chciała tylko, żeby było normalnie. Jak jest dziecko, musi być i ślub. Ale kandydata to już sobie Andżela sama znalazła. Na dyskotece w Kryspinowie, latem dwa tysiące pierwszego. Skończyła właśnie handlówkę i zastanawiała się, co dalej. Kariera i te sprawy. Mogłaby, na przykład, przyjąć się do supermarketu i z pampersem w majtkach siedzieć na kasie od dziesiątej do dwudziestej pierwszej. Zasuwać sześć dni w tygodniu, czekając na księcia. Mogłaby też pojechać do rozbiórki mięsa w Irlandii, do Włoch na pomidory lub do Amsterdamu. Porobić za nianię albo w zgoła innym charakterze. Niby mogłaby też uczyć się dalej. Studiować geografię, może nawet rachunkowość i finanse... tylko za co? Na bezpłatne jest za głupia. Co prawda zawsze ją w podstawówce chwalili, że pamięć ma jak słoń afrykański, ale to chyba za mało, żeby zdawać na taką, powiedzmy, ekonomiczną. Znowu prywatne kosztują. Już i tak ojciec urabia w kiosku ręce po łokcie, rozkopując nos w oczekiwaniu na nielicznych klientów. Matka tyra na trzy zmiany w Wawelu. No a młodszej, Patrycji, też się coś od życia należy. Jakieś technikum dobre, żeby wyszła na ludzi. I angielski, raz w tygodniu, bo znajomość języków to dodatkowy lufcik na świat. Od matury Andżeli młodsza już przebiera nogami, żeby wskoczyć na jej miejsce w starej szkole i w odremontowanym pokoju nad kuchnią. Zająć jej biurko ze sklejki, powiesić plakaty Britney na różowej ścianie. Właściwie to Andżela powinna się już wyprowadzić, choć nikt jej chleba od ust nie odejmie.

Nikt jej nic nie wypomina, na razie. Może się jeszcze namyślić, rozejrzeć, zastanowić. Spokojnie, bez ciśnienia. Do końca wakacji trochę czasu zostało. Może coś się jeszcze stanie, jakiś cud. Może ojciec trafi szóstkę w totka, a Jackowi, pierworodnemu, wydadzą w końcu wizę i zacznie zarabiać w dolarach, po ludzku.

– Albo do reklamy cię wezmą – rozmarzyła się matka, latem dwa tysiące pierwszego.

Wprawdzie Andżela jest zbyt nieśmiała, żeby chodzić na castingi, ale matka czytała, że łowcy głów potrafią namierzyć człowieka wszędzie. W spożywczaku, w kawiarni, nawet na różańcu. Tylko zerkną i już wiedzą, czy warto w klienta inwestować.

– A jak nic we mnie nie dostrzegą? – bąknęła Andżela, smarując samoopalaczem pyzate policzki. Może zatuszuje piegi, które wśród jej koleżanek uchodzą za równie obciachowe, co drewniana fajka, plastikowy trabant i umiejętność gry na akordeonie.

Bez obaw, z takimi warunkami drzwi do sławy otwarte.

– Byleś w domu nie siedziała, to cię wyłuskają – poradziła ciotka, doświadczona w mediach, bo od trzech miesięcy robi za widownię w „Rozmowach w toku".

Więc Andżela wychodziła, gdzie się da. Do osiedlowego marketu, do Żanta, na spacer po Rynku i obowiązkowo trzy razy w tygodniu na dyskoteki. Właśnie tam, pewnej lipcowej nocy poznała Artura Króla, trzydziestodwuletniego kierownika działu serwisantów, z osiedla Piaski Nowe. Zatańczyli dwadzieścia sześć szybkich kawałków i trzy mocno przytulane, a kiedy o świcie odwoził ją do domu służbowym punto, od niechcenia spytał, czyby się nie wybrała do Equinoxa w przyszłą sobotę.

– Jeszcze nie wiem – odparła szczerze Andżela, nieświadomie rozbudzając myśliwski instynkt Artura.

– Zadzwoń, jak będziesz wiedzieć. – Wsunął jej w dłoń służbową wizytówkę i zaraz ruszył z piskiem opon.

Nie zadzwoniła, ale Artur sam ją odszukał. Zupełnie jak ci łowcy głów, o których czytała matka. Odczekał przepisowe trzy dni, a potem zjawił się w obejściu państwa Ładnych, machając Andżeli przed nosem biletami do Multikina. No i poszli, uzbrojeni w duże nawoskowane kubełki popcornu. Za to w sobotę zabrał ją na plażę do Kryspinowa. Tam Andżela mogła się przekonać, że Artur nie tylko imponująco macha kraulem, ale posiada też szeroki kierowniczy gest. Jeszcze piwerka? Proszę bardzo. Duże frytki z keczupem? Nie ma sprawy. Artur zaś mógł się przekonać, że zabejcowane na indiański brąz podwozie Andżeli wygląda równie ponętnie w światłach dyskoteki, co w ostrym słońcu. I bardzo jej do twarzy w oliwkowym bikini. Niby zeszłoroczne i z Tandety, a leży jak na samej Larze Croft. Z tego zachwytu zabrał ją na potańcówkę do Kameleona. A później to już samo poszło. Zanim Andżela zadecydowała, co z życiem i z karierą, była w trzecim miesiącu ciąży. Artur zachował się honorowo, a poza tym Królowa Matka uznała, że już czas najwyższy, by syn się ustatkował, więc po krótkiej naradzie rodzinnej Andżela stanęła w kolejce do zapisów na przyśpieszone kursy przedmałżeńskie. W listopadzie wzięli ślub konkordatowy, a po Nowym Roku zamieszkali na swoim. Dziesięć minut od centrum, w dwupokojowym z minibalkonikiem i ślepą kuchnią. I wszystko biegło jak należy aż do zeszłej jesieni.

Wtedy właśnie zaczęło Andżelę szarpać po trzewiach, a w jej kształtnej główce pojawiło się pytanie: „Czy to już wszystko?". Zdusiła je jakoś, zwłaszcza że Jasio dostał wietrznej ospy i nie było czasu myśleć o głupotach. Potem, tuż przed Wigilią, oblazły Andżelę myśli jak robactwo. Ale uznała, że nie będzie dręczyć matki. Dokładać drzazg do jej ciężkiego krzyża. Sama sobie poradzi. Zajmie się robotą i myślenice przejdą. Aż tu nagle dziś, w samo południe, Andżela poczuła, że ma dość. Już nie wytrzyma. Jeszcze chwila i coś jej się stanie!

Jak to tak nagle: dość? Co się stało? Gdyby spytać Andżelę o źródło niepokoju, pewnie zwaliłaby winę na dzienniczek siostry. Taki różowy, z plastikową okładką w motylki, zamykany na tandetną kłódeczkę wielkości pestki. Młodsza zapisuje w nim ważne cytaty. Celne riposty serialowych gwiazdek, mądrości z palmowego liścia, refleksje-drogowskazy. Dzięki nim wie, jak sobie radzić w szkolnej dżungli, jak się bronić przed złośliwością kujonów z trzeciej ławki i czym znieczulić jad wstrzyknięty przez Tatarową z matmy. Nawet ojca potrafi zgasić, jak ostatnim razem, gdy wyśmiewał jej cielęcy móżdżek.

– Niewiedza nie świadczy o głupocie, tak jak ciemność nie oznacza ślepoty – odparła mu młodsza, zwiewając zaraz do łazienki.

Ojca zatkało na beton, ale matka załamała ręce i zaczęła narzekać na rogatą duszę młodych. Kto to widział taki brak pokory, taką butę. To jej córka wyjaśniła przez drzwi łazienki, co się teraz liczy. Właśnie brak pokory, mama. Bo banalni ludzie przystosowują się do świata, a ci niepokorni przystosowują świat do siebie. I to oni pchają go do przodu.

– Widzisz ty, jakiego tęgoryjca sobie wyhodowałam? Na własnym łonie – poskarżyła się matka Andżeli. – Wzięłabyś, sprawdziła, skąd ona te mądrości bierze.

Andżela posłusznie sprawdziła. Pod nieobecność młodszej przeczesała jej pokój i znalazła różowy notes produkcji chińskiej, jak niemal wszystko w zagrodzie Ładnych. Niewinna okładka w słodkie motylki, a środek aż kipi od wywrotowych myśli. Wśród nich jedna szczególnie zaszła Andżeli za skórę. „Wartości życia nie mierzymy liczbą oddechów, ale liczbą chwil, które zapierają dech w piersiach" – przeczytała i nagle dotarło do niej, że ostatnia z trzech takich chwil zdarzyła się podczas porodu. Właśnie wtedy lekarz prowadzący zdecydował się na cesarkę. A potem to już były same równe oddechy. I tak do końca? Nic więcej? – przeraziła się Andżela, zamykając notes. Dobrze, że na drugi dzień Jasio złapał ospę, bo naprawdę byłoby z nią krucho.

Możliwe, że problemy z myślenicami zaczęły się ciut wcześniej, podczas wrześniowej przerwy w dostawie prądu. Właśnie się szykowali z małżonkiem do oglądania „M jak miłość", kiedy nagle coś pstryknęło w kontaktach i na całym osiedlu zrobiło się ciemno. Potykając się o zabawki synka, Andżela wyszła do kuchni poszukać świeczek. Znalazła tylko okrągłe w maleńkich aluminiowych foremkach. W dzisiejszych czasach człowiek nie potrzebuje zwykłej białej stearynowej świecy. Nie to, co w socjalizmie. Matka Andżeli opowiadała, że dwadzieścia lat temu ciągle coś wyłączali. Jak nie gaz, to ciepłą wodę, a najczęściej światło. Dzięki temu w domu Ładnych pojawiła się najmłodsza, Patrycja, zwana w chwilach czułości dzieckiem kryzysu. To dlatego tak ją teraz rozpieszczają; chcą wynagrodzić braki z dawnych chudych lat. Podtykają pod nos najdroższe smakołyki, ą potem się dziwią, że młoda lekceważy staropolskie mądrości ojca i bezczelnie wyjeżdża z chińskim notesem. Gdyby to się przydarzyło Andżeli, strach pomyśleć, co by się działo. Kiedyś – eksmisja z domu, a teraz? Półroczny szlaban na niedzielny rosół z kury, co najmniej. I wcale nie pomogłyby wyjaśnienia, że Andżela ma prawo głosu, bo jest dzieckiem upalnego Sierpnia.

Wracając do świeczek, Andżela rozpakowała cały worek okazyjnie zakupiony w Tesco i zapaliła ze dwadzieścia, tu i tam. Nawet w łazience. Prawdziwy Camelot, i w ogóle, ale co dalej? Na komputerze człowiek nie pogra, w karty... Hmm... Mogłaby co najwyżej w wojnę, bo reszty gier zapomniała tuż po ślubie. Zresztą ma niecałą talię; asa dzwonek pożarł Jasio, a dziewiątka czerwo rozpłynęła się bez śladu podczas przeprowadzki. Karty odpadają, szachy także, ale z innego powodu. Od dziecka słyszała, że to gra dla starych nieudaczników. Takich, co to żona nie ma z nich żadnego pożytku, bo przesiadują godzinami na Plantach i śmierdzą. Nic dziwnego, że szachy nie wzbudziły zainteresowania Andżeli. Gry ma z głowy, to może jakieś prace domowe? Odkurzyć bez prądu nie można, wyprać w pralce też nie. Wyszywać Andżela nie umie, a na drutach robić nie lubi. Poprzeglądałaby kolorowe pisma, ale przy świecach mało co widać. Aż dziw, że dwieście lat temu ludzie byli tacy oczytani. Że im się w ogóle chciało, mimo marnego oświetlenia i, co tu dużo mówić, niezbyt interesującego, zdaniem Artura, wyboru. A może byli tak zdesperowani nadmiarem czasu, że próbowali go zatłuc ciężkimi cegłami? W jej przypadku to odpada, nawet gdyby chciała; najgrubsze książki zostawiła młodszej, bo małżonek zapowiedział, że w ich królestwie nie ma miejsca na kurzołapy. Już wystarczy, że pół jadalnego zajmuje wieża, sprzęt grający hiphopolo, witryna z Ikei, małżeński tapczan i okrągły stół. Za to w sypialni ledwo mieści się łóżeczko Jasia, rodzinne fotografie i sześć kilo plastikowych zabawek militarnych. Andżela toby wolała klocki, ale Artur wyczytał w „Zdrowej Polsce", że dzięki pistolecikom, szpadom i maczugom Jasio łatwiej sobie przyswoi obowiązujące wzorce męskości i nie będzie miał problemów z orientacją. Czyli, przekładając na nasze:

– Wyrośnie z niego chłop z jajami, a nie rozmazany pedał.

Więc militariów przybywa, a książki czekają na lepsze czasy w kartonowym pudle po tosterze. Z czytania nici, trzeba pomyśleć o innym zajęciu. Tylko jakim? Nawet mleka ugotować się nie da, bo w tych nowych osiedlach porobili kuchenki bez gazu. Same elektryczne. Kiedyś gdzieś słyszała, że Rosjanie przeganiają nudę rozmowami. Zimna wódka i opowieści aż po oszroniony świt. Tylko o czym ma rozmawiać z małżonkiem, skoro przez ostatnie lata wymienili co najwyżej sześćset różnych zdań. Większość dotyczących obsługi sprzętu AGD oraz opieki nad dzieckiem. „Uprałaś mi dżinsy?", „Przykręciłeś półkę?", „Wyprasuj mi koszulę", „Przewiń małego", „Naprawiłem spłuczkę", „Nakarmiłam Jasia", „Zrobisz sznycle?", „Zmielisz mięso?". Zresztą Artur już się odwrócił na brzuch i drzemie. Temu to dobrze, zawsze znajdzie bezbolesne dla siebie rozwiązanie. A Andżela? Siedzi w fotelu i zaciska sfrustrowane szczęki. Z tego bezruchu takie ją nerwy wzięły, że jeszcze chwila, a zaczęłaby chodzić po jadalnym w kółko. Jak tygrys w klatce. Na szczęście kwadrans później światło wróciło i mogła dokończyć serial. Ale lęk pozostał, przycupnięty za kotarą aż do rana.

A może zawiniła piosenka Chłopców z Placu Broni? No wiesz, ta o wolności, którą jeden z Chłopców kocha i rozumie, wolności, której oddać nie umie. Może to ona namieszała w Andżelinowej główce? Może. Ale powiedzmy sobie szczerze, nie ma znaczenia, kto namieszał. Nieważne, czy powodem niepokojącej fermentacji był różowy chiński notes, stara piosenka, kwadrans w ciemnościach czy kolumbijski serial o paraliżującym tytule „Złota klatka". Ważne, że już doszło do eksplozji, i co teraz? Jak sobie poradzić z jej skutkami? Czym ukoić rozedrgane nerwy? A tu już środa, dwadzieścia po trzeciej i znikąd pomocy. Andżela musi sama znaleźć wyjście we mgle. Wymacać drzwi, odryglować i uciec z ciasnego pudełka. Ale dokąd?

Do rodziców nie wypada. Takiego świństwa przed sąsiadami im nie zrobi. Od razu by roznieśli po osiedlu, że Król Artur pewnie znalazł bardziej ekskluzywny model, kompatybilny z jego rosnącą stopą. Gdyby jeszcze miała sensowny powód. Że Artur długów narobił albo że ją za włosy po kuchni targa, to znalazłoby się miejsce w zagrodzie Ładnych. Ale jakby Andżela zaczęła kwękać, że ma dość i właściwie sama nie wie czemu, toby się wszyscy zaczęli w głowę pukać. I wstyd.

– Jak ci źle, to znajdź se lepszego – rzuciłby ojciec. – Może ci się uda, jak Obornickiej.

– Nie każdy ma tyle szczęścia – dodałaby matka. – Najpierw adiunkt, a teraz ponoć sam prezes.

Poza tym Oborniccy to rodzina z tradycjami. A u Ładnych występują co najwyżej tradycje zawałowe.

– Niech spróbuje – podśmiewałby się ojciec. – Niech pokaże, co potrafi, a nie tylko narzeka.

Tylko gdzie niby ma Andżela spróbować? Pod blokiem? Jak czasem jedzie autobusem, to bacznie się rozgląda. Ale zawsze trafia na typ prezentujący surową seksualność. Trzydniowy zarost, paluchy żółte od „tytuniu" i spodnie upaprane smarem. Wdychając zapach końskiego potu, Andżela docenia ogładę męża. I zaraz uświadamia sobie, że już lepiej nie trafi. Może co najwyżej wrócić do matczynej kuchni. Samotna, skompromitowana, na tarczy.

A wyprowadzka gdzie indziej, bliżej centrum? Na wynajęcie stancji jej nie stać, bo z kasy na zakupy zaoszczędziła dopiero sto trzydzieści siedem złotych. Sześćdziesiąt złocistych monet upchanych w słoiku po majonezie babuni. Wyglądają imponująco, ale nie da się za nie kupić wolności. Co najwyżej bilet do Warszawy i z powrotem. A tam niby co ją czeka? Dworzec, gdzie wszystkie wolne miejsca już dawno rozdysponowali między sobą co zaradniejsi uciekinierzy od cywilizacji? Ulica i konkurowanie z bułgarskimi nastolatkami? Zatłoczony przytułek? To już woli swoje dwa świeżo wytapetowane pokoiki. No dobrze, Warszawa odpada, ale gdyby... gdyby tak spakować plecak i wynieść się na działkę wujka Antka? Mogłaby uprawiać pomidory, jeść agrest prosto z krzaka, a wieczorami słuchać świerszczy lub podchmielonych sąsiadów, klnących z powodu dziadowskiej podpałki do grilla. Budziłaby się o świcie, myła w żelaznej miednicy, odnalazła kontakt z naturą, nieco tylko skażoną preparatem do usuwania przędziorka. Byłoby super, ale co z grudniem, kiedy altankę przysypie pierwszy śnieg? Niby można dogrzewać domek kozą. Tak właśnie robił pan Mietek spod siódemki, kiedy na pół roku wyniósł się z domu z powodu niesnasek o pilota. Potem, pokonany przez wyżowy front znad Syberii, próbował wrócić, ale jego leżankę, filcowe kapcie i żółty kubek od Liptona zajął już Stanisław Niewybredny z osiedla Czerwony Prądnik. I warto było, panie Mietku? Co pan zyskał głupim uporem? A co zyska Andżela, zamieniając czterdzieści jeden metrów hipotecznego na trzy ary działkowego ogródka? No właśnie.

Jak już spływać, to nie z deszczu pod rynnę. Do prawdziwej ucieczki brakuje jej środków. Najpierw musi sporo zaoszczędzić. Ale na czym? A gdyby Andżela pokonała wyuczoną bezradność, wzięła ster życia w swoje kobiece dłonie i po prostu poszukała pracy? Niby małżonek Artur wstępnie wyraził zgodę, pod warunkiem, że Andżela utrzyma poziom świadczonych usług. Praca bowiem ma być tylko uzupełnieniem zaszczytnej roli pani domu.

– A, i musiałabyś sama płacić za przedszkole Jasia – rzucił stanowczym tonem, dolewając sobie rosołu.

Zrozumiałe, nie może przecież być tak, żeby mąż i jedyny żywiciel rodziny dokładał do jej mrzonek. Więc Andżela chętnie zapłaci. O ile znajdzie pracę, bo na razie to cieniutko. Nawet do supermarketu jej nie chcą;

wolą młodsze, dyspozycyjne, bez obciążeń w postaci zakatarzonego czterolatka. To samo w pizzerii, zresztą co się dziwić. Siksa z technikum lepiej przyciąga klienta swoją beztroską, chętnie się chichra z niewybrednych dowcipów i nie robi obrażonej miny, jak ją szef czasem klepnie po pośladku. A co najważniejsze, nie marudzi z powodu zaległych paru złotych za nadgodziny. Cieszy się, że ma na balejaż i kremowy sweterek. Pampersy i militarne zabawki to dopiero mglista przyszłość. Za rok, może półtora. A na razie cieszmy się z dyskotek i nowego sweterka. Pomyśleć, że kiedyś też taka byłam, przypomina sobie Andżela. Ach, gdyby cofnąć zegar do dwutysięcznego, kiedy życie wydawało się takie proste.

– Mamo, mamo, zobacz, jaką zlobiłem foltece! – krzyczy Jasio, wymachując plastikową łopatką – No zobacz, zobacz, mamo!

– Śliczna! Naprawdę piękna. Jak z bajki o rycerzach – odpowiada Andżela, ledwie rzuciwszy okiem na piaskową kupę usypaną metr od jej sandałków.

Że też nie potrafią jej cieszyć takie drobiazgi. Że też nie umie docenić ulotnych chwil rodzinnego szczęścia. A powinnaś, powinnaś, powtarza jej czasem babcia. Bo różnie mogło z tobą Andżela, być. Mógł się Artur zlisić i ślubów odmówić. Mogłaś trafić na pijącego albo na brutala z ciężką jak ołów ręką. Trzeba losowi dziękować, że wszystko poszło jak się należy. Że Artur ma zasady, że Jasio rośnie jak na drożdżach piwnych. Że mieszkacie na swoim. Że w domu dostatek i okrągły stół. Że... sama widzisz, ile tego dobrego jest. Prawie aż za dużo. Więc nie kuś losu, bo się obrazi, i wtedy pożałujesz, ale będzie za późno. Tak to jest z niewdzięcznikami. Andżela przypomina sobie babcine rady i aż zaciska pięści, tak się stara poczuć wdzięczność. Ale zupełnie jej dziś nie wychodzi, zupełnie.

– Fajne mam stringi? – chwali się Mariola, odsłaniając koronkowy paseczek wystający znad przyciasnych dżinsów. – Kupiłam zimą i normalnie zapomniałam. Nagle dziś mnie tknęło, zaglądam na dno szuflady, a tam figi. Nówki, jeszcze w folii. To wzięłam, ubrałam, i jak?

– Czadowo, że je wreszcie znalazłaś – ekscytuje się Paula spod Strzelca. – Leżą super. Nie, Andżela?

Andżela naprawdę chciałaby wyrazić swoją radość z powodu koronkowych majtek Marioli, ale zamiast tego wyrzuca z siebie idiotyczne pytanie. Idiotyczne i nikomu nie potrzebne.

– Nie myślałyście nigdy, żeby tak rzucić to wszystko w cholerę i uciec?

Odpowiedziała jej złowroga cisza i trzy pary okrągłych ze zdziwienia oczu.

– Wtorki, owszem, bywają ciężkie – odezwała się wreszcie Paula. – Ale żeby od razu rzucać? I to w cholerę? Bez sensu!

– Zresztą tego właśnie chciałyśmy – dodaje Mariola, oglądając sobie paznokcie. – Już od przedszkola, ja bynajmniej chciałam.

– My też. Po to właśnie kupowano nam lalki i zestaw „Mała kucharka" – wyjaśnia Anita, najbardziej wykształcona. Skończyła prywatną szkołę niań i właśnie pisze pracę o pielęgnowaniu małego dziecka. – Dzięki temu mogłyśmy przyswoić właściwe i należne naszej płci zachowania.

„To wszystko jasne", Andżela nerwowo przygryza spieczone usta. Ja się bawiłam w Indian i Robin Hooda. A teraz już za późno na korektę.

– Powiem ci, Andżela, że ja cię kompletnie nie rozumiem – wtrąca Mariola. – Jest środa, wpół do szóstej. Już wiadomo, że za chwilę nadejdzie weekend, że czeka nas tyle rozrywek i w ogóle. A ty co? Jątrzysz, wydziwiasz, marudzisz. Po co, w jakim celu ta dywersja?

– Ja tylko chciałam....

– Tobie, Andżela, z tego dobrobytu całkiem odbiło – postawiła diagnozę Anita.

– No właśnie! Już od rana zadzierasz nosa. Może masz się za lepszą?

– Wcale nie! – próbuje przekonywać Andżela, zdenerwowana faktem, iż tak rażąco i niebezpiecznie odstaje od zgranej grupy.

Ma się za lepszą? Rany! Gdyby uważała się za kogoś z wyższej półki, inaczej podchodziłaby do koleżanek z osiedla. To nie ich wina, że zatrzymały się na dole drabiny, tłumaczyłaby sobie. Nie ich wina, że są ślepe na to, co ważne, cenne i prawdziwe. Że cieszą je nic niewarte szkiełka porozrzucane w trawie. Przecież nie każdy musi dostąpić Przebudzenia. Ich czas jeszcze nie nadszedł, oświadczyłaby w duchu, przyglądając się Pauli niczym sympatycznej papużce falistej. Gdyby Andżela miała się za istotę z lepszej gliny, łatwiej znosiłaby nudne dyżury przy upstrzonej petami piaskownicy. Wiedziałaby, że to tylko pewien etap w życiu. Jeszcze tydzień, dwa i stanie się COŚ, co ją wyrwie z tego osiedla na zawsze. A przecież Andżela w nic takiego nie wierzy. Jest przekonana, że właśnie tu, dziesięć minut od centrum jest jej miejsce.

A że do niego nie pasuje, to jej cholerna wina. Tak bardzo chciałaby pasować, cieszyć się że już środa. Okazywać entuzjazm z powodu koronkowych majtek Marioli. Nie, wcale nie chce być lepsza.

– Jak ci się nie podoba, to czemu blokujesz ławkę? Myślisz, że na twoje miejsce nie ma chętnych?

– Ale ja naprawdę...

– Szkoda gadać, idę nastawić krupnik – informuje Paula, otrzepując z kurzu spłaszczone od siedzenia pośladki. A za nią drepczą Anita i Mariola. Pora podgrzać pomidorową, zanim się zlecą zgłodniali małżonkowie.

No, to ładnie, myśli sobie Andżela. A powinna była przewidzieć, że tak zareagują. Raz już dostała nauczkę, kiedy zaczęła się huśtać na placu zabaw. Sama, bez Jasia, który właśnie drzemał na kocyku. Usiadła, ledwo mieszcząc się w dziecinnym krzesełku, i rozbujała huśtawkę na maksa. Jak za dawnych lat. Nogi to miała prawie na wysokości pierwszego piętra. I ten wiatr we włosach, ach, jeszcze chwila i odleci daleko stąd. Ale zanim wzbiła się wyżej, poirytowane koleżanki ściągnęły ją na ziemię. Mariola zaraz jej przypomniała, że to huśtawka dla dzieci. Nie dla dorosłych.

– Nawet siodełka są dziecinne, nie zauważyłaś? – syknęła, obmacując zazdrosnym wzrokiem smukłe biodra Andżeli. – To nienormalne, żeby tak się wciskać.

– Poza tym jako matki musimy pilnować pewnych granic – dodała Anita, podpierając się wiedzą zdobytą w prywatnym studium. – Od tego jesteśmy, od porządku. A nie, żeby mieszać.

– I potem się dziwić, że dzieci mają problem z hierarchią wartości – warknęła Mariola.

Paula zaś ostrzegła, że podobne loty zwykle źle się kończą, wystarczy zapytać starszych. Doświadczonych, co to widzieli niejeden upadek. Skompromitowałaś się, Andżela, nie na żarty.

A dziś to samo, westchnęła zła na siebie. Było tak mleć jęzorem? W ramach kary Andżela postanawia, że zaciśnie zęby na następnych dwadzieścia lat. Nie powie już ani słowa, nie będzie drażnić łaskawego losu i mniej łaskawych koleżanek. Postara się cieszyć tym, co ma, bo przecież ma tak wiele. Zaraz wróci do domu, nastawi makaron, a potem wypisze sobie na kartce, za co powinna być wdzięczna. Co jej się w życiu udało. Co zdobyła, praktycznie bez wysiłku. Wszystko wypisze, i na pewno jej ulży, bo na razie to ją strasznie ściska w piersiach. Może przez ten gorąc? Dlatego tak tu duszno i w ogóle jakoś wyjątkowo ciasno mimo czterdziestu jeden metrów otwartej przestrzeni. Nie, nie może o tym myśleć. Jeszcze dostanie ataku tej... no... klaustrofobii i dopiero będzie wstyd przed sąsiadami. Obciach na całego. Weźmie trzy głębokie oddechy i zabierze się do gotowania. Praca to najlepszy sposób na paskudne myśli. Zresztą zaraz wraca małżonek i lepiej żeby widział, jaka jest robotna. Robotna, a jednocześnie zadbana, w pełnym rozkwicie swojej kobiecości. Zaraz przeczesze włosy, wyrówna fluid na czole, bo się troszkę od upału zrolował. Kiedy Artur wróci, powita go z uśmiechem i talerzem spaghetti po bolońsku. Żeby nie żałował dokonanego przed czterema laty wyboru. Żeby nadal się cieszył z udanej transakcji. Jego szczęście uszczęśliwi Andżelę podwójnie. Ma tak od dziecka, że cudze uczucia przeżywa mocniej niż własne. Jeśli mama się cieszy, to i jej jakoś lżej na sercu. Jeśli ojca coś gnębi, gnębi też Andżelę. Jeśli Artur jest z niej dumny, to Andżela niemal pęka z dumy. Jak bramkarz, któremu udało się obronić karniaka (obie sytuacje zdarzają się równie rzadko). I na tym właśnie polega bliskość. Tak powstają najtrwalsze rodzinne więzy. Dlatego Andżela chce uszczęśliwiać i Artura, i mamę, i ojca, a nawet rodzeństwo. Po wieki wieków. Zaciśnie zęby, zapomni o głupotach i wszystko wróci do normalności. Żeby tylko zdążyła się ogarnąć, zanim Artur wróci do domu. Niestety, już słyszy jego kroki na schodach. Zaraz wejdzie, a ją ciągle ściska w żebrach. Niech to szlag! Czy nie może być taka jak inne?

– Jestem! – oznajmia Artur. Dziwnie zadowolony. Może dostał premię albo w zdrapce trafił dwieście złotych? – Mam dla ciebie prezent. Obiad gotowy?

– Prezent? – dziwi się Andżela. Jak to tak, bez okazji? Co innego na urodziny albo pod choinkę, ale w zwykłą lipcową środę? Czy to oznacza, że Artur kogoś sobie znalazł? Czy powinna zacząć się martwić?

– Prezent, prezent! Zaszłem do M1 i nie mogłem się powstrzymać. Dużo miejsca nie zajmie, a śliczny jak z reklamy. Zobacz sama.

Podaje żonie wypełniony kranówą słoiczek z jedną purpurową rybką, nerwowo krążącą w kółko.

– Bojownik – wyjaśnia. – I co ty na to?

– Ładny, ale gdzie my go będziemy, bidula, trzymali? – martwi się Andżela, bo przecież na okrągłym stole ledwo mieszczą się dwie blachy sernika po wiedeńsku. To nie te czasy, kiedy przy stołach zasiadało dwunastu rycerzy.

– Jak to, gdzie? W szklance. O, nawet kupiłem specjalną, co się tak łatwo nie wywróci.

– Co to za życie, w szklance. Będzie się strasznie męczyć.

– Nie będzie. Jest do tego przyzwyczajony. Tysiące lat hodowli robi swoje – rzucił jej znaczący uśmiech i pomaszerował do łazienki. – To co z obiadem, bo głodny jestem.

Kiedy Artur pochłaniał kluski z „Wiadomościami", Andżela wymknęła się z domu, po raz pierwszy od dwóch lat sama o tej porze. Podjechała do M1 i kupiła w zoologicznym największe akwarium, jakie udało jej się unieść. Za całe sto trzydzieści siedem złotych.

Czwartek,
tydzień wcześniej

– Jak pech, to pech – westchnęła Klaudia, wyglądając przez okno intercity. – Stoimy.

A przecież wyjechali zgodnie z rozkładem, wydawało się nawet że dotrą do Głównego przed czasem. I nagle, na wysokości Słomnik, jakiś wariat podciął sobie żyły. Jakby nie mógł poczekać kwadransa.

– Ludziom się śpieszy, a ten odstawia szopki – fuknęło pasażerstwo przedziału klasy pierwszej.

– Takie sprawy załatwia się we własnej łazience – oświadczyli początkujący biznesmeni z klasy drugiej.

– Cały fotel zabryzgany! – jęknęła konduktor Maryla. – I co teraz?

Zjazd na boczne tory, a potem czekanie. Pogotowie przyjechało migiem, zabierając nieprzytomnego sprawcę zajścia do najbliższej niemocnicy.

– Szpitala chyba – sprostował pewien filozof i językowy purysta.

– W naszym zreformowanym do granic absurdu kraju są obecnie same niemocnice – wyjaśnił doktor Desperado, oświadczając, że muszą pędzić, zanim biedak dostanie wstrząsu. Albo służba zdrowia zapaści.

Policjanci podturlali się do ekspresu jakiś kwadransik później i koniecznie chcieli poznać szczegóły zajścia. Najlepiej od samego sprawcy. Jak to wyjechał, nie przesłuchany? A tak chcieliśmy coś z niego wycisnąć.

– Chyba więcej się nie da. – Kierownik składu pokazał władzom zakrwawiony przedział. – Ale proszę próbować w szpitalu w Słomnikach.

Panowie mundurowi uparli się jednak, by spisać zeznania świadków. Na szczęście dla zniecierpliwionej większości nikt nic nie widział ani nie słyszał. Nawet konduktor Maryla.

– Jak przeszłam sprawdzić bilety, to jeszcze siedział normalnie i czytał „Pogodę dla bogaczy" – opowiadała drżącym głosem. – Godzinę potem wracam, a tam jatka, panie władzo. Jakby go napadł Freddy Krüger albo Drakula. I kto to teraz posprząta? – Zaniosła się płaczem.

Na to pytanie policjanci nie umieli odpowiedzieć, szybko więc opuścili przedział i przecisnęli się do Warsa, by popytać, czy samobójca nie działał pod wpływem. Nie, nie działał, no chyba że było coś w ciasteczku. Ale wtedy połowa pasażerów podcięłaby sobie żyły (pozostali, na diecie Montignaca, odmówili słodkiego poczęstunku).

– Może nie mogli, bo nie mieli przy sobie brzytew – zastanawiał się posterunkowy Holmes, zabezpieczając folią spożywczą narzędzie autozbrodni.

Zebrali parę deka materiału dowodowego (w tym kawałek aksamitnego obicia, wzbudzając histerię konduktor Maryli), kilka zeznań osób podróżujących w sąsiednim przedziale („Nic nie słyszałem, nawet krzyku konduktorki", „Drzemałam", „Nie zaglądam do innych przedziałow, bo i po co?", „Byłam zajęta krzyżówkami", „To tam ktoś siedział? Naprawdę") i wreszcie pozwolili maszyniście ruszyć.

– Dwie godziny spóźnienia – westchnęła Klaudia. Dawniej Poważna, obecnie wolna, a w przyszłości, kto wie... – Pech do kwadratu.

Żaden pech, tylko przypadkowa przeszkoda, pomyślał towarzysz podróży i obecny partner Klaudii. Teodor Tomasz Puchar (w samotni własnej przestronnej łazienki lubi o sobie mówić „Tom Cruise"), jako człowiek nowoczesny, nieograniczony ciasnymi poglądami poprzednich pokoleń, wyjątkowo nie znosi słowa „pech". Pech oznacza bowiem ingerencję nieznanych sił, nad którymi nie sposób zapanować. A on, Teodor, chciałby sam kreować własne życie i mieć nad nim pełną kontrolę. Przy czym, uwaga, używając słowa „pełna", wcale (to znaczy od dwóch lat) nie myśli o kontroli absolutnej. Nowy terapeuta przekonał Teodora, że byłby iluzjonistą wierząc, iż zawsze wyrzuci szóstkę. Wiadomo, że trafiają się trójki, nawet jedynki. I nie ma co wtedy jęczeć, rozprawiając o dopuście Bożym, tylko wyciągnąć ze swej grubej teczki odpowiednią strategię. Zatem żaden pech, ale przeszkoda, którą należy zgrabnie przeskoczyć. Jak zwycięski rumak. Ale Klaudia jest tylko delikatną, wrażliwą kobietą, w dodatku obciążoną przesądami swoich licznych przodków, ma więc prawo odrobinę ponarzekać.

– A mieliśmy zjeść sałatkę z melonem – ciągnęła zawiedziona. – I zastanowić się spokojnie, co z rodzicami. Powinni się w końcu dowiedzieć o naszym związku... – Widząc napięcie na twarzy Teodora, błyskawicznie dodała: – Obawiam się tylko, jak zareagują. Ojciec jest taki wymagający. – Westchnęła. – Z tego powodu musiałam się rozwieść; nie zaakceptował zwykłego adiunkta. A ty, Teo, nie masz nawet doktoratu. Tylko MBA, i to robione w Polsce, nie za oceanem.

Teodor od razu poczuł wolę walki. Nie ma, zgadza się, ale udowodni Anatolowi Obornickiemu, że jest godzien jego córki. Udowodni... tylko, czy na pewno tego chce? Musi koniecznie przepracować ten problem z terapeutą.

– To nawet dobrze się składa, z tym całym... opóźnieniem. Będziemy mieli więcej czasu, żeby się przygotować do tak poważnej rozmowy. Może w przyszłym miesiącu, jak już ogarnę kryzys w firmie – obiecał, starając się nie zwracać uwagi na rozczarowaną minę Klaudii. – A teraz zrobimy tak. – Zaprezentował plan B. – Wyjdziemy z pociągu razem, ale jak tylko zauważysz rodziców, ruszysz sama do przodu, a ja poczekam przy którymś ze stoisk. Spotkamy się jutro? – Zrobił błagalną minę, żeby widziała, jak mu zależy.

– Jutrzejszy dzień poświęcę rodzicom. Wspominałam ci przecież, że mają rocznicę zaręczyn.

– No tak... oczywiście. – Udał, że pamięta.

– Będzie tort, przyjdą cioteczne babcie i wuj Edward, a ja zagram wszystkim na naszym rodowym fortepianie. – Dwa utwory: „Dla Elizy" oraz motyw przewodni z serialu „Lalka". Repertuar może i skromny, ale opanowany do perfekcji. Gdyby „Elizę" wstawiono do programu międzynarodowych konkursów pianistycznych, Klaudia pokonałaby japońskich wirtuozów. Przynajmniej tak twierdzą ciotki ze strony ojca. Nawiasem mówiąc, prawdziwe melomanki. Właśnie one zawsze proszą o bis.

Klaudia sięga wtedy po wiedeńskie delicje. Częstuje cioteczki walczykiem Straussa, i na tym koniec. Bo co za dużo, to niezdrowo, moje drogie. Powtórka za pół roku, a tymczasem zapraszamy na pyszną pieczeń. Według przepisu samej mistrzyni Ćwierczakiewiczowej.

– Świętują nawet zaręczyny? – zdziwił się Teodor i odrobinę przestraszył. Ach, te stare rody, mają strasznie skomplikowany system celebrowania uroczystości.

– Mówiłam ci, że dbamy o pewne rytuały. Bez nich nie bylibyśmy tu, gdzie teraz. Być może w twojej rodzinie pewne sprawy się lekceważy... Ale u nas szanuje się tradycję.

– U nas również. – Teodor przypomniał sobie ojca zajętego żmudną rekonstrukcją rodu Pucharów. – Ale zaręczyny uważamy za czystą formalność.

– A u nas jest to niezwykle ważne święto. Poprzedza przecież najważniejszy moment w życiu: złożenie dozgonnej przysięgi przed kapłanem – oświadczyła Klaudia, przeczesując kasztanowe loki. Teodora przeszły ciarki.

– Zatem piątek masz zajęty. Ja nie mogę w sobotę; ważna kolacja z przedstawicielami firmy, która robi nam billboardy. – Z jedną atrakcyjną przedstawicielką, ale Klaudia nie musi znać wszystkich szczegółów. Niewiedza nie boli. – W niedzielę muszę odwiedzić rodziców i brata. Nie widzieliśmy się od zimy, aż mi głupio – wyznał, nie odczuwając nawet miligrama wstydu. – A w poniedziałek jadę sprawdzić, jak idą szkolenia eksperymentalne. I posiedzę do wtorku.

– A ja wracam do firmy już w niedzielę. – Klaudia zagryzłaby usta, ale przed chwilą nałożyła warstwę rubinowej szminki. Powinna wreszcie zrobić makijaż permanentny, wtedy będzie bardziej spontaniczna w okazywaniu pewnych emocji. A na razie musi się ograniczyć do przekazu werbalnego. – Więc zobaczymy się dopiero za tydzień. Oto dlaczego, mój drogi, uważam, że to straszny pech. Wszystkie nasze plany legły w gruzach. I to przez kogo? Przez... zwykłego desperata. – Nie mogąc zaatakować Teodora, przeniosła całą złość na niedoszłego samobójcę. – Zupełnie nie rozumiem, po co wsiadał do ekspresu. No po co? To nie jest pociąg dla przegranych. Mógł wybrać zwykły pośpieszny, a nie psuć ludziom cały wieczór. I nie tylko!

– Co się odwlecze, to nie uciecze – pocieszył ją Teodor. – Jeśli mamy być ze sobą, nie przeszkodzi nam byle cienias z brzytwą. Prawda? – Pogładził ją po kremowym podbródku. Nieskazitelnym dzięki korektorom z najwyższej półki. Tylko dla wybrednych i wrażliwych. – To cóż, wysiadamy. Chcesz się pożegnać już teraz?

Klaudia cmoknęła Teodora. Delikatnie, by nie zostawić na jego gładkim policzku rubinowej rany. On odwzajemnił się równie subtelnym całusem. I wysiedli. Zeszli schodkami w dół do podziemnego przejścia. Mieli skręcić w lewo, w stronę Bosackiej, ale w tej samej sekundzie Klaudia nadziała się na rodziców. Stanęła jak wryta. Teodor zaś zgrabnie wyminął całą grupę i pomaszerował dalej równym, wojskowym krokiem. Zatrzymał się dopiero przy stoisku bukinistów. Czekając, aż minie niebezpieczeństwo, zaczął od niechcenia przeglądać sfatygowane tomy i przyżółkłe gazety. Niedbale przekartkował pierwszy. „Biodynamiczna uprawa ziemniaków", wydanie z siedemdziesiątego ósmego. Miał wtedy czternaście lat i równie wielki apetyt na życie, jak teraz. Tylko znacznie mniejsze możliwości. Odłożył „Ziemniaki" i chwycił drugą książkę. „Amatorskie szkolenie psów". Miał identyczną, ale wyrzucił tuż po maturze. Doszedł do wniosku, że już nie chce być amatorem. Jeśli ma coś robić w życiu, to profesjonalnie albo wcale. A jak już sprawi sobie psa, chce, by ten przeszedł równie profesjonalny trening u doświadczonego specjalisty. Odkładając książkę, zauważył nagle

„Witajcie w Dzyndzylakach"

i poczuł się jak przed trzydziestu laty. Równie zdezorientowany, zaskoczony i zagubiony. Zmienił wtedy klasę. Na bardziej rozwojową, oświadczył ojciec, dowiedziawszy się, że jego pierworodny siedzi w jednej ławce z niepoprawnym repetentem, a w ostatnich rzędach drzemie kilku innych dwójarzy. Zgroza! Wiadomo przecież, że jeśli wejdziesz między wrony, nie zostaniesz białym krukiem. Należy natychmiast odizolować pierworodnego od podejrzanych elementów, pomyślał Maurycy Puchar, inaczej chłopak skończy w ścieku. Spanikowany pobiegł nazajutrz do szkoły Teodora i używając wszelkich argumentów, wyrwał go ze śmietnika szóstej F. Przy okazji podsunął dyrektorce świetny pomysł, by zamieniła dawną klasę syna w przechowalnię osób, które nie rokują. Wielokrotni repetenci, dzieci okolicznej żulerii, łobuziary z biednych dzielnic, zalęknione potomstwo samotnych i zawstydzonych tym faktem matek, paru początkujących wąchaczy kleju i kilka ofiar skórzanego pasa z wielką klamrą. Pani dyrektor, przekonana hojnymi argumentami kierownika Puchara, przeniosła jego syna do klasy rozwojowej. A w szóstej F urządziła składowisko „skazanych na sukces".

W połowie grudnia zalękniony Teodor wszedł do szóstej B. Wychowawczyni przedstawiła klasie nowego kolegę i zapytała, czy ktoś zrobi mu miejsce. Nikt nawet nie drgnął; szósta F miała od dawna złą opinię w całej szkole. Poza tym obcy to obcy, zwłaszcza w okularach.

– Możesz usiąść tutaj – usłyszał gdzieś z tylnego rzędu ławek ustawionych przy ścianie obwieszonej bohaterami zbiorowej wyobraźni: Dzierżyński, Bierut, Gomułka, Wasilewska i inni.

Nieśmiało podszedł do jedynego wolnego miejsca, wypakował książki i usiadł zrezygnowany. Taki wstyd. Będzie musiał siedzieć razem z dziewczyną. Już wolałby wrócić do Emila Repetenta. Może nie zna różnicy między ułamkiem zwykłym a dziesiętnym, ale umie się zaciągać sportami i powala wszystkich na lewą rękę. No i jest chłopakiem. A dla normalnego dwunastolatka dzielenie ławki z głupią babą to prawdziwa obraza. Dobrze, że za parę dni zaczną się ferie świąteczne. Może przez ten czas wymyśli jakiś sposób na zmianę swojej upokarzającej pozycji.

– Bietka – podała mu rękę głupia baba, a potem od razu narysowała flamastrem grubą czerwoną linię, dzielącą jej terytorium od terytorium Nowego. Trzeba przyznać, że miała gest; dodała mu ze swojej części piętnaście centymetrów. – Masz dłuższe łapy – wyjaśniła. – I nie chcę, żeby mi się plątały po obejściu. A w ogóle to sobie nie myśl.

– Nie myślę – odburknął Teodor, robiąc barykadę z książek i długopisów.

Do końca lekcji nie odezwali się do siebie ani słowem. Następnego dnia również, ale czwartego Teodor zapomniał odrobić zadania. Pierwszy raz w życiu! I akurat wtedy Galińska wyrwała go do odpowiedzi. Cholerny pech, mruknął (wtedy jeszcze wierzył w działanie sił nadprzyrodzonych), i już miał zgłosić „nieprzygotowanie", kiedy Bietka podsunęła mu swój zeszyt. Galińska, zajęta czyszczeniem paznokci za pomocą cyrkla, nawet nie zauważyła akcji ratunkowej. Teodor przeczytał krótkie wypracowanko na temat książki, która „ostatnio zrobiła na mnie wielkie wrażenie". Troszkę się jąkał, próbując odszyfrować niewyraźne pismo koleżanki, na szczęście Galińska uznała to za objaw wrodzonej nieśmiałości, która uaktywniła się w wyniku zetknięcia z nową grupą (wtedy jeszcze rzadko używano słowa „stres"). A po trzech zdaniach przestała słuchać, odpływając w krainę marzeń. Myli się jednak ten, kto uważa, że obywatelka Stefania Galińska uprawiała godne pożałowania bujanie w obłokach. To dobre dla dziewiętnastowiecznych nierobów i pięknoduchów. W przyszłej drugiej Japonii i obecnej pierwszej potędze ziemniaczanej nie ma miejsca na podobne anachronizmy. Dlatego marzenia Stefanii Galińskiej były niczym plan pięcioletni. Same konkrety. Telewizor, meble, mały fiat. Oraz wakacje w Bułgarii. „Czarne Morze, Złote Piaski, i my" – rozmarzyła się Stefania, zastanawiając się, jak zdobyć masło kakaowe, dzięki któremu ona i mąż uzyskaliby bardziej południową opaleniznę. Gdyby tak podsunąć znajomej aptekarce jedną z bombonierek, które dostanie na koniec roku. „Żeby tylko rodzice byli bardziej hojni i zamiast wiechcia goździków szarpnęli się na porządne czekoladki" – pomyślała, niechętnie wracając do szkolnej rzeczywistości. A pora była już najwyższa, bo klasa znudzona bezruchem nauczycielki rozbrykała się na dobre. Tylko Teodor stał niczym słup, czekając na ocenę.

– „Witajcie w Dzyndzylakach?", powiadasz... – Polonistka przygryzła kciuk, próbując sobie przypomnieć, o czym jest książka. A, to ta o grupie chciwych chłopów, którzy dla dewiz zmienili swoją wioskę w starosłowiański skansen. A potem odstawiali szopki przed zamożnymi Polonusami. – No to, powiedzże mi, Puchar, dlaczego zrobiła na tobie aż takie wrażenie?

Teodor powtórzył dokładnie to, co przed chwilą wyczytał z zeszytu Bietki. Że zaskoczyło go, do jakich granic może posunąć się człowiek oślepiony chęcią zysku. Zaczyna od niewinnych przebieranek w śmiesznego dzikusa, potem stawia kolejny kroczek i kolejny. Wreszcie zaczyna robić rzeczy, o jakich wcześniej bałby się nawet pomyśleć. Aż, nie wiadomo kiedy, staje się Dzikim.

– A jaka scena szczególnie cię rozbawiła?

– Wiele, aż trudno wybrać jedną, wyjątkową. – Teodor rozpaczliwie bronił się przed konkretami. Konkretami, których zupełnie nie znał. – Na przykład ta, którą opisałem.

– A poza tym?

– Świetne są sceny z dziadkiem Milordziakiem – wtrąciła szybko Bietka. – Pamięta pani profesor? Milordziak skuszony dodatkowym zyskiem namówił starego ojca, żeby udawał bociana. Bo te prawdziwe odleciały, zniesmaczone kolektywizacją wsi. A przecież bociek to nieodłączna część polskiego krajobrazu, prawda?

– Podobnie jak wierzby i łany żyta – dodał skwapliwie Teodor, żeby Galińska zauważyła, że „numer dwadzieścia aktywnie się udziela".

– Wtedy prezes Skubany wpadł na pomysł, żeby rolę bociana odegrał sparaliżowany dziadek Milordziak – ciągnęła Bietka. – A rodzina się zgodziła, bo raz, że zysk, a dwa, żaden pożytek z takiego staruszka, co tylko leży na słomie i denerwująco klekocze. Więc ciach go do gniazda, gniazdo na topolę i niech tam się stary popisuje. Oczywiście nie za darmo, bo dziadek Milordziak nie różnił się niczym od swojego chytrego syna. Więc oprócz pieniędzy zażądał jeszcze regularnych dostaw wódki.

– Dosyć tych szczegółów – przerwała Galińska, zaniepokojona. – Strasznie dziwne książki czyta dziś nasza młodzież, ale cóż. Nie wszystkiego da się zakazać, prawda? – Uczniowie przytaknęli. – Dobrze Puchar, masz tę piątkę. I wracamy do lekcji. Temat: „Przydawka".

Po lekcjach, kiedy wszyscy już pognali do domów, by pod nieobecność starych wyszperać ukryte w szafach świąteczne prezenty, Teodor podszedł do Bietki i podziękował (wcześniej rozejrzawszy się, czy nikt ich nie widzi).

– Teraz musisz przeczytać „Dzyndzylaki", koniecznie. Bo jak cię Galińska przyłapie, będzie klops. Pożyczę ci na święta, ale zaraz po feriach oddasz?

Przyniosła mu powieść w ostatni dzień szkoły. Zdążył przeczytać przed Gwiazdką. I przeżył pełne zaskoczenie. Nie zaglądał wcześniej do takich książek; nie miał na to czasu. Angielski, lekcje tenisa, wieczorami ognisko muzyczne, gdzie bezskutecznie uczono go gry na oboju. I od roku korepetycje z matmy, przygotowujące do egzaminów w dobrym liceum. Przy tak napiętym grafiku trudno znaleźć godzinkę dla siebie. A jeszcze trudniej znaleźć podobne książki w biblioteczce państwa Pucharów. Owszem, w reprezentacyjnej witrynie stoi „Trylogia", „Lalka", „Pan Tadeusz", „Chłopi" i „Nad Niemnem" oraz kilkadziesiąt atrap innych dzieł, ale nie „Dzyndzylaki".

– Jak to atrap?

Teodor, sam nie wiedząc dlaczego, wyjawił Bietce rodzinny sekret. Jego tato zamawia u jednego rzemieślnika spod Myślenic specjalne skórzane okładki z tak zwanym wkładem (zwykle dzieła Marksa, bo wychodzą najtaniej).

– Pan Karol kupuje je za grosze – wyjaśnił Teodor. – Jeszcze się ekspedientki z księgarni cieszą, że im towar nie zalega w magazynach.

A potem pan Karol przycina owe dzieła i specjalnie „preparuje", na przykład pociągając brzegi kartek złotą lub bordową farbką. Na wierzch idzie efektowna skórzana okładka, ozdobiona w zależności od fantazji i gestu klienta. Maurycy Puchar wybrał gustowne złocenia (dopasowane do kartek i witryny), ale skupił się bardziej na tytułach. Wybrał między innymi: „Wieczór trzech króli" (w oryginale!), „Boską komedię", „Gargantuę i Pantagruela", „Don Kichota", „Czarodziejską górę"', kilka powieści Fitzgeralda, wiersze Goethego, i oczywiście Prousta. Całe siedem tomów. Efektownie, ale bez ryzykownych eksperymentów w rodzaju wczesnych wydań „Bogurodzicy". Robi wrażenie.

– A tato ma ubaw, że nabrał paru naiwnych. – Taki to z niego dowcipniś.

– Na kim robi wrażenie? – zainteresowała się Bietka.

– Na rodzinie z prowincji, sąsiadach, kumplach z pracy i z wojska... – Bo prawdziwych koneserów Maurycy Puchar unika od czasu godnej pożałowania wpadki z „Bogurodzicą".

– A jak któryś z gości chce pożyczyć?

– Odmawia, tłumacząc, że to rodzinna pamiątka, przechowywana dla potomnych. Znaczy dla mnie i Łukasza. To mój młodszy brat – dodał.

– A gdyby ktoś chciał tylko zerknąć. I zaraz odłożyć na miejsce?

– To nie wiem – poddał się Teodor. Zakłopotany, bo przemknęła mu myśl, że może wcale tu nie chodzi o niewinne żarty. Może powód jest poważniejszy. Nagle uświadomił sobie, że jego ojciec mógłby śmiało zamieszkać w Dzyndzylakach. Byłby lepszy niż Milordziak, Żółwiaczkowie i cała Skubana reszta. Tak go ta myśl zawstydziła, że szybko zepchnął ją tam, gdzie ludzie zwykle przechowują spleśniałe kompoty, popsute dżemy i inne kłopotliwe „przetwory". I nie chcąc wzbudzać podejrzeń Bietki, wrócił do rozmowy o atrapach. – Pewnie tato ma jakiś patent na natrętów. Jest strasznie pomysłowy.

Owszem, Maurycy Puchar ma kilka opcji (dopasowanych do poziomu swego rozmówcy), ale przede wszystkim dba o to, by witrynka była zawsze zamknięta. Taki uraz po incydencie z licealnym kolegą, latem siedemdziesiątego trzeciego. Maurycy, zaskoczony niezapowiedzianą wizytą kumpla, wyszedł, dosłownie na chwilę, otworzyć w kuchni wyborne francuskie wino. Dla ścisłości należy dodać, że francuska była tylko butelka. Zawartość zaś na poziomie dzieł Lenina i tej samej proweniencji. Maurycy wybiegł zatem po wino (które wcześniej musiał przelać z prząśnej flaszki do szklanego cudeńka rodem z Bordeaux). Kiedy wrócił, zastał kumpla z atrapą Prousta w dłoni. Prawie upuścił drogocenną butelkę, ale od czego umiejętności aktorskie zdobyte w szkolnym teatrzyku (i doszlifowane na licznych akademiach ku czci Partii i jej Wielkiego Przywódcy)?

– Podpucha dla snobów z wydziału – wyjaśnił, udając nonszalancję. – Strasznie się podniecają takimi rzeczami. A ja mam ubaw po pachy. Zresztą kto by dzisiaj czytał Prousta. To stracony czas jest! – Machnął dłonią, a kumpel, rechocząc, pomyślał, że Maurycy to jednak równy gość. Mimo że poważny kierownik dużego zakładu.

Tej samej nocy równy gość zamknął witrynkę na cztery spusty. A podekscytowanym spotkaniem z wielką literaturą natrętom zwykle tłumaczy, że klucz jest w specjalnym schowku. „Ze względu na wartość woluminów. Przede wszystkim emocjonalną" – dodaje, udowadniając, że rodzina przede wszystkim. Co nie znaczy, że jej członkowie muszą wiedzieć o każdym potknięciu swojego dowódcy. Lub o stosowanych przez niego sztuczkach. Na przykład Łukasz, młodszy syn Pucharów, odkrył tajemnicę atrap dopiero po ślubie. Wcześniej był przekonany, że książki są jak najbardziej prawdziwe. Wierzyła w to również jego ówczesna narzeczona, Patrycja Hoffman, podziwiając przez szybę witrynki imponującą kolekcję. Kto wie, czy ów kontakt z „perłami światowej literatury" nie pomógł jej w podjęciu decyzji o małżeństwie. Teodor poznał tajemnicę znacznie wcześniej, przyłapując ojca na rozmowie z panem Karolem, „twórcą złudzeń". Ojciec zaraz mu jednak wyjaśnił, że to taki żart. Dorośli też czasem robią sobie jaja, tylko są to jaja bardziej dopracowane. Można powiedzieć, dojrzałe, ale równie zabawne, jak te odstawiane za młodu.

– Ale nikomu ani mru- mru, inaczej nici z zabawy, rozumiesz?

Teodor obiecał trzymać usta zamknięte niczym witrynka na cztery spusty i długo wierzył, że chodzi wyłącznie o kawał. Tuż po lekturze „Dzyndzylaków" ogarnęły go pewne wątpliwości, ale szybko przekonał samego siebie, że jego ojciec jest urodzonym żartownisiem. Dopiero po studiach uświadomił sobie, że w całej tej zabawie niekoniecznie chodziło o jaja. Do dziś jednak nie wie, że producentem „literackiego kawioru" był sam dziadek Joanny Wytwornej.

„Ach, Joanna", wrócił do teraźniejszości, odkładając „Dzyndzylaki" obok stosu starych „Filipinek". Mają się spotkać na kolacji i kto wie, może da jej szansę. Jest przecież taka wytworna, chyba jeszcze bardziej niż Klaudia. A już na pewno ma za sobą mniej przykrych doświadczeń, stąd ta zachwycająca świeżość i głowa pełna młodzieńczych ideałów. Joanna wyjawiła mu ostatnio, że chce ratować zepsuty świat, tylko nie może się zdecydować, przed czym. Dlatego na razie skupiła się na szeroko pojętym rozwijaniu własnego potencjału. A w wolnych chwilach wsłuchuje się w samą siebie, usiłując zrozumieć, co podpowiada jej intuicja. Ostatnio przeczytała w pewnej mądrej książce, że należy żyć w zgodzie z głosem wewnętrznym. To bardzo ważne, zapewniła, a Teodor pomyślał, że cudownie wygląda, wygłaszając podobne dyrdymałki. A już zupełnie go rozczuliła mówiąc, że kocha zwierzęta. Zwłaszcza swojego pluszowego misia Wiktora, z którym (umilkła na chwilę, spłoniona) sypia do dziś. Wie, że już nie powinna, ale to silniejsze od niej. Im dłużej Teodor myśli o Joannie, tym bardziej jest przekonany, że tego właśnie mu potrzeba. Ekscytującej mieszanki młodzieńczej naiwności i doskonałych manier. Poza tym ma słabość do krótkich grzywek w kolorze czekolady. Taką właśnie nosiła Bietka i taką ją zapamiętał. Siedzi na parapecie, macha nogami i zamiast panikować z powodu klasówki, beztrosko podczytuje sobie Woodehouse'a.

„Pan wzywał, Milordzie"

podarowała mu na imieniny. Swoje własne, które wypadały czwartego lipca.

– Postanowiłam zrobić sobie prezent – oznajmiła, wręczając Teodorowi książkę zapakowaną w szary papier. – Od końca roku masz taką minę, że robi się kwaśno na sam widok.

A jaką ma mieć, skoro na świadectwie trafiła mu się trója. Pierwsza w życiu i zupełnie niezasłużona. Wytłumacz to jednak rozczarowanemu ojcu. Musisz bardziej się postarać, synu. Tyle w ciebie wkładamy, a ty co? Zawód na całej linii. A przecież tak bardzo się z mamą staramy, żebyś miał to co najlepsze. Lekcje tenisa, oboju, angielski u obcokrajowca. Wiesz, ile to wszystko kosztuje? Jakie to ogromne poświęcenie z naszej strony? Nie chodzimy do filharmonii ani do teatru. Odmawiamy sobie rozrywek, żebyś został KIMŚ. Ja rozumiem, że nerwy, ale nie można się tak wszystkim przejmować, Teodorze. Co z ciebie za facet? Owszem, Łukaszowi zdarza się płakać, ale ma dopiero sześć lat. Nie trzynaście. W tym wieku powinieneś już dorosnąć. Dlatego weź się w garść, synu, i popracuj nad sobą. A w ramach zasłużonej kary – lekcje biologii. U profesora z pierwszego liceum.

– Ostra inwestycja, prawie jak u mnie – przyznała Bietka. – Ale mam nadzieję, że znajdziesz kwadransik na rozrywkę. W starym, dobrym angielskim stylu. Tata nie powinien się gniewać.

Trzeba przyznać, że książki Woodehouse'a pomogły mu przetrwać podstawówkę. Do spółki z Bietką. Dzięki niej radził sobie z lękiem, który dławił go, kiedy tylko Teodor przekraczał progi pracowni biologicznej. Bietka pozwalała mu ściągać na klasówkach, poprawiała błędy w wypracowaniach. I w pięć minut umiała wyjaśnić coś, co nie udawało się przez tydzień doświadczonemu korepetytorowi. W siódmej klasie zostali najlepszymi przyjaciółmi. Z jednym „ale"... Bietka nigdy nie dała się zaprosić do jego domu. Nigdy też nie pozwoliła, by Teodor ją odwiedził, nawet wszedł na ich klatkę schodową. Kiedy pytał, dlaczego, odpowiadała, że to straszna tajemnica, a kiedy naciskał, zaczynała dowcipkować.

– Moja matka jest nietoperzem i poluje całe noce, dlatego musi mieć spokój.

– Chodziłbym na czubkach palców.

– Wiesz, jaki nietoperze mają słuch? A poza tym nikt nie lubi być przyłapany, jak zwisa głową w dół, okryty wyłącznie błoniastymi skrzydłami – dodała i szybko zmieniła temat.

Teodor ustąpił zatem, a w maju wybuchła bomba. Maurycy Puchar, zainteresowany postępami pierworodnego, wybrał się po raz pierwszy na szkolną wywiadówkę. Tam spotkał matkę Bietki, chłodno się przywitał, a po powrocie wziął syna na dywanik.

– Znasz Elżbietę Węgielek, prawda?

– Bietkę? Siedzimy w jednej ławce – wyjaśnił Teodor, wiedząc, że nie ma sensu taić podobnych informacji. Wystarczy, że ojciec pójdzie do szkoły i zapyta wychowawczynię. Może już wie. – Kumplujemy się, od kiedy przyszedłem do jej klasy. To znaczy do naszej klasy.

– A wspomniała ci, że jesteście kuzynami?

– Nie mówiłam, bo nie było takiej potrzeby – odparła Bietka, zdenerwowana niespodziewanym atakiem. Teodor wytrwał dwie lekcje, a po trzeciej zadał jej to straszne pytanie, którego oczekiwała od dawna, ale zupełnie się nie spodziewała właśnie dziś.

– Wiedziałaś od początku? – Kiwnęła głową. – To dlatego nie chciałaś mnie zaprosić do domu?

– Nie dlatego.

– Tylko nie chrzań o swojej mamie zawieszonej na belce pod sufitem! Ukrywałaś przede mną prawdę ponad półtora roku, żeby co? Dobrze się bawić?

– Żeby lepiej cię poznać. I zrozumieć, dlaczego nasi rodzice tak się nie lubią.

– I już wiesz?

– Pracuję nad tym... – Odwróciła wzrok. – Poza tym gdybym ci wyjaśniła od razu, kim jestem, nie byłoby mowy o przyjaźni.

– I dalej nie ma, rozumiesz? Możesz uważać naszą znajomość za skończoną!

Łatwo ogłosić rozwód, znacznie trudniej go przeprowadzić. Zwłaszcza kiedy dzielisz z kimś jeden przyciasny lokal, a nie ma chętnych, żeby się zamienić. Na początek Teodor narysował równą czerwoną krechę, za co zarobił uwagę w dzienniczku. Urażona Bietka bardzo rygorystycznie przestrzegała, by kuzyn trzymał się swojej połowy ławki. Za każdą próbę przekroczenia granic – ciach po łapach linijką. Albo cyrklem w okolice łokcia. Parę razy trafiła w tak zwany nerw, co Teodor uznał za wyjątkowo wredne. Godne takiej oszustki jak jego cioteczna siostra. Po miesiącu przepychanek, tuż przed wakacjami, podali sobie dłonie. Ale już nigdy nie było między nimi jak wcześniej.

Przestali, na przykład, czytać razem książki. A kiedyś uwielbiali to robić. Bietka zawsze kończyła stronę szybciej, czekała więc cierpliwie, aż Teodor powie „już", i odwracała kartkę. Po wakacjach próbowali wrócić do wspólnej lektury, ale zupełnie im nie wychodziło. Teodor, zamiast czytać, ukradkiem obserwował, w którym miejscu tekstu jest Bietka, i zanim doszła do końca strony, mówił „ja już".

– Jak to „już"? – zdziwiła się kiedyś Bietka.

– Normalnie.

– No to o czym była ta strona? – Nie odpowiedział.
– Co mi chcesz udowodnić? Że potrafisz szybciej czytać?

– Że nie jestem gorszy.

– W czym nie jesteś? Przecież udajesz, zamiast czytać.

– Ty też udawałaś, kiedyś! – wypalił i zaraz umilkł.

Nigdy już nie wrócili do tego tematu. Ani do wspólnej lektury. Nadal jednak czytali te same powieści, tyle że każde wypożyczało swój egzemplarz. A jeśli był tylko jeden, wtedy następowała walka. To znaczy walczył Teodor, za wszelką cenę próbując dobrać się do książki pierwszy. W połowie ósmej klasy zaczęli ze sobą rywalizować dosłownie o wszystko. Nawet o to, kto napisze dłuższe wypracowanie czy szybciej ułoży kostkę Rubika.

Niestety, większość konkurencji wygrywała Bietka, co tylko zachęcało Teodora do szybszego biegu. Kuzynka parę razy usiłowała przerwać ten bezsensowny wyścig, ale wreszcie i ona dała się wciągnąć w wir walki.

Pod koniec szkoły podjęła ostatnią próbę zatrzymania „rozpędzonych sanek". Mieli akurat narysować martwą naturę. Jakieś kwiaty w wazonie, obok jabłko i rogal. Banalnie proste, ale nie dla Teodora, który odziedziczył po dziadku Pucharze dwie lewe ręce. Zwykle wszelkie prace plastyczne odwalała za niego Bietka. Tym razem nie poprosił o pomoc. Ale kuzynka sama przyniosła mu ślicznie wykonany temperami obrazek. Piwonie w szklanym dzbanku, obok kilka papierówek i rogal (ulubiony motyw pani od plastyki). Teodor trochę się opierał, tłumacząc Bietce, że jakoś by sobie poradził i że „szkoda było marnować czas". Ostatecznie jednak przyjął prezent, a nawet grzecznie podziękował. Po tygodniu plastyczka oddała wszystkie prace. Teodor dostał piątkę, Bietka cztery z minusem. Bardzo naciągane, bo i widać było wyraźnie, że nie przyłożyła się do rysunku. Stokrotki w szklance jakieś takie zmarnowane, jabłko przywiędłe, a zamiast rogala parę okruszków.

– Po co to zrobiłaś? – zapytał wreszcie, kiedy wracali po lekcjach.

– Bo chcę przerwać ten cholerny rodzinny łańcuszek.

– Nie rozumiem.

– Wyczaiłam, dlaczego nasi starzy drą ze sobą koty...

– Mój tato niczego nie drze – przerwał jej Teodor, przerażony, że zaraz dowie się czegoś, czemu nie będzie umiał stawić czoła. – Po prostu zawieszono kontakty.

– Na kołku jak stare buty – parsknęła Bietka. – To ci powiem, że walka dalej trwa, tylko...

– Nie chcę niczego wiedzieć! – Teodor zatkał uszy.

– Dobra, no to przyjmij tylko do wiadomości, że ja nie chcę brać w tym udziału. Mam dość ścigania. Zwłaszcza z tobą.

– A ja nie – rzucił butnie.

– Na pewno?

Przytaknął.

– Ale wiesz, co się stanie? I tak będziesz dziesięć minut z tyłu.

Od tej pory przestali być przyjaciółmi. Co nie znaczy, że okazywali sobie wrogość. Wcale nie. Nadal chodzili do jednego liceum, tyle że Bietka wybrała klasę biologiczną (ambitni medycy), a Teodor mat-fiz. z angielskim (tylko dla orłów). Spotykali się na przerwach, gawędząc niby dobrzy kumple.

– Jak tam test z majcy?

– Piątka, a u ciebie?

– Też piątka i druga z biologii.

– Fiu-fiu! A jedziesz na obóz językowy?

– Z Anglikami do Brzeska.

– A mnie się trafili Amerykanie. Trochę się martwię, czy ich zrozumiem, bo na lekcjach mamy tylko British, ale Nowicka powiedziała, że spokojnie dam radę. O, już dzwonek. To pa! Do następnego!

W drugiej klasie zbliżył ich do siebie rozwód państwa Węgielków. Mama Bietki odkryła, że jej mąż ma romans. Przymknęłaby na to oczy, gdyby nie fakt, że wybranką pana Węgielka okazała się najzwyklejsza krawcowa. Po zawodówce. Przyłapawszy ich razem podczas dokonywania „przymiarek", magister Węgielek zapomniała na chwilę o swych trzech fakultetach i wizerunku chłodnej blondynki, urządzając awanturę miesiąca. Zaraz potem pobiegła złożyć pozew o rozwód.

– I pomyśleć, że sama go tam zaciągnęłam, wmawiając, że potrzebuje nowych spodni – chlipała w kraciastą chusteczkę (już za chwilę byłego) męża. – Co teraz będzie? Jak sobie poradzimy?

– Może wycofać pozew? – podsunęła Bietka, zmartwiona wizją rozstania z ukochanym ojcem.

– Nie po tym, co mi zrobił ze zwykłą krawcową. Mógł chociaż wybrać przedszkolankę.

Mógł, dwanaście lat wcześniej, ale wtedy jeszcze wystarczała mu pani Węgielkowa. A kiedy pana Węgielka dopadł kryzys wieku średniego, postanowił przeczekać trudne chwile w dużym pokoju na rodzinnym tapczanie. Niestety traf chciał, że żona postanowiła mu na wiosnę odświeżyć garderobę. Węgielek bardzo się opierał, bo naprawdę było mu wygodnie w starych poliestrowych dzwonach. Ale w końcu dał się namówić, a na kolejne przymiarki chodził już sam.

– I wychodził. A teraz ja nie mam wyjścia. Klamka zapadła, i jak my będziemy żyły? Same? Bez mężczyzny? – Zasypała trudnymi pytaniami swoją niespełna siedemnastoletnią córkę.

Bietka przeżyła rozwód równie boleśnie jak jej matka. Podejrzewała, że ojciec należy do tych mężczyzn, którzy opuszczając stare mury, gaszą za sobą wszystkie światła. I poniekąd miała rację. Pan Węgielek nie zapomniał o swej roli ojca. Płacił alimenty w terminie. Dzwonił w każde urodziny, imieniny i na Dzień Dziecka, składał świąteczne życzenia i kupował mikołajkowy drobiazg. Przed wakacjami gratulował świadectwa z czerwonym paskiem albo świetnie zdanej sesji, okraszając swoje pochwały dodatkowym banknotem. Ale nigdy nie zdarzyło mu się zadzwonić do Bietki w zwykły szary, deszczowy dzień.

Właśnie wtedy, kiedy rodzina Bietki rozpadła się z powodu nowych spodni, Teodor zrobił kilka pojednawczych gestów. Niejako zmotywowany przez ojca. Maurycego tak rozbawiły perypetie małżeńskie własnej siostry, że nie umiał ukryć radości przed dziećmi. Podśpiewywał, zacierał ręce i żartował na całego. „Zwykła krawcowa, to ci dopiero niefart". Teodor, zniesmaczony zachowaniem ojca i przeżywający młodzieńczy bunt (w skali mikro), postanowił odnowić dawną przyjaźń. Przez miesiąc udało im się odgrzać parę wspomnień, a potem nagle Bietka oświadczyła, że dosyć, nie potrzebuje już litości. Da radę sama.

Przed maturą zaczęli rywalizować otwarcie, stosując coraz mniej dozwolone chwyty. Kiedy Teodor sprawił sobie jakąś ciekawą książkę, informował Bietkę dopiero wtedy, gdy wykupiono pozostałe egzemplarze. Równie nieczysto zagrał z egzaminami na studia. Najpierw złożył papiery na ekonomię w Katowicach, a kiedy Bietka wybrała rachunkowość i finanse, w ostatniej chwili zmienił papiery na zarządzanie w Krakowie. Na trzecim roku Bietka zaczęła drugi kierunek, historię sztuki. Teodor od razu zdecydował, że po studiach zrobi podyplomowe. Zawsze to szczebel wyżej. Wtedy już prawie ze sobą nie rozmawiali. Jedenaście lat temu Bietka wyjechała robić karierę w stolicy, Teodor zaś został w Krakowie. Przed wyjazdem podesłała mu książkę, „W niewoli uczuć".

Uznał, że kuzynka niepotrzebnie bawi się się terapeutkę, ale powieść przeczytał. Skończył, uśmiechając się lekceważąco pod nosem i postanowił nie reagować na podobne zaczepki.

Stracili ze sobą kontakt. Czasem od niechcenia pytał ojca, co tam u Bietki. „Robi szaloną karierę", słyszał, usiłując powstrzymać znajome kłucie, „Znowu awansowała", „Jedzie na staż do Hiszpanii", „Zaręczyła się z kimś naprawdę wyjątkowym". Tylko raz, jedyny raz, Maurycy wspomniał o rodzinie Bietki. Kiedy zmarł jej ojciec, na raka jelita grubego. „Dostał zasłużoną karę" – skwitował, zachowując kamienną twarz. Teodor miał ochotę spytać, za co ta kara. Za jedzenie smażonych kiełbas czy zgoła inne grzeszne przyjemności? Ale uznał, że szkoda czasu na kłótnie z własnym ojcem. I tak będzie musiał ustąpić i odegrać scenę pt. „Miałeś rację".

Przestał wypytywać o Bietkę pięć lat temu. Po profesjonalnym treningu („Wykorzystanie fallicznej mocy do okiełznania własnych uczuć") udało mu się oswoić zazdrość i uczynić z niej sprzymierzeńca w dążeniu do wytyczonych celów. Sprzymierzeńca, a nie jedynego władcę. Teodor był też przekonany, że zamknął dawną znajomość raz na zawsze. I nagle parę głupich książek odświeżyło mu pamięć. A już zupełnie nim wstrząsnęło, kiedy zobaczył angielskie wydanie

„Trzech panów w łódce"

Bietka podarowała mu powieść Jerome'a, żeby przeprosić za ukrywanie prawdy o dzielącym ich (użyła dokładnie takiego określenia) pokrewieństwie. Wtedy jeszcze oboje łudzili się, że wszystko można odbudować.

Teodor od razu zabrał się do lektury, ale znudzony dotarł zaledwie do połowy. Pół roku później przetrawił całą. Nie taka zła, uznał, choć niektóre opisy wydają się odrobinę przyciężkie. Niczym irlandzki stew. Po miesiącu wrócił do książki. Odkrył wtedy całkiem zabawne fragmenty i kilka naprawdę śmiesznych. Po szóstym razie uznał, że powieść jest powalająca. Istna beczka śmiechu. A potem wystarczyło, że otworzył książkę na chybił trafił, i po jednym zdaniu zaczynał rechotać, wzbudzając podejrzliwe spojrzenia przechodniów.

– Fascynujące, nie? – odezwała się Bietka. – Im dłużej czytasz, tym wydaje się lepsza. Zupełnie odwrotnie niż większość książek. Ciekawe, gdzie tkwi tajemnica?

– Może w tłumaczeniu – odparł Teodor, przypominając sobie fragment o tym, jak nakłonić kociołek z wodą, by szybciej się zagotował.

Istotnie, tłumaczenie jest pełne smaczków, przyznała kuzynka, ale jej zdaniem urok książki tkwi gdzie indziej. Czytając Jerome'a ze zdziwieniem odkrywasz, że sto lat temu żyli całkiem normalni ludzie, którym zdarzało się przypalić jajecznicę, fałszować na przyjęciach i przespać w biurze cały dzień. Popełniali przy tym mnóstwo idiotycznych gaf, co sprawiało, że stawali się jeszcze bardziej prawdziwi.

– Wyobrażasz sobie naszego Wokulskiego, który usiłuje otworzyć konserwę wielkim, ostrym kamieniem? – spytała kuzynka. – Albo doktora Judyma przewożącego śmierdzące sery w zapchanym pociągu relacji Rzeszów-Przemyśl?

Ale Teodor ubrdał sobie, że sekret tkwi w wybornym przekładzie. Postanowił zatem sprawdzić oryginał, co w tysiąc dziewięćset osiemdziesiątym roku graniczyło z cudem. Angielskie książki osiągały zawrotne ceny, a ktoś, kto je czytał (w dodatku rozumiejąc treść), zyskiwał miano konesera. „Ten to dopiero zna język – mawiano, nie kryjąc podziwu. – Jak sam Broniarek". Teodor postanowił zatem odszukać oryginał i przy okazji zasłużyć na zaszczytny tytuł językowego mistrza.

Polował na powieść długie lata. Szperał na targach ze starzyzną, wypytywał znajomych, przeczesywał antykwariaty (pełne Szekspirów, Keatsów i dzieł Cervantesa). Bezskutecznie. Zastanawiał się nawet, czy nie dokonać aktu bezczelnej kradzieży z biblioteki anglistycznej w Jagiellonce (słyszał od kumpla, że mają tam kilka egzemplarzy). Wszedł się zapisać (przy okazji dokonując wstępnych oględzin obiektu). Przy drzwiach, troszkę po lewej, natknął się na dwa posągi wyniosłych Angielek, wykute z arktycznego lodu. Ustawione za specjalną ochronną barierką, pewnie żeby nikt nie dotykał, domyślł się Teodor, podziwiając precyzję wykonania. Zwłaszcza urzekła go biała indycza szyja wystająca znad srebrzystego dżempra. I te oczy. Jak żywe. Teodor zastanawiał się, jak wygląda proces konserwacji podobnego dzieła sztuki, kiedy jeden z posągów przemówił.

– Czy ma pan uprawnienia by tu wchodzić? – zapytał, nawet nie poruszając górną wargą.

– No nie wiem... chciałem się po prostu zapisać do biblioteki... – wyjąkał Teodor, rozcierając zziębnięte dłonie.

– Po prostu... Hmmm... – Posąg rzucił Teodorowi lodowate spojrzenie swoich okrągłych zimnoniebieskich oczu. – To ciekawe.

– A jakie są kryteria, by dostąpić zaszczytu...

– Oto formularz. – Posąg wskazał wzrokiem równy stos zadrukowanych kartek. – Należy go uważnie przeczytać, wypełnić bez pomyłek, zaakceptować wszystkie warunki, składając stosowny, wyraźny, podkreślam, wyraźny podpis, i przynieść do biblioteki. Podanie zostanie rozpatrzone w ciągu czterdziestu ośmiu godzin.

Teodor wziął nieśmiało formularz, sięgnął po długopis, ale upomniany wzrokiem, odłożył go na biurko. Zaczął czytać pierwszy paragraf, kiedy usłyszał dyskretne chrząknięcie.

– Lektury należy dokonać na korytarzu. Na razie nie ma pan uprawnień do korzystania z czytelni – poinformował go lodowatym głosem posąg, a potem znieruchomiał.

Teodor wyszedł na sztywnych nogach i udał się prosto do bibliotecznego bufetu. Zamówił szklankę gorącej kawy po turecku. Wypił razem z fusami, rozmasował pokryte szronem uszy i wyszedł, by już nigdy nie powrócić. Nie miał wtedy odwagi wojownika. I nie dysponował nowoczesną, mrozoodporną zbroją, jak obecnie.

Co nie znaczy, że zrezygnował z polowań na „Trzech panów" i ich łódkę, nie licząc psa. Namierzył wreszcie jeden podniszczony egzemplarz w okolicach Długiej. Pobiegł do Żaczka po pieniądze ze stypendium (waletował wtedy u kumpla, próbując odciąć pępowinę). Wrócił zdyszany i w drzwiach antykwariatu minął kuzynkę Bietkę... z JEGO książką w dłoni. Wtedy Teodor poczuł się jak kundel, któremu dano powąchać pełną smakowitego szpiku kość, a potem sprzątnięto sprzed mokrego nosa. Krótko mówiąc – stan przedzawałowy.

I nagle, właśnie, tu i teraz, zauważył swoją wymarzoną kość. W cenie pięciu złotych. Wystarczy wysupłać i jest twoja, pomyślał, razem z panami i ich łódką, nie licząc psa. Twoja na zawsze. Tylko że to już zupełnie nie to samo...

– Tomek? – usłyszał nagle. Pomyślał najpierw, że to nie do niego. Od dziesięciu lat używa bowiem wyłącznie pierwszego imienia: Teodor. W sytuacjach intymnych występuje jako Teo (lub Król Lew), w zawodowych zaś – Szanowny Pan Prezes. Czasem (w zakamarach swojej łazienki) bywa Tomem Cruisem. Ale nie Tomkiem. – Co ty, ludzi nie poznajesz, Pucharze jeden?

Zaskoczony podniósł głowę i ujrzał... kuzynkę Bietkę. A raczej to, co z niej pozostało po jedenastu latach intensywnej eksploatacji. Żałosny przykurzony cień. Teodor powinien się ucieszyć (choćby z powodu podkupionej książki i wielu innych przegranych pojedynków), ale nagle zrobiło mu się... po prostu przykro. Jak wtedy kiedy spotkał swoją dawną nauczycielkę biologii. Sławną na całą szkołę Helgę Pompon. Wystarczyło jedno zmarszczenie pomponiastych brwi, a pół jego klasy traciło ze strachu przytomość. Helgi bali się nawet siedemnastoletni recydywiści z szóstej F. Była groźna i potężna niczym rozgniewany Pan Bóg. Swoim barytonem mogła zagłuszyć nawet szkolny dzwonek i to ona decydowała o długości przerwy. A kiedy szła korytarzem drugiego piętra, szyby drżały w drewnianych ramach, równie strwożone jak uczniowie. Nic dziwnego, że każdy z ulgą opuszczał podstawówkę. Z ulgą i nadzieją, że już nigdy nie spotka na swej drodze żadnego Pompona.

Teodorowi udawało się unikać wszelkich pomponów prawie ćwierć wieku. I nagle, jakieś dwa lata temu, natknął się na Helgę w okolicznym markecie. W pierwszej chwili sądził, że pomylił ją z kim innym. Bo zamiast potężnej primadonny ujrzał drobną, siwowłosą staruszeczkę. Malusieńką niczym hiszpański torcik. I równie kruchą; mógłby ją teraz zmiażdżyć jedną dłonią. Może nawet samym kciukiem. Tylko nacisnąć, pomyślał Teodor, i zamiast satysfakcji, poczuł smutek. A zaraz potem ogarnęła go złość. Najpierw na samego siebie, że akurat dziś, właśnie dziś zachciało mu się robić cholerne zakupy. Potem na Helgę, że zamiast trzymać fason, skurczyła się do rozmiaru bezy. Nawet nie może jej wygarnąć, co myśli; od razu rozsypałaby się w biały pył. Ale najbardziej nakrzyczał na dwunastoletniego Tomka Puchara. Zbeształ go za to, że w każdy czwartek (kiedy mieli lekcję biologii) płakał ze strachu i prosił mamę, żeby wypisała mu zwolnienie. Wyśmiał, że chował się pod ławką, a wyrwany do odpowiedzi jąkał bardziej niż cezar Klaudiusz. Wypomniał mu nawet żenujące wydarzenie w szóstej klasie. W czerwcu Tomek miał pisać test (Helga nie mogła się zdecydować, czy pięć czwórek i dwie tróje daje jej prawo wpisania oceny dobrej). Tuż przed lekcją dostał mdłości i wylądował u szkolnej higienistki. A Helga z czystym sumieniem wpisała na świadectwie młodego Puchara wielką tłustą tróję. „No i widzisz teraz, czego się bałeś? – pokazał zawstydzonemu Tomkowi staruszkę. – Zwykłej bladej bezy. Żałosny mięczak". – rzucił z pogardą i wyszedł ze sklepu.

A teraz spotkanie z Bietką. Równie przykre, choć z innego powodu. Teodor nigdy nie bał się kuzynki. Podziwiał ją, a czasem nieudolnie naśladował. Potem próbował przegonić. I nagle, patrząc na jej przybrudzone tenisówki, uświadomił sobie, że została daleko w tyle. Niczym kulawy koń. Okropne uczucie. Chwilę później przeszyła go bolesna myśl, że i dla niego czas nie stoi w miejscu. Kąsa go wprawdzie delikatniej niż resztę ludzkości, ale... kąsa. I nie pomogą tu masaże, odmładzające zastrzyki, słoje witamin oraz drogich, za to bardzo inteligentnych kremów.

– Wyglądasz naprawdę OK – rozproszyła jego lęki Bietka. – Świetny balejaż.

– Skąd wiedziałaś...?

– Wystarczyło zobaczyć twoją minę. – No tak, nie był to wzrok faceta podekscytowanego niespodziewanym spotkaniem z top modelką. – Zresztą zdaję sobie sprawę ze swojego wyglądu. Pracowałam na to czterdzieści lat.

– Ale skąd...?

– Każdy wtedy myśli o sobie. I zastanawia się, czy po nim też widać upływ czasu. Więc ci odpowiadam, że nie. Wyglądasz najwyżej na trzydzieści pięć lat.

– Dzięki – odparł Teodor, nieco rozczarowany, co rano bowiem witał w łazienkowym lustrze zadbanego trzydziestodwulatka. – W sumie, jak się przyjrzeć, to też wyglądasz niczego...

– Daruj sobie, Tomek. Lepiej powiedz, co u ciebie?

– Przyjechałem w sprawach służbowych...

– Aha. – Uśmiechnęła się znacząco, więc zaraz dodał, że nie tylko. – Rozumiem. Pewnie cię uspokoi informacja, że „nietylko" wraz z rodzicami odjechało już taksówką. Pięć minut temu. Nie musisz już udawać dziwaka zafascynowanego przeterminowaną prozą.

– To tylko... – zaczął się plątać Teodor. – Właściwie nie jesteśmy jeszcze zaręczeni.

– Tak się domyśliłam, po jej napiętym wzroku. Ale powiem ci, że wybór całkiem, całkiem. Bardzo wygodna kobietka.

Wygodna, też coś, obruszył się Teodor, a potem przypomniał sobie, że na początku też tak myślał o Klaudii. Kiedy się poznali na jakimś nudnym firmowym bankiecie, Klaudia zrobiła na nim wrażenie jednego z tych seryjnie stawianych domków, pokrytych banalnym, żółtym tynkiem. Plastikowe okna, zwykłe czerwone dachówki, ganek mający dawać wrażenie staropolskiego dworku. Nic specjalnego. A potem dowiadujesz się, że same deski w jadalni kosztowały dziesięć tysięcy, wannę sprowadzono z Włoch, a mosiężne krany robiono na specjalne zamówienie. I nagle dostrzegasz zalety domku. Wszystko jest nowe, odpicowane na błysk i w pierwszorzędnym gatunku. Niby bez szaleństw, a na pewno bez fantazji, ale jak zliczysz poniesione koszty, wychodzi majątek. I zaczynasz doceniać wielkość inwestycji. A potem myślisz sobie, że taki domek to całkiem wygodna rzecz. Wszystko działa bez zarzutu, każdy drobiazg leży na swoim miejscu. W starej kamienicy narzekałbyś na przerdzewiałe rury i zimną łazienkę, a tu pełny komfort. Jak w hotelu. A jak wiemy, Teodor ceni sobie profesjonalizm i wygodę. Z każdym miesiącem bardziej. Ale słysząc ironiczną uwagę z ust Bietki, zapałał oburzeniem. I jako obecny właściciel hotelu „Klaudia" poczuł się w obowiązku pokazać kuzynce wszystkie jego zalety.

– Jest przede wszystkim bardzo elegancka. Ona i jej rodzice.

– Takie właśnie sprawiali wrażenie – przyznała skwapliwie Bietka. – Ciekawe, czy kolekcjonują tkaniny z epoki wiktoriańskiej.

Teodor chciał odegrać rolę oburzonego gentlemana, ale nagle przemknęły mu przez głowę dwa zdania z powieści Jerome'a. „Czy cennymi skarbami dnia dzisiejszego będą wczorajsze tanie błahostki? A może rzędy naszych popularnych talerzy z malowankami »chińskimi« będą wisiały nad kominkami wielmożów w roku 2000 i lat następnych?". Przypomniał sobie, że Klaudia pokazała mu podobny talerzyk, i zrobiło mu się głupio. Głupio podwójnie, że okazał wtedy zachwyt cenną pamiątką.

– Nie rozmawiamy o takich sprawach – skłamał. – Zresztą to tylko luźny związek.

– Coś jak przelotna miłość? Albo ciepłe lody?

– A jak tam twoje związki? – odbił piłeczkę. – Masz kogoś?

– Na własność? Chyba bym nie chciała. Owszem, mieszkam z kimś, ale nie planujemy ślubu.

– Bardzo nowocześnie.

– Powiedzmy. – Znowu się uśmiechnęła.

– Miałaś wyjść za mąż – przypomniał. – Dziewięć lat temu.

Za Bardzo Wartościowego Człowieka, oznajmił Teodorowi ojciec, z pewną pretensją w głosie. Teodor od razu znalazł sobie Równie Wartościową Dziewczynę i zanim Bietka ogłosiła oficjalne zaręczyny, on był już po ślubie cywilnym. Trzy lata później dowiedział się, że Bietka odeszła od Wartościowego Człowieka. Wtedy pierwszy raz pomyślał o separacji.

– Miałam, ale jak to mawiają na Wschodzie, nie złożyło się.

– Przecież byłaś zaręczona, i to z...

– Bardzo Wartościowym Człowiekiem – zapewniła. – Na szczęście rozstaliśmy się w samą porę.

– Nie rozumiem, skoro był taki wartościowy.

– Widzisz, Tomek, rodzice ciągle mi powtarzali, że w małżeństwie najważniejsza jest kultura. Kultura i szacunek. Jeśli trafisz na człowieka godnego szacunku, który będzie darzył cię szacunkiem, a ty jego, sukces gwarantowany. Przetrwacie długie lata. Więc znalazłam sobie Bardzo Wartościowego Człowieka, który swoją kulturą i zaletami wzbudzał podziw i szacunek wszystkich babć, ciotek, sąsiadów, a nawet kota. Nie mówiąc o mamie. Ja również nie mogłam opanować podziwu dla jego niezliczonych zalet. Ale im bardziej szanowałam jego, tym mniejszym szacunkiem darzyłam siebie. Aż pewnego styczniowego poranka podjęłam decyzję, że koniec tego dobrego.

Wpadła wtedy na parę dni do Krakowa. Jechała właśnie strasznie zapchaną sto piętnastką, i między Nowohucką a Mogilskim usłyszała, że czasem warto wysiąść w porę, zanim będzie za późno.

– Cenna lekcja, i to za darmo. – Nauczycielka Bietki nie chciała przyjąć nawet symbolicznej opłaty. – Jeszcze w tym samym miesiącu wysiadłam. A zaraz potem zrobiło mi się niewygodnie w biurze. Drażniły mnie kanciaste stoły, szum klimatyzacji, kształt monitora, nawet to, że fotele są za miękkie.

Krótko mówiąc: klasyczny BURNOUT. Co robi menadżer wyższego szczebla, przeżywając zawodowy kryzys? W zależności od rozmiarów portmonetki wybiera się na duże zakupy do pobliskiej galerii, zaczyna terapię, jedzie do SPA lub w oczyszczającą ciało i duszę podróż, zwykle do Indii. Bietka wybrała się na Lubelszczyznę.

– Nie wiem, dlaczego tam. Imperatyw. Wynajęłam sobie pokój w jednym z gospodarstw i pokręciłam się po okolicy.

Zobaczyła wtedy mnóstwo opustoszałych, dwupiętrowych willi, zdobionych pokruszonym szkłem (tak zwany gierkowski dizajn). Spytała przechodzącej obok staruszki, gdzie są właściciele.

– A o, pani, ziemię gryzą – staruszka wskazała pobliski cmentarz. – Raki połapały, zawały, albo w Ameryce się zarżnęli, jeżdżąc na mopie. I tylko chałupy puste po nich stoją. Na pamiątkę.

Wtedy Bietka pomyślała, że po niej nie zostałaby nawet taka pamiątka. Wszystko, co użytkuje, dostała od firmy, niejako w dzierżawę. Na razie wymienia zabawki na coraz nowsze, ale kiedyś przyjdzie pora odłożyć je na półkę. Zapragnęła wtedy mieć coś na własność.

– Więc kupiłam sobie panoramiczny telewizor. I oczywiście pędziłam dalej. Znacznie łatwiej opuścić Wartościowego Człowieka niż wygodny fotel w bardzo dobrej firmie.

Coraz częściej jednak zadawała sobie pytanie, gdzie jest meta.

– Ja wiem, że niektórych kręci sam bieg, a kolejne cele traktują jak przystanki. Ale ja wyruszyłam w podróż po to, żeby dokądś dojechać. Tylko że po drodze zapomniałam, dokąd.

Właśnie wtedy wysłano ją na szkolenie do Hiszpanii. Zatrzymała się w hotelu, który szykowano do „letniego szczytowania". Na zewnątrz trwały remonty. Wokół basenu żwawo kręcili się robotnicy, budując bajkowe skały z ohydnej rudej pianki. Ustawiano pseudomosiężne rzeźby syren, docinano marmury, które miały zdobić hol recepcji. Zameldowani goście wyrazili niezadowolenie z powodu hałasów, więc w ramach przeprosin postanowiono dopieścić ich zmęczone uszy andaluzyjską muzyką. Urządzono zatem wieczorek, na który zeszli się wszyscy. Obrażeni goście i ich zmęczone uszy, kierownik hotelu, obydwie pokojówki, czterech niemieckich rezydentów i robotnicy. Najpierw na scenę wpłynęła przysadzista Andaluzyjka odziana w chmurę czerwonych falbanek. Strzeliła obcasami tak, że kilku gościom poszły bębenki. A potem zaczęła pokaz flamenco, głusząc zebranych energicznym klaskaniem i groźnymi okrzykami „Olé!". Zanim Bietka podjęła decyzję, czy występ jej się podoba, Andaluzyjka ukłoniła się, zażądała braw i znikła za kotarą. Na scenę weszła młoda Cyganka, Remedios. Usiadła na krzesełku. Obok niej stanął Cygan z gitarą. Brzdąknął w struny, a dziewczyna zaczęła śpiewać niskim głosem dojrzałej czterdziestolatki:

*No tengo lugar, no tengo paisaje, no tengo patria. Con mis dedos hago fuego. Con mi corazón te canto, Las cuerdas de mi corazón lloran. Naci en Alamo (...) No tengo lugar, no tengo paisaje...**

* Nie mam swojego miejsca. Nie znam swoich widoków ani ojczyzny. Potrafię wzniecać płomień. Śpiewam z całego serca, o tym, co mnie boli... Urodziłam się w Alamo, ale nie mam swojego miejsca...

Wszystkich wbiło w fotele. Dosłownie. A kiedy Cyganka skończyła skargę, nikt nawet się nie poruszył. Dygnęła więc i wyszła. Dopiero wtedy rozległy się nieśmiałe oklaski. Zaraz jednak uwagę zebranych przykuł polski robotnik, siedzący obok drzwi.

– Taki wiesz, zwykły wąsaty klocek w kraciastej flanelowej koszuli. Nazywany w pewnych kręgach Robo-Kopem.

Wąsaty klocek ukrył twarz w dłoniach i zaczął szlochać.

– Zupełnie nie wiedzieliśmy, jak zareagować. Parę osób nerwowo zachichotało. Ktoś rzucił mądry cytat o tym, że prawdziwa muzyka dociera nawet do najprostszych serc i umysłów. Ktoś zażartował, że hiphop również. Jakaś dama zapytała, czy wezwać lekarza. Na przykład okulistę.

Nikomu nie przyszło do głowy, żeby podejść i zapytać, co się stało. Albo uczynić jakikolwiek gest współczucia czy sympatii.

– Nikt też nie pomyślał, że ten prosty Robo-Kop rozumie słowa piosenki. A rozumiał.

Dowiedziała się na drugi dzień, kiedy odważyła się podejść i zapytać.

– Ale wtedy siedziałam niczym kołek. Razem z resztą. Grupa kołków wpatrzonych w chlipiącego klocka. W końcu klocek podniósł głowę, obtarł rękawem nos i rzucił: „Dosyć tego pszedstawienia. Wracam do siebie".

Bietka zaczęła się zastanawiać, co dla niej znaczy „być u siebie". W swoim dawnym pokoju przerobionym przez jej mamę na czytelnię naukową? W ulubionym parku, a może w kinie, które odwiedza niemal codziennie? Bo na pewno nie w wynajętych przez firmę pokojach. Może już czas wrócić na swoje miejsce?

– Więc wróciłam, oczywiście do firmy. Zajęłam swój wygodny fotel i brnęłam w to dalej. Aż pewnego dnia poczułam, że już dłużej nie mogę patrzeć...

...Sobie w oczy – dokończył Teodor.

– Daj spokój z tymi gadkami o patrzeniu w oczy. Żaden pajac nie ma z tym najmniejszego problemu. Co najwyżej wklepie korektor i uważa, że wszystko OK. Ludzie posiadają zadziwiająco silne mechanizmy obronne i potrafią sobie wybaczyć najgorsze świństwa. W końcu świat dookoła wcale nie jest lepszy, prawda? Rzuciłam wszystko, bo nie mogłam już patrzeć przez tylną szybę na umykający świat. No i przestałam sypiać. Tylko nie pytaj, z kim.

– Nawet o tym nie pomyślałem! – oburzył się Teodor. Całkiem niesłusznie.

– Więc przestałam sypiać. Jeśli udało mi odpłynąć na dwie godzinki, to był sukces.

– Próbowałaś...

– Próbowałam niemal wszystkiego. Masaże, akupunktura, moksa, benzodiazepiny, alkohol, rozbijanie gitary o hotelowe lustra. Zmieniałam dietę, łóżka, pościel, sypialnie, mieszkania, dzielnice, partnerów, a nawet terapeutę. Mogłam już zmienić tylko jedno: pracę. Postanowiłam wyjść drzwiami, zanim wyskoczę przez duże, szklane okno. Więc wyszłam.

– I co?

– Zaraz na drugi dzień OBUDZIŁAM SIĘ wreszcie wolna. Wolna i lżejsza o kilogramy trosk, które zostały daleko stąd, w zimnym biurowcu. Odetchnęłam pełną piersią i zaczęłam wreszcie żyć. Bez pośpiechu i niepotrzebnych napięć. Przestałam zagnębiać się drobiazgami, zaczęłam je doceniać. Upajałam się błękitem nieba i cudownym zapachem świeżo pieczonego chleba. Mogłam godzinami patrzeć na stadko szarych wróbli lub kontemplować nieśmiałe piękno młodego źdźbła trawy. Po miesiącu wyrzuciłam z szuflady wszystkie leki. A dziś, dziś już wiem, że odnalazłam swoje miejsce na ziemi! – Umilkła, wznosząc oczy ku niebu. A potem badawczo przyjrzała się Teodorowi. – Myślisz, że tak właśnie jest, kiedy rzucasz dyrektorski stołek? Bujda z chrzanem. Najpierw odczuwasz podekscytowanie. Przez tydzień, może dwa. Na razie wszystko traktujesz jak fascynującą przygodę, ekstra urlop. Po miesiącu ze zdumieniem odkrywasz, że...

– Tak szybko znaleziono kogoś na twoje miejsce – podpowiedział Teodor.

Tego akurat można i należy się spodziewać. Na dobre stołki zawsze jest popyt i nie ma się co łudzić, że spośród czterystu chętnych nie da się wybrać kogoś równie dobrego jak poprzednik. Da się. Nie od dziś zresztą wiadomo, że każdego pracownika można zastąpić innym. Ale nie każdego człowieka, myślisz. Ludzie są niezastępowalni. A tu nagle irytująca cisza. Owszem, przychodzą nadal maile, ktoś zagada przez Internet, gorzej z telefonami. O spotkaniach nawet nie ma mowy. A przecież słyszałaś tyle razy, że „nie zapomnimy, będziemy dzwonić. I umówimy się wreszcie na kawę, normalnie, poza firmą. Poplotkujemy, ponarzekamy". Jak to kumpele. Po miesiącu już wiesz, że przy pożegnaniach ludzie szarżują z obietnicami. Owszem, bardzo by chcieli i pamiętają, ale są dzisiaj tacy zagonieni. Nie ich wina, że ty nie masz co robić z czasem. Zabij go jakoś sama. Ale jak już podgonią zaległości w firmie, to „na pewno się zdzwonimy. I znowu będzie fajnie". Otóż nie będzie. Uświadomienie sobie tej prawdy może stanowić spory dyskomfort dla osób przekonanych, że firma to ich drugi dom.

Ale tacy zwykle zostają do końca. Albo skosi ich zator, albo wyjadą na taczkach.

A dezerterzy powinni pamiętać, że firmowe znajomości szybko giną na świeżym powietrzu.

– Ja pozbyłam się złudzeń w dwa miesiące. A potem zaczął się prawdziwy detoks.

W nocy budziła się, zlana potem, czy wytrzyma. Z dala od tych wszystkich, niby niepotrzebnych, ale (z perspektywy czasu i odległości) bardzo wygodnych zabiegów i urządzeń. Od mnóstwa kolorowych zabawek, które kiedyś tak ją irytowały.

– Kiedy brodzisz w tym po kolana, wydaje ci się, że mógłbyś wieść życie buddyjskiego mnicha. Ale kiedy znajdziesz się w dużym pustym pokoju, zaczynasz się dusić. Co minutę myślisz, czy dobrze zrobiłaś, odchodząc. Czy było warto. A może popełniłaś idiotyzm? Przecież tylu ludzi chwali sobie wygodne fotele.

– Jak wytrzymałaś?

– Kupiłam mieszkanie. I wtedy dopiero się zaczęło.

Wcześniej firma wynajmowała jej wygodne, klimatyzowane apartamenty w strzeżonym „condo". Nie myślała o tym, żeby odkładać forsę na własne lokum.

– Obiecywałam sobie, że zacznę od jutra. Albo od poniedziałku. Bo dziś jestem taka zestresowana, że muszę sobie coś kupić. Coś z dużą złotą metką. Teraz, natychmiast, już.

Nadchodził poniedziałek i trzeba było opłacić karnety fitness albo zaliczkę na wyjazd do SPA.

– Więc przesuwałam wszystko o tydzień. I tak mi zeszło prawie sześć lat. Dopiero w ostatnim przestałam szaleć z zakupami. Właściwie to nie wydawałam prawie nic. Jadłam w firmowym barze, zresztą niewiele, bo wszystko smakowało trocinami.

– A po pracy?

– Po pracy nie miałam siły kliknąć myszką, żeby zamówić coś przez Internet. Można powiedzieć, że bezsenności zawdzięczam mieszkanie.

– Spore?

– Trzypokojowe na Starym Podgórzu. Oczywiście wszystko do remontu, ale cena była bardzo okazyjna. A w ramach dodatkowego bonusu dostałam lokatora.

– To się da załatwić.

– Też tak myślałam, przez pół roku. Potem eksmisja się przeciągnęła. O miesiąc i następny. Zdesperowana myślałam nawet o zakupie wielkich walizek. Takich, żeby pomieściły sześćdziesiąt kilo rąbanki. Ostatecznie wybrałam opcję „polubić karalucha".

– Nasz personalny nazywa to mechanizmem „słodkich cytryn" – wtrącił Teodor.

– Jak zwał, tak zwał, ale łatwe to nie jest – wyznała Bietka. – Z czasem się jednak pogodziłam, tłumacząc sobie, że są gorsze nieszczęścia. Na przykład przytułek albo samobójstwo z powodu biedy. Niech se „robal" mieszka, zwłaszcza, że prawie go nie widać, tak się zaszył. Aż wracam kiedyś na bańce do domu, koło pierwszej może, a tam „karaluch" w mojej kuchni gotuje sobie mleko. Jak mnie zobaczył, wyłączył gaz i czmychnął do swojej dziupli szybciej niż piorun kulisty. I wtedy, po trzech piwach, zobaczyłam w nim człowieka. Pana Kazia.

– I co zrobiłaś?

– Przelałam mleko do kubka i zaniosłam do kanciapy. Od tego czasu sztama. Odstąpiłam mu normalny pokój, a norę bez okna zamieniliśmy w biblioteczkę. Ja płacę rachunki, za to Kazio sprząta. A powiem ci, że jest sprzątaczem doskonałym. Przez nerwicę natręctw. Nie usiedzi ani minuty, jak to alkoholik.

– O Boże!

– Alkoholik, ale nie pijący. Od dziesięciu lat. Poszedł się leczyć, kiedy żona wyjechała do Irlandii. Zabrała dzieci, bo niczego więcej się nie dało; Kazio wyniósł wszystkie sprzęty do lombardu, żeby mieć na wino. Ocknął się w pustej czynszówce, nękany przez Hrabiego von Delirium Tremens. Żeby dodać sobie otuchy, chlał ciągiem. Równo pół roku, a potem przerażony zaczołgał się do ośrodka leczenia uzależnień. Wręczyli mu piciory, wiesz, taki kwestionariusz, w którym dokładnie wypisujesz, ile czego wypiłeś i z jakim skutkiem. Kazio wypełnił ankietę w pięć minut. Wystarczyłyby dwie, ale dostał tępy ołówek i bardzo trzęsły mu się ręce. Na skutek wielu spotkań z Hrabią.

– Może kłamał?

– Po dwudziestu latach chlania mało kogo stać na takie intelektualne akrobacje. Zresztą Kazio nigdy nie lubił kręcić, więc napisał, że pił codziennie. O tych samych porach i to samo wino – „Siarkowe" – należy bowiem do klientów lojalnych wobec marki. Wysłali go na terapię, gdzie wysłuchał ponurych opowieści innych pogrążonych w nałogu. Oczywiście ci inni wydali mu się bardziej pogrążeni, więc po miesiącu detoksu uznał, że już da radę sam. Wrócił do ośrodka na wiosnę, uciekając przed szponami Hrabiego Tremensa i od razu poprosił o esperal. Zaszyli go dopiero dwa dni później, bo miał we krwi cztery promile. A teraz chodzi po „wszywkę" co roku, w moje imieniny. Taki prezent.

– A jak sobie wydłubie esperal i pójdzie ci w tango?

– A jak jutro dostaniesz wylewu? Zawsze istnieje ryzyko, ale na razie jest OK. Kazio pucuje mi chatę na błysk, bo drażni go każdy pyłek. Czasem działa mi tym na nerwy, ale ogólnie się lubimy. I to bardzo. No i wiesz, mogę powiedzieć, że mieszkam z facetem. – Mrugnęła.

Teodor blado się uśmiechnął, usiłując ukryć przerażenie. Owszem widział film „My name is Joe". I bardzo go poruszyły dylematy bohatera. Ale angielski alkoholik o miłej twarzy Petera Mullana to zupełnie coś innego niż zarośnięty polski żul.

– Jak sobie radzisz teraz? Da się zarobić na takim stoisku?

– Tu tylko zastępuję znajomą Kazia – sprostowała Bietka. – Przy okazji podrzuciłam parę moich książek. Takie pożegnanie z przeszłością – Zamyśliła się. – Co za traf, że spotkaliśmy się właśnie tu i teraz.

Teodor nie odezwał się ani słowem, więc wróciła do pytania, jak sobie radzi.

– Założyłam Dosyć Dziwny Sklepik. Na spółkę z koleżanką ze studiów. To znaczy ona udostępniła lokal, a ja robię całą resztę.

– Na czym polega jego niezwykłość?

– Wyjaśnię ci na przykładzie. Wyobraź sobie, że masz sześćset sześćdziesiąt sześć złotych emerytury. Wiem, to nie będzie łatwe, ale spróbuj. Więc co miesiąc dostajesz te sześć stówek, które z trudem wystarczają na normalne życie. A tobie zachciało się prawdziwych łakoci: właśnie zachorowałeś na cudny, czarnobiały plakat młodego Brando. Metr na półtora. Można by powiesić se nad łóżkiem, myślisz, albo przysłonić nim grzyb w przedpokoju, tylko skąd wyskrobać cztery dychy? Zagrałeś w totka, ale znowu trafiły ci się same pały. Pozostaje modlić się o cud albo z rozpaczy upić kropelkami od bonifratrów. Możesz też usiąść sobie wygodnie w naszym sklepie i wypisać, co chcesz zaoferować w zamian za plakat. My tę listę przekażemy właścicielowi plakatu. I kto wie, może będziesz mieć własnego Brando w sypialni.

– A co można zaproponować?

– Wszystko. Możesz wydziergać komuś sweter albo upiec ciasto marchwiowe. Wymalować kuchnię, myć naczynia przez miesiąc, nauczyć kroków quickstepa, machnąć kotwicę na ramieniu albo wygłosić płomienny wykład na temat wizerunku pokrzywy w literaturze skandynawskiej.

– Nie żartuj.

– Nawet nie wiesz, jaki niewykorzystany potencjał tkwi w ludziach. Mają wiedzę i umiejętności, których nikt nie już nie potrzebuje. Nikt poza nami. Bo my chętnie dokonujemy wymian. Usługa za towar. Albo usługa za usługę. Ja tobie lekcje arabskiego, a ty mnie kurs jeżdżenia na łyżwach. Obowiązuje tylko jedna zasada: „zero kitu i żadnych przeterminowanych jaj". Inaczej wszystkich czeka hipermarket i chińskie podkoszulki.

Umilkli. Teodor zaczął się zastanawiać, co mógłby odstąpić w zamian za plakat. I czym się podzielić. Znajomością technik manipulacji? Wiedzą na temat zarządzania dużą firmą? Ba, żeby tylko. Mógłby przekazać mnóstwo cennych informacji. Cennych teraz, ale kiedyś, za trzydzieści lat? Czy jego bogata wiedza może ulec przeterminowaniu? Strasznie go to pytanie zirytowało. A jeszcze bardziej przygnębiła świadomość, że on, wiceprezes CONCERNU, może być zmuszony do tak upokarzających wymian. „To nie może się zdarzyć" – powtarzał niczym mantrę, obiecując sobie, że poruszy trudny temat dewaluacji na terapii indywidualnej (na grupowej nie miałby odwagi).

– Co z tego macie jako sprzedawczynie? – zapytał wreszcie, odgoniwszy niewygodne myśli.

– Za każdą wymianę pobieramy równowartość dwóch biletów. A poza tym mamy dziką satysfakcję z naszych śmiesznych wygranych.

– Da się z tego żyć?

– Z satysfakcji? Sam widzisz – uśmiechnęła się, wskazując na tenisówki. – A na serio, nie jest źle. Jak już trafi się przednówek, dorabiamy u znajomej, wyceniając różne stare klamoty. Kielichy, zastawy i takie tam, wiktoriańskie świecidełka. Ze dwa razy natknęłam się na twojego tatę. Szukał czegoś odpowiedniego do witryny.

– Nic mi nie mówił.

– Pewnie nie chciał cię dekoncentrować. No... – pokręciła głową, z niejakim uznaniem. – Ma fantazję, iście ułańską.

– Rekonstruuje nasze drzewo – bąknął Teodor.

– Dobrze, że nie zatrudnili go do grupy ekspertów

rekonstruujących dinozaury – zaśmiała się Bietka, a Teodor, w ramach odwetu, zaraz spytał, co tam u jej mamy. Samotnej wdowy.

– Też bardzo zajęta, od kiedy wrócił tata.

– Jak to wrócił?

– Normalnie zapukał do drzwi i wszedł.

– A mama?

– Najpierw chciała mu zaśpiewać: „Nie było ciebie tyle lat. Myślałam, ze nie wrócisz już, poukładałam sobie świat...", ale ostatecznie pomyślała, że co jej szkodzi zrobić ojcu trochę miejsca na kanapie.

– Powinna gdzieś z tym pójść – przeraził się Teodor.

– Na policję czy od razu do telewizji?

– Myślałem raczej o terapii.

– Ale mama wcale nie cierpi. To co ma leczyć?

– Ale inni...

– Innym to nie przeszkadza, bo tata rzadko wychodzi z pokoju. Ma teraz naprawdę niewielkie potrzeby.

– A tobie?

– Jeszcze się nie spotkaliśmy. Tata czuje się trochę winny, że zaniedbał nasze kontakty za życia i kiedy odwiedzam mamę, chowa się za firanką. Nie będę go przecież straszyć. Jak zechce, to wyjdzie sam. A na razie niech sobie siedzi, gdzie mu wygodnie. W końcu jest u siebie.

– Ty też wróciłaś do siebie?

– Chyba tak... chociaż powiem ci, że inaczej je sobie wyobrażałam, to swoje miejsce. Wydawało mi się kiedyś, że jak już je odnajdę, to osiądę, spokojna niczym kwiat lotosu. A tu kicha. Żadnej nirwany. I czasu wcale nie za wiele. Ale na pewno śpię dużo lepiej niż trzy lata temu. Oczywiście raz na kwartał trafi mi się biała noc.

– Bietka, czy ty jesteś szczęśliwa? – zapytał nagle Teodor.

– Bywam. Bywam też smutna i rozdrażniona. Zdarza mi się płakać, tupać nogą z powodu zardzewiałych rur i narzekać na zimną łazienkę. Miewam doły, chandry i chwile euforii. No wiesz, jak to ludzie.

– Słuchaj – zaproponował, podekscytowany swoim genialnym pomysłem. – Mógłbym ci załatwić świetne miejsce. Zwolnił się u nas stołek dyrektora działu księgowości, no a ty zawsze byłaś świetna w te klocki. I nie musiałabyś się wcale wyprowadzać, zostałabyś u siebie.

– Daj spokój.

– Odnowilibyśmy ze sobą kontakt i w ogóle.

– Tomek, ja już nie chcę się ścigać. Zwłaszcza z tobą.

– A to czemu?

– Bo i tak będziesz zawsze dziesięć minut z tyłu – uśmiechnęła jak kiedyś, dawno temu.

– Ja z tyłu? – parsknął, obrzucając wzrokiem jej prza-śną sukienkę i zniszczone dłonie. – A co ty masz, dziewczyno? Bo ja mam...

– Szybkie auto, strzeżony apartament, napęczniały portfel, wyrzeźbione mięśnie brzucha, śliczną opaleniznę, mnóstwo perspektyw... – wyliczała spokojnie.

– No właśnie, a ty?

– A ja... ja mam kieszenie pełne czereśni.

Spis treści

Wydanie I
Warszawa 2006

Projekt okładki i stron tytułowych:
Adam Świergul

Redakcja:
Dorota Majeńczyk

Korekta:
Angel Agentow-Tajnow

Typografia:
Monika Lefler

ISBN 83-922240-4-3

Druk i oprawa:
ABEDIK S.A.
61-311 Poznań, ul. Ługańska 1

Wydawnictwo Autorskie
Katarzyna Grochola
Elżbieta Majcherczyk
Spółka cywilna
ul. Burakowska 5/7, 01-066 Warszawa
tel. 0-22 887 38 20, faks 0-22 887 10 73

Książkę można zamówić pod adresem:
L&L Spółka z o.o.
hurtownia@ll.com.pl

Dział handlowy:
80-557 Gdańsk, ul. Narwicka 2a
tel. +4858 342 21 07; 340 55 29

www.ll.com.pl